DU MÊME AUTEUR

La justice vécue et les théories éthiques contemporaines. Initiation aux débats contemporains sur la justice et le droit, Les Presses de l'Université Laval, 1994

Une solution de rechange
au néo-libéralisme

Nouveau regard sur le droit
et ses fondements

ROGER LAMBERT

Une solution de rechange au néo-libéralisme

**Nouveau regard sur le droit
et ses fondements**

LES PRESSES DE L'UNIVERSITÉ LAVAL

Les Presses de l'Université Laval reçoivent chaque année du Conseil des Arts du Canada et de la Société de développement des entreprises culturelles du Québec une aide financière pour l'ensemble de leur programme de publication.

Nous reconnaissons l'aide financière du gouvernement du Canada par l'entremise de son Programme d'aide au développement de l'industrie de l'édition (PADIÉ) pour nos activités d'édition.

Données de catalogage avant publication (Canada)

Une solution de rechange au néo-libéralisme : nouveau regard sur le droit et ses fondements

Comprend des réf. bibliogr.

ISBN 2-7637-7687-6

1. Libéralisme – Aspect social. 2. Droits économiques et sociaux – Aspect moral. 3. Structure sociale – Aspect économique. 4. Liberté – Aspect socal. 5. Morale sociale. 6. Capitalisme – Aspect social. I. Titre.

HB95.L35 1999   306.3'42   C99-941880-7

2ᵉ tirage : 2002

Mise en pages : Daniel Huot

Maquette de couverture : Chantal Santerre

Distribution de livres Univers
845, rue Marie-Victorin
Saint-Nicolas (Québec)
Canada G7A 3S8
Tél. (418) 831-7474 ou 1 800 859-7474
Téléc. (418) 831-4021
http://www.ulaval.ca/pul

PRÉFACE

QUI VA S'OCCUPER DES INTÉRÊTS COMMUNS ?

Ces récentes années ont vu le salariat exploser, le travail se précariser et le nombre de personnes privées d'emploi s'accroître. D'aucuns disent que le travail est en crise... une fois de plus. D'autres affirment plutôt que nous sommes en présence d'une véritable révolution du travail et de la mise en place d'une pluralité accrue de nouveaux rapports à la production et à la consommation. Chose certaine, des portions importantes de nos populations sont sorties du circuit de la production des biens et des services et reléguées de plus en plus à une vie d'exclues sociales, politiques, voire civiques.

Cette réalité se déploie dans un contexte d'une toujours plus grande complexification des rapports sociaux. La bureaucratisation en est un exemple. Ce mouvement tient les salariés et les citoyens à distance des lieux de formulation des besoins et d'organisation des réponses. Leur passivité est devenue la rançon de cette complexité.

Plus grave encore est la « financiarisation » de l'économie. L'essor fulgurant du secteur spéculatif international et sa présence déterminante dans la plupart des secteurs névralgiques des économies nationales rend les États vulnérables notamment dans leurs responsabilités et leurs capacités de contribuer à la répartition de la richesse de leur société et à la promotion des droits de l'homme.

La boucle est bouclée quand une offensive idéologique sans précédent tente de légitimer cet état de fait à l'œuvre depuis bon nombre d'années, nombre d'idéologues drapés dans des manteaux d'économistes ou de sociologues essaient de restaurer l'ordre ancien, celui du dix-neuvième siècle, celui d'avant la mise en place des politiques sociales.

Leurs thèses se tiennent. Ils y mettent beaucoup de rigueur. Elles sont efficaces au sens où elles viennent bien appuyer les nouveaux développements de l'économie et particulièrement ceux qui en tirent outrageusement profit. Mais elles ne résistent pas au test de la pratique et du sens, auquel Roger Lambert les a soumises.

Décortiquer par l'intérieur les logiques que sous-tendent les thèses néo-libérales est un travail extrêmement précieux. Mettre en évidence en quoi ces thèses reposent sur des conceptions étriquées de l'homme et de la société l'est encore davantage. Dans la foulée de son analyse, Roger Lambert met en évidence les avatars inévitables de la vie en société si l'État n'est pas pleinement restauré et reconnu comme fiduciaire des intérêts communs.

Le néo-libéralisme connaît ses heures de gloire. Mais ses plus belles sont peut-être derrière lui. En effet, sur le terrain, se déploient de nouvelles forces qui viennent illustrer le propos de Roger Lambert ; des forces qui élaborent des solutions de rechange au néo-libéralisme. En effet, un modèle est en train d'émerger à partir des expériences comme les unités autonomes de services qui s'implantent dans différents ministères, comme ces nouveaux conseils d'établissement dans le réseau de l'éducation, comme ces nouveaux lieux de concertation économique que sont les conseils locaux de développement ou encore comme ces projets autogérés de l'économie sociale. Ce nouveau modèle s'inscrit dans la démarche progressive des peuples vers une vraie démocratie.

Ces nouvelles forces préconisent et mettent en marche les réformes suivantes : rendre plus efficace la mise en œuvre des droits et non pas les reléguer au second plan comme le proposent les néo-libéraux ; démocratiser les services publics et non les privatiser ; établir une structure qui permette aux citoyens de participer plus activement à la vie politique.

Le projet de ces nouvelles forces est ambitieux et correspond en tous points aux pistes suggérées par Roger Lambert. Il s'inscrit dans une perspective progressiste et moderne. Il requiert des citoyens une prise de conscience plus vive de leur responsabilité politique. Cette dernière exigence est la seule à pouvoir nouer de nouveaux comportements sociaux susceptibles de domestiquer les lois du marché et de consolider l'État dans sa responsabilité de fiduciaire des intérêts communs. Au cœur de ce modèle qui émerge, l'État, et lui seul, a la charge de produire les politiques publiques visant la protection et la promotion du bien commun et d'en assurer le financement. Mais pour s'acquitter de cette tâche, l'État doit intégrer, d'une manière plus efficace, l'ensemble des citoyens dans le processus de définition et d'organisation du vivre collectif. Voilà en route l'émergence concrète d'une solution de rechange au néolibéralisme.

Gérald Larose
Président de la CSN 1983-1999
Professeur invité à l'UQAM

Introduction

--▷ Le néo-libéralisme, comme doctrine justificative des pratiques capitalistes qui, à l'enseigne de la mondialisation des marchés, s'étendent aux dimensions de la planète, rassemble de plus en plus d'adhérents et constitue sans conteste la pensée dominante de l'époque présente. Il s'articule autour des énoncés suivants : réduction de tous les droits à celui de propriété privée ; un milieu social formé quasi exclusivement par les rapports d'échange que régit la loi de l'offre et de la demande ; restriction de la mission de l'État à celle d'un service de protection. Comme corollaire de ces affirmations, il accorde peu d'importance aux droits de l'homme inscrits dans la constitution des États, rejette la pertinence des droits dits sociaux, considère et traite les rapports politiques fondés sur la solidarité comme des anomalies, et enfin classe l'État-providence parmi les erreurs historiques.

À côté de ce mouvement, se développe une autre vision du monde, corroborée aussi par des pratiques sociales, politiques surtout, dont le contenu diffère radicalement des énoncés néo-libéraux. En matière d'organisation sociale, elle accorde la prépondérance aux divers droits de l'homme parmi lesquels le droit de propriété privée n'est qu'un figurant ; elle met l'accent sur la nécessité d'une sphère publique d'activités où les individus nouent entre eux des liens de solidarité plutôt que d'échange ; elle préconise un État fort dont la responsabilité n'a d'autre limite que les exigences de l'implantation des droits jugés fondamentaux.

Ces deux courants ne se côtoient pas seulement, ils s'affrontent. Le but de cet essai est de substituer à la doctrine néo-libérale, qui a pour effet de contribuer à maintenir le capitalisme à l'état sauvage, un savoir ouvert sur des pratiques qui auraient pour effet d'apprivoiser le capital, c'est-à-dire de l'assujettir à l'ensemble des droits humains fondamentaux. D'où l'intitulé : une solution de rechange au néo-libéralisme.

Le point de divergence entre ces deux visions du monde réside dans leur conception respective de la justice, du droit et du rôle assigné à l'État dans la société. Ces trois notions, d'ailleurs indissociables, se sont présentées sous des visages différents au cours de l'histoire, et aujourd'hui encore.

À ce sujet, Aristote expose son point de vue à partir d'une donnée universelle et indéniable fournie par l'induction : tous les humains sans exception, à travers toutes leurs opérations, poursuivent un but identique, le bonheur. Ce dernier, bien qu'il inclue plusieurs éléments comme la santé, l'amitié, les richesses, consiste néanmoins et surtout en la pratique des vertus intellectuelles et morales, la science, la tempérance, la justice, etc. La société n'a d'autre finalité que de constituer un milieu externe qui soit propice à l'éclosion des vertus chez les citoyens[1].

La mission de la cité est éducative : par ses lois et ses organisations, elle est appelée à modeler les consciences individuelles de telle sorte que leur comportement soit conforme aux exigences de la vertu. Les individus et la cité partagent le même but, le bonheur de chacun des citoyens, mais par des moyens différents : les premiers, en contrôlant leur agir ; la seconde, en instituant un milieu externe qui incline à la pratique de la vertu. Un modèle similaire de société à vocation éducative se retrouve dans la plupart des églises chrétiennes dont le rôle est d'inculquer à leurs adhérents les convictions nécessaires à la jouissance de leur salut éternel.

Ce genre d'association, axé sur la formation des consciences individuelles, sous-entend que l'ordre social dépend d'abord et avant tout de la bonne volonté des citoyens. Par conséquent, la garantie de la paix et de la sécurité repose principalement sur la vertu des membres de la société. Malheureusement, les faits contredisent un tel énoncé. Tout au long de l'histoire, et encore aujourd'hui, pour maintenir l'ordre, les peuples s'appuient sur des contraintes externes, législation assortie de sanctions, forces encasernées, plutôt que sur le sens du devoir de leurs ressortissants. D'ailleurs, comme l'expérience le démontre, la levée des contraintes externes entraîne quasi automatiquement des désordres sociaux importants.

---

1. Aristote. *Éthique de Nicomaque*. Traduction de Jean Voilquin, Paris, Librairie Garnier, 1992, p. 21-22.

Dès lors, puisque la raison d'être des États réside dans le maintien de l'ordre et de la paix, leur structure ne peut s'articuler principalement autour de la formation des consciences subjectives. Il s'ensuit que la vertu, bien qu'elle ne soit pas un facteur négligeable, ne s'avère pas le fondement premier des sociétés.

John Rawls projette un éclairage beaucoup plus réaliste sur ce sujet en cours. Selon lui, le fondement des États consiste en un certain nombre de principes de justice, non pas en tant qu'ils sont intériorisés par les citoyens, mais en tant qu'ils sont incorporés dans la structure même des sociétés. Que signifie cette assertion[2] ?

La justice se définit comme un équilibre adéquat entre des revendications concurrentes. Les principes de justice ont pour fonction de situer ce point d'équilibre. Ici la justice n'est pas considérée à titre de vertu, d'habitus inclinant à rendre à chacun son dû, mais de norme prescriptive. Un principe est incorporé dans une structure sociale en tant qu'il figure dans la constitution ou le code législatif à titre de norme assortie d'une sanction[3].

D'où proviennent ces principes et quelle en est la teneur ? Selon un courant de pensée encore perceptible mais de plus en plus vulnérable, ces principes seraient identiques à ce qu'il est convenu d'appeler le « droit naturel ». En vertu de leur nature même, les humains seraient autorisés à préserver par la force leurs intérêts légitimes lorsque ces derniers sont menacés par la malveillance d'autrui. Parmi les intérêts légitimes les plus cités, il faut mentionner la vie, l'intégrité corporelle et psychique, la liberté du choix d'un mode de vie, l'association et la communication. Dans son *Léviathan*, Thomas Hobbes assume cette notion de droit naturel, mais il en restreint la portée car l'ordre social exige que les individus renoncent volontairement à l'usage personnel de la force et réservent ce privilège à l'État. Par cette clause il substituait, dans l'exercice du droit, la force sociale à la force individuelle et ainsi rejoignait en substance la notion contemporaine, qui inclut la force sociale dans la notion même du droit[4].

---

2. John Rawls. *Théorie de la justice*. Traduction de C. Audard, Paris, Seuil, 1987, p. 85-86.

3. John Rawls. *Théorie de la justice*, p. 89.

4. Thomas Hobbes. *Léviathan*, Paris, Éditions Sirez, 1971, p. 128-129.

Robert Nozick, un contemporain, dans son ouvrage, *Anarchy, State, and Utopia*, adopte une position qui va à l'encontre de celle de Rawls en ce sens que pour lui, les principes de justice, en l'occurrence les droits naturels, n'ont d'autre sujet que l'individu lui-même, et ne constituent en aucune façon une articulation de la structure de l'État[5]. Selon cette opinion, la nature serait l'auteur des droits. Certes, les humains, à l'instar des animaux, ont le pouvoir d'utiliser la force pour vaincre la résistance d'autrui. Mais cette simple donnée ne rejoint pas le sens accordé au terme droit. Ce dernier implique, à titre de note définissante, l'emploi de la force pour défendre ses intérêts légitimes. La nature ne détermine en aucune façon d'une manière explicite les intérêts légitimes de l'être humain. D'ailleurs, aujourd'hui encore, la notion et la spécificité des intérêts légitimes s'avèrent un objet de controverse.

En outre, selon les opinions courantes, le droit autorise l'emploi de la force lorsqu'autrui est obligé de ne pas résister. D'où provient une telle obligation dite morale ? Une obligation est morale lorsqu'elle est assumée volontairement par l'obligé alors qu'il pourrait décider d'agir autrement. L'obligation morale tire son caractère spécifique non pas de la nature, mais d'un assentiment volontaire. Depuis Kant, et cette opinion est aujourd'hui prépondérante, l'autonomie figure parmi les traits spécifiques de la volonté ; c'est pourquoi aucune volonté externe à l'individu ne peut obliger ce dernier sans son assentiment.

Pour Nozick, tous les droits sont individuels et se réduisent en dernière analyse au droit de propriété privée. En ce qui concerne ce dernier, il accepte d'emblée la définition inscrite dans le libéralisme : le droit de disposer à son gré et d'une manière exclusive de ce qui nous appartient en propre sans autre limite que l'égal droit de propriété privée des autres. Le libéralisme substitue habilement le terme « droit » au terme « liberté » comme si leur signification était identique. Pourtant, il en va tout autrement. En effet, la seule donnée naturelle qui résiste à une analyse rigoureuse, c'est non pas le droit de disposer, mais la liberté de disposer à son gré...

Par ailleurs, l'autre partie de la définition, qui s'énonce ainsi : « sans autre limite que l'égal droit (liberté) de..., tel qu'il existe chez

---

5.   Robert Nozick. *Anarchy, State and Utopia*, New York, Basic Books, 1974, préface.

les autres », appelle des explications. Le rapport entre la liberté de chacun et la limite assignée n'est pas une donnée naturelle. Au contraire, la liberté mentionnée, saisie comme donnée brute, ne tolère pas de frontière ; elle n'a d'autre règle que la loi du plus fort, telle qu'elle existe dans le règne animal. L'histoire est marquée par des formes de domination successives (l'esclavage, le servage), où des individus, à des degrés divers, se sont appropriés, à titre privé, ce qui appartenait en propre à autrui, tant selon l'être que selon l'avoir, au mépris de la liberté de cet autrui.

La seule façon d'endiguer ces abus, c'est la reconnaissance effective par chacun de l'égale liberté d'autrui. Une telle reconnaissance consiste en un acte volontaire, précédé d'une prise de conscience de la liberté d'autrui et suivi d'un comportement respectueux ajusté aux exigences de ce trait spécifique à l'être humain. Cette reconnaissance n'est pas donnée, mais acquise et produite au terme d'un processus qui se déroule au niveau des opérations issues de la volonté. En outre, comme Hegel le soulignait avec pertinence dans son ouvrage intitulé *Phénoménologie de l'esprit*, pour être authentique, cette reconnaissance doit être réciproque et dénuée de toute contrainte, autrement, elle ne donnerait pas lieu à des rapports spécifiquement humains. Les relations entre le maître guerrier et ses esclaves ne constituent pas une association entre êtres libres, mais un regroupement entre des êtres libres et d'autres humains réduits à l'état de choses[6].

Pour bien comprendre la différence radicale entre une société esclavagiste et une société humaine, il faut saisir l'écart entre la liberté brute, telle que donnée par la nature, et sa transformation par la reconnaissance mutuelle. La première, enferrée dans son individualité, n'est assujettie à d'autre loi que celle de la jungle et ne peut générer que des rapports de domination ; la seconde, en assumant la liberté de l'autre comme une limite à son égoïsme premier, sort de son individualité et s'engage dans des rapports où la liberté de l'autre ne peut être écartée. Selon Hegel, c'est sous ce dernier aspect, en tant qu'objet d'une reconnaissance mutuelle, que la liberté de chacun revêt sa véritable dimension et fonde un ordre nouveau.

---

6. Jean Hippolyte. *Genèse et structure de la Phénoménologie de l'Esprit*, Paris, Aubier/Éditions Montaigne, 1946, p. 166-171.

Cette reconnaissance mutuelle constitue le noyau de toute société vraiment humaine et l'embryon dont les principes de justice ne sont que le développement ; elle marque l'avènement d'un ordre social non régi par la loi du plus fort. Dès lors, tout énoncé de principe, comme le droit de propriété privée des libéraux, où le terme « limite » n'a de sens que dans un contexte où chacun reconnaît effectivement la liberté de l'autre, ne peut être l'expression d'une donnée purement naturelle. Les droits sont certes postulés par la nature humaine, mais ils ne sont pas innés ; ils découlent de la liberté en tant que reconnue. Privée de cette dernière modalité, la liberté d'un grand nombre d'individus serait condamnée à l'étiolement.

Avec F.A. Hayek, l'hypothèse des droits naturels se présente sous une nouvelle enveloppe. Les droits ne sont plus innés : ils se définissent comme des articulations d'un ordre spontané qui, lui, résulte d'un ensemble de pratiques non concertées, adoptées par les humains agissant indépendamment les uns des autres. Telle fut l'origine de l'ordre économique contemporain avec ses lois, parmi lesquelles figure le droit de propriété privée des libéraux et la loi de l'offre et de la demande[7].

Ces lois, dont la provenance est quasi naturelle, sont considérées et traitées comme les causes de l'ordre et c'est à ce titre que les humains doivent s'y soumettre. Hayek ne voit pas en elles des principes de justice, mais des règles de conduite que les humains doivent observer sous peine de perturber l'ordre. Il évacue le rapport à la liberté d'autrui, toujours impliqué dans la justice, pour y substituer un rapport de causalité entre l'agir humain et l'ordre économique. À cet ordre, il accorde une priorité aux intérêts individuels, de sorte qu'en cas de conflit, il faut lui sacrifier ces derniers.

Cet ordre ne peut être sauvegardé que si sa spontanéité est préservée ; c'est-à-dire s'il s'alimente aux agirs individuels, non concertés mais conformes aux règles de conduite. Aussi toute intervention étatique, en autant qu'elle origine à l'extérieur de l'ordre et repose sur une décision collective, est-elle prohibée en tant que perturbatrice.

---

7. F.A. Hayek. *Droit, législation et liberté*, vol. 1, Paris, Presses Universitaires de France, 1980, p. 43.

Selon Hayek, l'ordre social s'avère la fin ultime des règles de conduite ; les intérêts individuels et l'éclosion de la liberté de chacun sont relégués au second plan. Les obligations relatives à la justice s'effacent devant la primauté de l'ordre. Les règles de conduite ne sont pas des principes de justice, mais les causes de l'ordre, et à ce titre elles tolèrent les accrocs à la liberté d'autrui dont leur observance est la cause.

L'ordre, et non la liberté, devient le critère ultime de l'agir social. L'ordre ainsi conçu ne répond plus à la notion d'intérêt commun, car il est indifférent à certains intérêts particuliers légitimes. Certaines pratiques capitalistes, comme le congédiement de nombre d'ouvriers pour de simples raisons de rentabilité, sont conformes à l'ordre, en tant qu'autorisées par le droit de propriété privée, mais elles n'en causent pas moins un tort considérable aux employés remerciés.

Ainsi les tentatives déployées par les théoriciens du libéralisme, pour établir les fondements d'une société qui soit à la mesure de l'être humain, aboutissent à une impasse. Le droit, tel que le comprend Nozick, n'est pas réductible à une donnée purement naturelle, tandis que l'ordre social, préconisé par Hayek comme une fin en soi, non rivée aux intérêts légitimes de tous les individus, va à l'encontre du caractère universel assigné à toute société, soit préserver à un titre égal la liberté de tout un chacun.

Hayek et Nozick se rejoignent en ce qu'ils posent tous deux le droit de propriété privée comme le fondement ultime de toute société ; toutefois ils s'éloignent en ce que l'un le reconnaît en tant que cause incontournable de l'ordre, et l'autre, à titre de principe naturel de justice.

D'un autre côté, les droits de l'homme, tels qu'ils figurent dans la constitution de la plupart des pays, s'avèrent-ils les principes de justice sur lesquels toute société est appelée à se fonder ? Dans la plupart des chartes adoptées par les divers pays, on retrouve les principes énoncés par John Rawls dans son livre intitulé *Théorie de la justice*. Voici les libertés de base qu'il retient :

> Parmi elles les plus importantes sont les libertés politiques (droit de vote et d'occuper un poste public), la liberté d'expression, de réunion, la liberté de pensée et de conscience ; la liberté de la

personne qui comporte la protection à l'égard de l'oppression psychologique et de l'agression physique (intégrité de la personne) ; le droit de propriété personnelle et la protection à l'égard de l'arrestation et de l'emprisonnement arbitraire[8].

Rawls énonce ces principes en vrac sans autre justification si ce n'est qu'ils seraient choisis par tous ceux qui se placeraient dans la situation originelle qu'il décrit avec soin. Dans la plupart des chartes où elles sont inscrites, ces libertés de base sont plutôt présentées comme des paradigmes de justice, tels que définis par Dworkin, c'est-à-dire des énoncés reconnus comme des lieux communs que personne ne dénie. Pourtant, vu l'importance de l'enjeu, il serait pertinent de cerner ces principes avec une plus grande circonspection.

Aux principes figurant dans les chartes sous une formulation générale et sommaire, il faut ajouter les législations particulières qui précisent les droits déjà reconnus ou en établissent de nouveaux. Au cours des dernières décennies, maints pays se sont octroyé des droits dits sociaux par convention. Par l'utilisation de la technique propre aux diverses espèces d'assurances, ils garantissent à tous l'accès à l'éducation et aux soins de santé, et un revenu minimum pour les défavorisés, comme les vieillards, les chômeurs, et les handicapés.

Ces pages introductives esquissent les grandes lignes d'un tableau qui représente l'état actuel des connaissances et des pratiques reconnues en matière de justice et de droit. Bien qu'approximatif et incomplet, ce bref exposé retrace néanmoins les principales tendances théoriques et décisionnelles qui dessinent la conjoncture actuelle en ce qui concerne les principes de justice et l'évolution du droit.

Toutefois, les approches théoriques mentionnées ainsi que les pratiques courantes suscitent de nombreux points d'interrogation. En ce qui a trait à la pensée, les néo-libéraux considèrent les principes de justice et les droits comme des données naturelles alors que John Rawls les rattache à un consensus. Les premiers suscitent la problématique suivante : où se situe la ligne de démarcation entre

---

8. John Rawls. *Théorie de la justice*, p. 92.

le donné et ce qui est attribuable à l'intervention de la volonté humaine ?

Lorsqu'il définit, dans le *Léviathan*, le droit naturel, Hobbes y inscrit le pouvoir de résister par la force aux assauts d'autrui. Il exprime par là une tendance naturelle que l'on retrouve indéniablement chez tous les humains. Par contre, dans un développement subséquent, il affirme que, sous peine de maintenir un état de guerre permanent, les humains, pour régler leurs inévitables conflits, doivent, par une entente mutuelle, renoncer à l'usage individuel de la force pour réserver ce pouvoir aux détenteurs de l'autorité politique. Ainsi, il reconnaissait explicitement la distinction entre le contenu de la tendance naturelle et sa répression par un pacte où se retrouve le noyau de l'ordre juridique contemporain étayé sur la force de la société.

Ces propos de Hobbes révèlent la portée des désirs naturels : évidemment, ces derniers sont illimités et inclinent à la violence lorsque des obstacles s'opposent à leur satisfaction. Vis-à-vis des contraintes en provenance d'autrui, à moins de l'existence d'une entente par laquelle les uns et les autres se reconnaissent mutuellement comme des êtres libres, entre autres, le désir de conservation, l'appétit sexuel et la convoitise des richesses matérielles sont sans frein et se déploient en ayant recours à la violence si nécessaire.

La seule loi qui soit inscrite dans les tendances naturelles est la loi du plus fort, commune aux animaux et aux humains. La seule façon pour ces derniers d'y échapper est de nouer entre eux des liens de réciprocité par lesquels chacun s'engage à respecter la liberté de l'autre. C'est uniquement dans le cadre d'un tel accord que la justice revêt un sens. Kant affirme explicitement que, sans une telle entente universelle, il n'existe même pas de propriété privée[9] :

> Je ne suis pas obligé de respecter le sien extérieur de chacun si chacun en retour ne m'assure pas que relativement au mien il se conduira suivant le même principe.

---

9. Emmanuel Kant. *Métaphysique des mœurs. Doctrine du droit*. Traduction de A. Philolenko, Paris, Vrin, 1979, p. 130.

Le lieu de la justice n'est pas la nature mais un accord de réciprocité entre humains. Les principes de justice s'avèrent l'issue, élaborée et mise sur pied par les humains, à la loi du plus fort. Une déclaration de guerre n'est rien d'autre que le rejet de l'entente mentionnée par un peuple et le retour à la loi de la jungle. Dans l'état de guerre, les belligérants ne sont plus obligés de respecter la vie et la liberté d'autrui. D'ailleurs, à une échelle réduite, lorsque des individus commettent une infraction à la justice en vigueur, non seulement violent-ils une entente dont ils sont partie prenante en tant que membres de la société, mais, en même temps, ils se plient effectivement à la loi de la force, qui se réactive dès que les principes de justice ne guident plus la volonté.

Au fond, la nature humaine ne se déploie selon ses traits spécifiques que si elle est apprivoisée. Autrement, elle se développe de telle manière qu'elle tourne au détriment des individus qui en sont les supports. Lorsqu'un individu ne contrôle pas ses passions qui l'inclinent à l'intempérance, à la lâcheté et à la colère, il ne se distingue guère de la bête et encourt le blâme de la société, qui juge son comportement inhumain.

Mais que faut-il entendre par comportement humain ? Ce dernier est dit tel dans la mesure où la raison et la volonté le maîtrisent et le canalisent. Certes, la raison et la volonté sont des données naturelles, mais contrairement à l'instinct chez les bêtes, elles détiennent le pouvoir de se distancer des impulsions naturelles et de les contrecarrer si elles le jugent pertinent en regard des finalités qu'elles estiment propres à l'être humain. Si les passions se déchaînent avec une violence telle qu'elles emportent la résistance de la volonté, elles vont à l'encontre de la spécificité de l'être humain, qui enjoint à ce dernier de contrôler sa vie selon les directives de la raison et les impératifs de la volonté. Les passions sont aveugles et indifférentes aux effets qu'elles produisent sur l'être humain, alors que la raison est capable d'analyser ces effets et d'en saisir la portée. Que reflète la littérature si ce n'est un regard explorateur sur les effets négatifs des passions si elles ne sont pas apprivoisées ?

S'élever au-dessus de la bête signifie minimalement exercer un contrôle sur les tendances de soi désordonnées des passions. Suivant une tradition dont les archéologues évaluent le commencement à des millénaires de notre ère, les peuples reconnaissent la nécessité d'éduquer les enfants. Que signifie éduquer si ce n'est apprendre, aux enfants surtout, certaines règles de conduite parmi lesquelles figurent toujours des normes dont le contenu enjoint de résister, dans certains cas, à l'une ou l'autre des impulsions naturelles, entre autres celles qui conduisent à l'intempérance, à la lâcheté et à la violence ?

Il revient à la volonté individuelle de harnacher les tendances excessives des appétits sensibles, mais celle-ci ne peut, à elle seule, fût-elle vertueuse, résoudre les conflits qui surgissent dans les rapports avec autrui. Il va de soi qu'à l'instar des désirs issus de la sensibilité, la volonté est ordonnée à la poursuite des intérêts égoïstes de chacun ; aussi, en cas de conflit, elle se trouve face à l'alternative suivante : ou bien elle réagit selon sa tendance première et s'engage dans un rapport de forces ; ou elle conclut une entente avec autrui, pourvu, il va de soi, que ce dernier accepte. Quel est le sens d'un tel accord ? Tout d'abord, il présuppose que chacun reconnaisse en l'autre une liberté identique à la sienne. Ensuite, il a pour but de tracer une limite acceptable entre les intérêts de chacun.

Il faut bien se rendre compte que cette alternative, loin d'être purement théorique, influence sans cesse des faits qui constituent la trame de la vie sociale contemporaine. Les criminels qui violent consciemment la liberté d'autrui ne reconnaissent d'autre loi que celle de la force ; par contre, un grand nombre d'individus se conforment aux normes de la justice.

Toutefois, il importe de retenir que la complexité du vécu ne se laisse pas circonscrire adéquatement par les deux membres de l'alternative mentionnée. D'une part, la justice, lorsqu'elle se transforme en droit, se réalise par l'emploi de la force sociale ; d'autre part, sous la forme de l'activité stratégique, la force se dissimule derrière le consensus, par exemple, dans les négociations collectives, où les participants se livrent à des ruses et au chantage pour obtenir l'assentiment souhaité. Ce constat révèle que, tout bien considéré, la justice, pour être efficace, ne peut se passer de la force et qu'en outre cette dernière pèse de tout son poids dans la conclusion des ententes. La tendance naturelle à l'emploi de la force dans la solution des conflits est toujours présente et prête à entrer en action dès qu'une possibilité surgit.

Les principales ouvertures par lesquelles la loi de la force s'infiltre résident dans les indéterminations ou les lacunes qui grèvent les principes de justice reconnus par la société. Ainsi, dans les rapports entre investisseurs et salariés, le droit de propriété privée des libéraux ne protège que les propriétaires et autorise ces derniers à décider unilatéralement du sort de leurs employés. En ce qui concerne la règle des échanges, la loi de l'offre et de la demande a pour effet d'accentuer sans cesse l'écart entre les riches et les pauvres.

Les droits reconnus et la justice sur laquelle ils se fondent présentent de nombreuses lacunes dont il importe de saisir la portée et les causes. Parmi ces dernières, il faut citer d'emblée le sens controversé de certaines notions qui figurent dans les énoncés de base. Entre autres, la liberté est toujours accolée au droit. Mais en quoi consiste la liberté ? Pour certains, elle se définit comme la libération de toute contrainte injustifiée. Sous cet aspect, elle exclut la servitude, l'emprisonnement sans motif valable, et toute autre violence externe susceptible de paralyser la volonté dans les démarches qui n'ont pas un impact négatif sur autrui ou sur soi-même. D'après cette signification, elle postule un espace ouvert où chacun peut œuvrer à ses projets sans entrave de la part d'autrui.

Pour les tenants du libéralisme, à la dimension mentionnée, il s'en ajoute une autre qui, elle, exprime l'essence même de la liberté, soit le pouvoir discrétionnaire et exclusif d'utiliser ce qui nous appartient en propre, tant selon l'être que selon l'avoir ; en somme, d'agir à son gré avec ce que l'on possède. Si l'on serre de près cet énoncé, il n'exclut pas le pouvoir de choisir ses fins, mais il le relègue au second plan et le subordonne à la propriété des biens dont je dispose. La compétence et la richesse ouvrent la voie à une foule de projets inaccessibles aux démunis. L'éventail des fins à ma portée est plus ou moins étendu selon la grandeur des moyens dont je dispose. Dans la conjoncture actuelle, c'est ainsi que les choses se passent ; combien d'individus éprouvent de la difficulté à satisfaire leurs besoins élémentaires, comme la faim, la soif, les soins de santé, parce qu'ils vivent en deçà du seuil de pauvreté. Ils ne peuvent appuyer leurs revendications sur la liberté telle que définie, car cette dernière est indifférente à la nécessité et à la qualité des fins poursuivies : survie, luxe, dons de bienfaisance, investissements... Il n'est aucune fin, aucun projet, même s'ils sont inscrits dans les désirs naturels de l'être humain, qui figure dans la notion libérale de la liberté. Dans les pratiques courantes, cette notion de liberté trouve son expression dans la toute puissance de l'argent. À l'heure actuelle, puisque la liberté réside dans le pouvoir de disposer, comme je l'entends, de ce qui m'appartient et puisque l'argent s'avère la richesse qui offre le plus de possibilités, il s'ensuit qu'en grande partie mon degré de liberté dépend des ressources financières que je possède. La quête de la liberté se concrétise dans la poursuite effrénée des valeurs matérielles...

L'autre notion, qui prend sa source dans une tradition à la fois populaire et historique, est la liberté comme volonté, comme pouvoir de choisir ses fins et d'approprier les moyens dont on dispose à ces dernières. L'être humain n'a-t-il pas le pouvoir, contrairement aux animaux, de donner lui-même un sens à sa vie et de la diriger selon des idées dont il est lui-même le concepteur ? L'expérience démontre que son pouvoir décisionnel s'étend à la majorité des activités qui composent sa vie : travail, amitiés, loisirs, engagements de toutes sortes, politique, culturel, etc. D'un autre côté, tous reconnaissent que la volonté ne doit pas choisir n'importe quoi ; certaines décisions tournent au désavantage de celui qui les prend. La volonté, cela va de soi, a pour objet l'intérêt propre de son sujet, l'individu. Mais la nature ne détermine pas d'emblée quels sont les intérêts concrets et particularisés de l'individu ; autrement la volonté ne se laisserait pas aguicher, comme c'est souvent le cas, par le mirage de certains biens dits apparents, car en réalité ils tournent au détriment de ceux qui les poursuivent. Ainsi, tout être humain est appelé, en ce qui regarde sa vie privée, à rechercher, par la délibération et le raisonnement, en somme par une démarche qu'Aristote assigne à la prudence, où réside son véritable intérêt.

Il existe aussi une liberté collective qui s'exprime dans une volonté commune à laquelle il incombe de définir et d'implanter les institutions et les normes de justice en autant qu'elles tombent sous la catégorie « intérêts communs à tous ». C'est à ce pouvoir décisionnel collectif qu'il revient, entre autres tâches, de choisir, parmi les diverses formes de gouvernement possibles, celle qui s'ajuste le mieux à la conjoncture et d'élever au statut de droit les vouloirs universels et estimés légitimes des citoyens. Au cours du siècle qui s'achève, dans de nombreux pays, le passage du régime monarchique à la démocratie et la promulgation des droits dits sociaux, aux soins médicaux, par exemple, s'avèrent des réalisations que seule une volonté collective est capable de mettre sur pied.

En ce qui concerne le rôle effectif de la volonté commune dans la détermination des normes de la justice, deux lettres de créance sont susceptibles de le corroborer. D'une part, aucun individu isolé ne possède la compétence et l'autorité requises pour situer seul le point de compatibilité entre des intérêts individuels opposés ; d'autre part, la détermination de ces principes par la volonté commune, sans entrer dans la controverse que suscite l'énoncé de Kant qui enracine toutes les normes dans les impératifs issus de la volonté transcendantale, répond néanmoins à l'intuition de ce philosophe relative à l'autonomie de la volonté suivant laquelle l'être humain est appelé à diriger sa conduite selon des normes dont il est lui-même l'auteur. Ce point de vue est d'ailleurs corroboré, entre autres, par Habermas et Dworkin, des figures marquantes de la pensée contemporaine, pour qui toutes les normes sociales s'établissent par des accords de réciprocité.

Toutefois, cette description de certains faits, qui caractérisent maintes sociétés contemporaines, suscite de nombreux points d'interrogation. Pour bien cerner les modalités constitutives de la volonté commune, il faut au préalable clarifier la notion de liberté. De toute évidence, la liberté se présente sous diverses facettes : libération de toute contrainte ; pouvoir de disposer de ses ressources propres ; pouvoir de choisir ses fins et de les réaliser. Mais parmi ces traits qu'on lui attribue, quel est le principe unificateur auquel les autres se rattachent à titre de dérivés ? L'état actuel des connaissances et des pratiques réduit cette problématique à l'alternative suivante : l'essence de la liberté réside-t-elle dans le pouvoir de disposer de ses biens propres ou dans celui de décider de ses fins ? Ici se dessine déjà le conflit théorique et pratique à dénouer au cours du présent essai, à savoir : faut-il accorder la priorité au droit de propriété privée sur les autres droits ou vice versa ?

La volonté dite collective présente la dualité inhérente au concept de liberté. D'une part, elle consiste en la gestion de la propriété commune, le territoire et ses ressources ; d'autre part, elle met sur pied des projets collectifs ordonnés à des fins bénéfiques pour tous, comme l'accès universel à l'éducation et aux soins de santé.

L'existence d'une volonté collective est indéniable, mais son processus de formation et ses traits constitutifs sont encore plus ou moins connus. Le seul suffrage universel suffit-il à produire un consensus dont l'influx s'étend aux décisions prises par les élus ? Les programmes électoraux, qui esquissent les grandes lignes du mandat que les votants confient à leurs représentants, demeurent néanmoins indéterminés et par la suite laissent aux élus une marge de manœuvre à l'intérieur de laquelle ils jouissent d'une relative autonomie. Toutefois, si les élus sont fidèles à leur mandat et, dans les cas complexes, s'ils entretiennent une forme de communication avec leurs électeurs, ils représentent la volonté commune selon sa signification minimale.

Cependant, le processus décisionnel, mis en place à l'heure actuelle afin de solutionner les problèmes qui déchirent la société, est loin d'établir un mode de participation des concernés qui conduise à la détermination d'un véritable intérêt commun. Au contraire, dans une foule de cas, en autant qu'il laisse libre cours aux activités stratégiques par lesquelles chacun tente d'élever son intérêt particulier à celui d'intérêt collectif, il abandonne le consensus au jeu des forces en présence et par la suite à la loi du plus fort. Ainsi, au moment où j'écris ces lignes, se déroule un débat politique sur la pertinence de décréter une baisse substantielle des impôts. Une telle législation, en apparence avantageuse pour tous, aurait nécessairement un impact négatif sur les services publics attachés à des droits fondamentaux, tels ceux qui assurent l'éducation et les soins de santé à tous. En dernière analyse, l'enjeu est le suivant : est-il de l'intérêt commun des citoyens d'élargir le secteur privé au détriment de l'espace public ou vice versa ? Les tenants du néolibéralisme optent fermement en faveur du premier membre de l'alternative, alors que les partisans d'un État fort adoptent le second. Le processus décisionnel en place, où la discussion politique est susceptible d'être infléchie par les activités stratégiques déployées par les principaux groupes concernés comme les syndicats ouvriers et les associations patronales, n'offre aucune garantie de conduire à la saisie de la solution qui répond aux exigences de l'intérêt commun.

Cette faiblesse, inhérente à la structure du processus décisionnel, s'explique en grande partie par le fait que les individus assument plus ou moins leur responsabilité collective en ce qui concerne la formation d'une véritable volonté commune. Le suffrage universel ne représente que le degré minimal de participation à l'élaboration de la volonté politique appelée à tracer et à instituer les articulations de la structure des formations sociales. Les autres formes de participation, comme celles qu'exercent les groupes de pression lorsque leurs intérêts particuliers sont directement concernés par un projet législatif, bien qu'elles jouissent d'une certaine efficacité, ne sont toutefois pas intégrées au processus selon un mode stable et permanent, mais dépendent des initiatives personnelles.

Aussi est-il impérieux de définir, avec la plus grande clarté possible, en quoi consiste la responsabilité collective ou politique, ses fondements, son extension, et le genre d'obligation qu'elle génère.

Ici surgit un autre point en litige : le processus décisionnel relatif à la formation de la volonté collective s'articule autour d'un objet bien défini, soit l'implantation des droits fondamentaux de l'être humain ; d'où la nécessité d'explorer la procédure ajustée à cet objectif. Malgré les progrès indéniables réalisés dans ce domaine, il n'en reste pas moins que les connaissances actuelles et le statut officiel relatifs aux droits de l'homme et à leurs ramifications présentent de nombreuses lacunes, entre autres, la non-figuration du droit au travail.

Le présent essai vise d'abord à élaborer un appareil conceptuel fondé sur les données fournies par la condition humaine, comme la liberté selon ses multiples dimensions et l'étendue de la responsabilité qui en découle, puis ensuite, sur ces bases, à construire une argumentation destinée à inférer logiquement les traits élémentaires de la procédure à suivre pour susciter l'émergence d'une véritable volonté politique dans l'institution des droits. En somme, ce qui est recherché, c'est un instrument d'analyse qui possède la rigueur et la cohérence requises pour percer à jour les points forts et les faiblesses des sociétés contemporaines et par la suite indiquer la marche à suivre pour l'institution d'une véritable démocratie.

La deuxième partie de cet essai consistera en l'examen, à l'aide de l'appareil conceptuel déjà mis en place, des principes de justice qui président effectivement à l'ensemble des activités économiques qui se déroulent à l'intérieur du secteur privé, soit le droit de propriété privée et la loi de l'offre et de la demande, dont le poids affecte lourdement les rapports entre les sphères économique et politique et suscite entre elles un antagonisme observable.

La démarche globale adoptée situe cet essai dans le champ de l'éthique sociale définie selon les notes suivantes : une procédure cognitive destinée à déterminer les principes de justice et par voie de conséquence les droits à établir, en vue d'aménager le tissu social de telle sorte que les intérêts légitimes de tout un chacun soient protégés et promus. L'aune à laquelle la justice et les droits sont mesurés, ce sont leurs effets actuels ou prévisibles sur les intérêts véritables et non apparents des individus et de la collectivité, et non l'ordre ou une volonté étrangère.

L'éthique est tout entière circonscrite par l'être humain : il en est l'auteur, la matière sur laquelle elle est construite, et la fin. Aussi comme procédure s'amorce-t-elle par le discernement de certaines vérités de base relatives à la condition humaine, puis s'élabore dans le sens qu'autorisent ces vérités, et enfin s'achève dans la détermination de normes de justice qui soient cohérentes avec les fondements posés.

PREMIÈRE PARTIE

La recherche des principes

CHAPITRE 1

LA CONDITION HUMAINE

> L'être humain est une liberté qui se construit,
> il est l'agent de son propre devenir.

Alors que la nature a pourvu les animaux d'un instinct déterminé, c'est-à-dire d'un pouvoir qui leur permet de subvenir à leurs besoins et de diriger leur vie selon un plan déjà tracé et inscrit dans leur être même, elle a doté l'homme de la liberté, du pouvoir d'autodétermination, en vertu duquel il est appelé à esquisser lui-même son plan de vie selon les fins qu'il aura choisies et à se donner les moyens de le réaliser. Les animaux, par exemple, à quelques variantes près, savent d'emblée comment construire leur habitat, se défendre contre leurs ennemis, discerner ce qui leur est nocif. Leur comportement, au cours des siècles, se déroule selon un schème identique, avec cette nuance, toutefois, qu'au fil du temps, il subit une lente transformation, en réaction au changement de leur milieu de vie. Au contraire, les humains ne sont pas assujettis par leur nature à un comportement tracé d'avance et ne disposent pas de connaissances et d'habiletés innées ; mais ils reçoivent en partage le pouvoir d'organiser leur vie selon un plan qu'ils auront eux-mêmes conçu et d'acquérir les connaissances et les habiletés requises pour réaliser leurs desseins ; par exemple, pour aménager un habitat et se construire une maison dont ils imaginent le modèle.

La vérité est que le comportement, chez l'homme, ne doit pas à l'hérédité spécifique ce qu'il lui doit chez l'animal. Le système de besoins et de fonctions biologiques, légué par le génotype, à la naissance, apparente l'homme à tout être animé sans le caractériser, sans le désigner comme membre de l'espèce humaine. En revanche cette absence de déterminations particulières est parfaitement synonyme d'une présence de possibles indéfinis. À la vie close, dominée et réglée par une nature donnée, se substitue ici l'existence ouverte, créatrice et ordonnatrice d'une nature acquise. Ainsi, sous l'action des circonstances culturelles, une pluralité de types sociaux et non un seul type spécifique pourront-ils apparaître, diversifiant l'humanité selon le temps et l'espace[1].

S'autodéterminer, c'est se donner à soi-même ses caractéristiques propres en les produisant, c'est se construire. La liberté, comme pouvoir d'autodétermination, comporte trois dimensions :

1) un potentiel volitif, la volonté, soit un pouvoir décisionnel relatif aux projets à poursuivre en regard des diverses déterminations recherchées ;

2) un potentiel cognitif, intelligence ou raison, soit la capacité de produire et d'acquérir des connaissances ;

3) un potentiel créatif, selon la signification du terme grec, poièsis, soit imprimer une forme nouvelle à un donné quelconque, y compris une entité matérielle.

Le potentiel volitif ou la volonté

Substitut de l'instinct qui détermine le comportement de l'animal, la volonté consciente assume la direction de la conduite humaine depuis les activités qui visent à la conservation de la vie jusqu'à celles qui sont ordonnées à son développement et à son épanouissement.

La volonté est une donnée naturelle qui confère aux humains le pouvoir de décider et par la suite de choisir, parmi les multiples déterminations susceptibles de combler le vide qui caractérise leur état originel, celles qui conviennent le mieux dans une conjoncture circonstanciée. La langue à maîtriser, les connaissances et les habiletés à acquérir, le métier ou la profession à exercer, l'organisation sociale à instituer, les règles de conduite à imposer, dépendent d'un choix volontaire, collectif ou individuel, selon le cas, mais non de la nature.

---

1. Lucien Malson. *Les enfants sauvages*, Paris, Éditions 10/18, 1964, p. 8-9.

Toutes les activités, dans la mesure où elles s'amorcent en vertu d'une décision, se définissent comme un « agir ». Aussi le savoir et le faire, malgré leur spécificité, en autant qu'ils s'exercent sous l'empire de la volonté, doivent-ils être considérés comme des formes particulières de l'agir.

Puissance motrice, directrice et unificatrice de l'ensemble des activités constitutives du comportement humain, la volonté est sans contredit la dimension principale de la liberté. Dans le langage courant, être libre, c'est d'abord décider soi-même de la conduite à tenir. Néanmoins, dans l'exercice de son rôle, le vouloir dépend du savoir et du faire ; en effet, il doit dans un premier temps discerner clairement l'objectif à poursuivre, ce que lui indique le savoir, et dans un second temps, disposer des moyens pour atteindre le but.

L'objet du savoir

Dès lors, le problème le plus fondamental qui se pose à l'être humain est de saisir toutes les implications attachées à son statut d'être libre. En second lieu, quelle que soit leur conception de la fin qui leur est spécifique, les humains sont appelés à la réaliser dans un milieu qui leur est donné et avec lequel ils doivent composer. Ce milieu qui, dans les grandes lignes, comporte une double dimension, l'une naturelle, l'autre sociale, n'est, dans un premier temps, connu que d'une façon abstraite et indéterminée ; aussi, puisque cette connaissance est insuffisante pour l'élaboration d'un plan de vie destiné à se réaliser dans un milieu concret, les humains sont-ils naturellement désireux d'acquérir un savoir plus déterminé de ce milieu. L'élaboration d'un plan de vie est une construction qui, à l'instar de toute opération de ce genre, réside dans l'agencement de certaines données. En l'occurrence, les données, ce sont la liberté et le milieu où elle est appelée à s'exercer. Il est donc de la plus haute importance que les individus tentent de cerner ces données avec la plus grande objectivité possible. Le désir de savoir est un prolongement naturel du désir de vivre libre.

L'objet du savoir-faire

Pour se réaliser en tant que vivants libres, les humains doivent transformer le milieu où leur liberté s'exerce. Pour conserver leur vie biologique, les humains doivent se nourrir, se vêtir et se loger, ce qui les pousse à modifier leur milieu matériel et à inventer des moyens pour exécuter cette tâche de la manière la plus efficace possible, comme les techniques et les outils. Or, transformer une donnée matérielle, c'est faire. Le désir de faire est donc lui aussi un prolongement naturel du désir initial de vivre.

Le donné et le construit

Avant de poursuivre, il importe de tracer une ligne de démarcation très nette entre ce que les humains reçoivent de la nature et ce qu'il leur faut acquérir par leurs propres forces. Leur nature comporte, outre le pouvoir de s'autodéterminer, des tendances qui leur indiquent les divers champs d'activité où ce pouvoir est appelé à s'exercer, comme le désir de se réaliser en tant qu'êtres libres, d'où les désirs de savoir et de faire. Mais ces désirs demeurent indéterminés et abstraits en ce qui concerne les objectifs concrets à poursuivre et les modalités d'y parvenir. Le désir de se réaliser se traduit par l'élaboration et l'exécution d'un plan de vie concret, qui nécessitent un ensemble d'opérations dont les humains sont les seuls agents. Bref, ce sont les humains qui tracent la configuration de leur plan de vie et qui veillent aux modalités de son exécution, ce sont eux qui décident de l'orientation et de la démarche de leur vie. Certes, l'espace ouvert à leur volonté est parsemé de contraintes, qui proviennent de la nature, d'autrui, et des conjonctures où le hasard intervient à titre de facteur, et avec lesquelles les humains doivent composer. Ce milieu, malgré les résistances qu'il oppose, est néanmoins susceptible d'être aménagé de telle sorte qu'il puisse s'ajuster aux visées des humains ; en effet, parmi les déterminations que l'être libre peut acquérir figurent les habiletés qui le rendent capable de transformer son milieu de vie. La liberté est une force qui confère à ses détenteurs le pouvoir d'acquérir les déterminations nécessaires pour la réalisation de leurs désirs fondamentaux.

En somme, puisque la liberté est leur trait spécifique, les humains doivent acquérir, par leurs propres forces, toutes les déterminations requises pour satisfaire leurs désirs fondamentaux, qu'ils soient issus de leur sensibilité, comme la faim, la soif, ou l'appétit sexuel, ou de la liberté elle-même, comme la tendance de cette dernière à se conserver et à se développer. Ici le terme détermination s'applique à tout ce qui s'inscrit, d'une manière ou d'une autre, dans le processus de réalisation des désirs, comme les connaissances, les habiletés, les techniques, les artefacts, les normes de l'agir, les droits, etc. En effet, la nature ne fournit pas ces déterminations à l'être humain, mais elle le dote du pouvoir de les acquérir en les construisant. *Au fond, l'être humain est une liberté qui se construit.*

Ainsi, les modalités concrètes de la vie libre, les fins comme les moyens, tant selon leur conception que selon leur réalisation, dépendent du pouvoir décisionnel des humains. Ce dernier produit les déterminations escomptées, d'abord, en élaborant des projets, puis en les exécutant. Le projet désigne l'activité propre à l'être libre. Toute opération issue de la liberté s'inscrit dans un projet, à un titre ou à un autre. D'où la nécessité d'explorer la notion de projet

La vie de l'être libre est un projet *(important Sartre)*

Le projet *(acte volontaire) moyen pour projet*
↳ *faire devenu des choses*

La fonction propre à la liberté est de produire des déterminations, de faire devenir des choses. Le terme « projet » ne désigne rien d'autre que le devenir issu du pouvoir décisionnel des humains. Le langage courant corrobore cette définition. Les conversations journalières ne sont-elles pas émaillées de propos du genre suivant : je nourris le projet de mieux organiser ma vie, d'acquérir telle compétence, d'écrire un roman, de fonder un foyer, de construire une maison, de participer à telle organisation, etc. Ainsi, comme le manifestent clairement les énoncés mentionnés, le projet ne porte pas sur une réalité déjà existante, mais sur le devenir d'une réalité ; une fois rédigé, le roman n'est plus à l'état de projet. En outre, le projet n'est pas un simple possible, mais un devenir actuel, un processus déjà amorcé sous la motion du vouloir et du

○ *Sa vie est un projet*

pouvoir d'un agent libre. Ainsi, le projet ne désigne pas n'importe quel devenir ; il exclut celui qui provient du hasard ou d'une nécessité de la nature. En résumé, un projet, c'est un être en devenir sous la motion de la liberté.

L'idée

En tant qu'être en devenir, le projet réside dans un processus qui se déroule en plusieurs étapes, dont les principales sont la conception et la réalisation. Tout projet s'amorce par la volonté de produire un objet qui, à cette étape initiale, n'existe que sous la forme d'une représentation dans la pensée ou l'imagination. Mais cette représentation, cette idée, apparaît d'abord sous une forme indéfinie ; construire une maison, par exemple, que l'agent doit déterminer en dessinant un modèle concret d'habitation, un *blue-print*, car un projet porte toujours sur un objet selon les particularités qu'il est susceptible de présenter, une fois réalisé. Tout existant comporte des caractéristiques bien définies.

Dans la mesure où elle est une représentation de l'objet à réaliser, l'idée détermine par le fait même les opérations à effectuer pour faire exister l'objet, comme le choix et l'agencement des matériaux ; elle est donc directrice en ce sens qu'elle préside à l'exécution. D'où le rôle prépondérant qui revient à l'idée dans la mise en place d'un projet.

L'idée se distingue du simple concept, qui n'a d'autre fonction que de définir les choses, de répondre à l'interrogation « qu'est-ce que c'est ? » L'idée est un moment d'un projet, elle est un élément inscrit dans le devenir d'un objet. Elle n'est pas une simple connaissance, elle est une connaissance intégrée dans un devenir à titre d'élément directeur ; elle se situe entre le vouloir qui la suscite et l'exécution qu'elle éclaire.

Puisque l'être libre ne possède pas d'idées innées, et puisqu'il n'en est pas non plus qui soient déjà inscrites dans la nature humaine ou dans la nature externe, de telle sorte qu'elles soient des données susceptibles d'être découvertes, il s'ensuit que toutes les idées, quel que soit le genre auquel elles appartiennent, sont produites par les humains. Dès lors, les idées elles-mêmes, en tant que construites, sont l'objet d'un projet. Après avoir pris la décision d'élaborer le plan d'un modèle de maison, l'architecte met d'abord en œuvre un ensemble de connaissances déjà acquises, portant sur les divers éléments susceptibles de figurer dans le plan, comme les divers matériaux avec leurs propriétés, les multiples formes possibles de les assembler, etc., puis il dessine un *blue-print* qui est l'expression du modèle qu'il a imaginé.

Que l'idée soit le principe du devenir des choses n'est pas une opinion nouvelle. La tradition judéo-chrétienne, entre autres, considère la nature comme dérivée d'une idée divine ; Hegel estime que l'idée réside dans une tendance immanente en toutes choses et orientant leur devenir vers une fin déterminée. Dans le présent écrit, le sens, accordé au terme « idée », est plus restreint : il désigne un plan conçu par un être humain en vue de présider à l'orientation d'un projet.

Les projets, selon leur objet et leur finalité propres, se répartissent sous trois catégories : le savoir pur et la vérité ; le savoir-faire et l'efficacité ; l'agir et l'éthique

Le savoir pur et la vérité

Tel que déjà mentionné, tous les humains entretiennent le désir de vivre libres. Mais vivre libre, c'est d'abord être conscient de sa propre liberté et de ce qu'elle comporte, de son extension et de ses limites, ainsi que du milieu où elle est appelée à s'exercer ; bref, la vie libre suppose la connaissance de certaines données. La réussite d'un projet, quel qu'il soit, dépend, du moins en partie, de la valeur des connaissances possédées par le concepteur en ce qui concerne les données impliquées dans le projet. L'ingénieur qui invente un nouveau modèle d'avion doit au préalable connaître, de la manière la plus objective possible, les propriétés des matériaux susceptibles de figurer dans son plan ainsi que les lois de l'aéronautique.

La vérité : adéquation entre un savoir et un état de fait

Ce savoir objectif des données, les humains doivent l'acquérir ; aussi constitue-t-il l'objet d'un devenir spécifique, distinct des autres genres de projet par sa fin, soit la vérité. Cette dernière consiste en l'adéquation entre un savoir et un état de fait, notion qui comprend outre les données naturelles, comme la liberté et son extension, les corps et leurs propriétés, etc., toutes les déterminations produites par les humains à titre de caractéristiques d'un projet en cours ou achevé ainsi que les événements conjoncturels. Bref, le concept, état de fait, s'étend à tout ce qui est donné aux humains d'une manière ou d'une autre comme objet susceptible d'être connu. En effet, l'interrogation « est-il vrai que » porte non seulement sur les propriétés des êtres naturels, mais encore sur les phases d'un projet en marche, comme le déploiement d'une flotte de navires de guerre, ou sur les effets bénéfiques ou nocifs de tel remède, ou sur l'incidence d'un tremblement de terre. La condition humaine comporte un ensemble d'états de faits dont la connaissance vraie projette un éclairage nécessaire pour que la liberté puisse s'exercer correctement ; autrement, cette dernière serait condamnée à œuvrer dans la noirceur de l'ignorance, ce qui compromettrait gravement la réussite de ses projets.

La quête de la vérité est un projet qui consiste à produire des connaissances qui soient l'expression correcte d'un état de fait. À l'instar de tous les projets, il se réalise sous la direction de la raison. Cette dernière amorce le processus en élaborant une idée qui comprend, d'abord, sous la forme d'une intuition ou d'une hypothèse, ce qui, dans une première approche, apparaît comme vraisemblable, et, ensuite, le tracé du cheminement à suivre (observation, raisonnement, expérimentation, etc.), qui autorise le passage de la vraisemblance à la vérité. Tout le processus vise à cerner, avec la plus grande approximation possible, sa mesure ultime, qui n'est autre que l'état de fait lui-même. L'un des exemples les plus révélateurs d'un projet de ce genre nous est fourni par la physique pure, dont la méthode consiste à soumettre une hypothèse de base au crible de la logique de l'argumentation et de l'expérimentation, de telle sorte qu'elle accède, si elle réussit l'épreuve, au statut de théorie.

La vérité est l'attribut d'une connaissance acquise ; aussi est-elle assujettie au degré de perfection des moyens mis en œuvre pour l'établir, ce qui entraîne la conséquence suivante : elle n'est souvent qu'approximative, comme en témoigne l'épistémologie contemporaine.

Vu les objectifs du présent travail en ce qui concerne la notion de vérité privilégiée, soit l'accord entre un énoncé et un état de fait, ici il n'est pas nécessaire d'entrer dans le débat portant sur la détermination de la mesure de cet accord, à savoir si elle réside dans l'objet, comme donnée externe, selon le courant classique initié par Aristote, ou dans l'objet tel qu'il apparaît, selon les formes *a priori* de la sensibilité ou de l'entendement, en conformité avec les positions de Kant ; il suffit de retenir que l'état de fait, qu'il soit un phénomène ou une réalité externe, est distinct de l'énoncé et constitue le critère de la vérité de ce dernier.

Le savoir-faire et l'efficacité

Pour se réaliser, les humains ont besoin d'apprivoiser leur milieu naturel, de l'ajuster aux exigences de leur vie biologique. Ils répondent à ce besoin en cultivant la terre et en fabriquant des artefacts de toutes sortes, des outils, des habitations, des moyens de transport, etc. Bref, ils introduisent de nouvelles formes dans la matière corporelle. Cette transformation s'effectue dans le cadre d'un projet spécifique relatif, non au savoir, mais au « faire ». Transformer une matière corporelle, c'est faire, et la finalité propre au faire, c'est l'efficacité, non la vérité. Ce qui est requis d'une matière corporelle transformée par le travail humain, c'est son efficacité en regard d'un besoin à satisfaire. Alors que la vérité est l'attribut d'une proposition, l'efficacité est l'attribut d'une chose.

Toutefois, il ne s'ensuit pas que la vérité n'ait aucun rôle à jouer à l'intérieur d'un projet relatif au « faire » ; en effet, le projet qui vise à transformer une matière quelconque s'amorce par la conception d'une idée qui consiste en l'agencement d'un certain nombre de connaissances, vraies si possible. L'élaboration d'un nouveau modèle d'automobile suppose une connaissance vraie des propriétés des matériaux susceptibles d'être utilisés ainsi que des lois de la mécanique

L'agir et la justesse

Éthique et Morale

Il fut un temps où la différence entre les points de vue éthique et moral était si confuse que beaucoup d'auteurs, à toutes fins pratiques, leur accordaient la même signification. Il n'en est plus ainsi aujourd'hui, comme en témoigne le texte suivant de Jürgen Habermas :

> À la différence des considérations éthiques qui sont orientées vers le télos de ce qui est, pour moi ou pour nous, une vie bonne ou du moins une vie qui ne soit pas un échec, les considérations morales réclament une perspective délestée de tout ego ou ethnocentrisme. Lorsqu'on se place du point de vue moral d'un respect égal pour chacun et d'une prise en compte équitable des intérêts de tous, les prétentions normatives des relations interpersonnelles légitimement réglées, prétentions désormais clairement délimitées, sont entraînées dans le mouvement de problématisation. Lorsqu'il se situe au niveau de fondation post-traditionnel, l'individu se forge une conscience morale guidée par des principes et oriente son action en fonction de l'idée d'autodétermination[2].

Les perspectives morales sont toutes marquées par l'universalisation et portent sur les intérêts communs à tous les membres de l'espèce : « agis toujours de telle sorte que tu puisses en même temps vouloir que ta maxime devienne une loi universelle[3] ». Selon Kant, « les lois morales ne valent comme lois que dans la mesure où elles peuvent être regardées comme fondées *a priori* et nécessaires ; bien plus : les concepts et les jugements qui intéressent notre être, nos actions et nos omissions ne signifient rien de moral lorsqu'ils ne contiennent que ce qu'il est possible de savoir par l'expérience... » Que faut-il entendre par fondement *a priori* si ce n'est une donnée déjà là qui est la raison d'être de l'impératif ? Chez Kant, on accède à ce fondement par la voie de l'abstraction, en se situant à

---

2. Jürgen Habermas. *Droit et démocratie*, Paris, Gallimard, 1997, p. 113.

3. Emmanuel Kant. *Métaphysique des mœurs...*, p. 105.

un niveau purement intelligible, où la volonté ne peut vouloir autre chose que ce qui est rationnel ; et cette rationalité s'exprime dans le contenu de l'impératif dit catégorique. Cet impératif est dit nécessaire en ce sens que, vu son fondement, il ne peut être autre. Ces trois caractéristiques d'une cohérence indéniable et propres à la loi morale, soit universalité, fondement *a priori* et nécessité du contenu, illustrées par la pensée de Kant, se retrouvent chez presque tous les auteurs de morale, bien que, chez plusieurs de ces derniers, elles soient interprétées et développées autrement. Ainsi, les défenseurs d'une morale dite naturelle préconisent, à titre de fondement, une nature humaine déjà là, avec des traits spécifiques éternels et immuables définissant rigoureusement le comportement que les humains doivent adopter. Par exemple, voici comment certains auteurs résolvent, d'une manière apodictique, la controverse relative à la contraception. Puisque l'union charnelle est ordonnée par la nature à la procréation de l'espèce, il s'ensuit que nul n'est autorisé à intervenir, par quelque moyen que ce soit, pour empêcher cette finalité de se réaliser, soit par l'usage du condom ou le recours à l'avortement, par exemple.

Une loi est dite morale en ce sens qu'elle est un impératif adressé au vouloir conscient des humains. L'obligation morale s'oppose à la nécessité physique. L'une des difficultés que rencontre toute loi morale est l'établissement du lien entre son fondement et le caractère obligatoire qu'elle revendique. De prime abord, un impératif ne peut provenir que d'un vouloir, et l'être libre, en tant que tel, n'est assujetti à d'autre obligation que celle qu'il assume volontairement. Au fond, en tant qu'autonome, selon la position de Kant, l'être libre est à la fois l'auteur et le sujet de la loi. En ce qui a trait à la volonté pure, dégagée par abstraction de la sensibilité, l'être libre définit la voie à suivre, en fait un commandement qu'il adresse à lui-même en vue de contrer les résistances inévitables issues de sa sensibilité. Les tenants de la loi morale naturelle se tirent moins bien de cette impasse. En tant que force aveugle, la nature ne peut émettre d'impératif. Aussi, pour contourner cette difficulté, les défenseurs vont-ils se replier sur l'explication suivante : la nature se prête à une lecture intelligible ; dès lors, par le truchement de l'interprétation et de la déduction, il y a lieu d'en tirer des règles de conduite obligatoires pour les humains. La théologie chrétienne apporte une autre solution à ce problème : l'être humain est une créature de Dieu, et donc il est assujetti à la volonté divine qui se manifeste à travers les multiples composantes de la nature humaine.

Le point de vue éthique

En traitant du principe de la liberté juridique, Habermas apporte les précisions suivantes :

> [...] il autorise une organisation autonome de la vie dans le sens éthique de la poursuite d'un projet de vie rationnellement choisi, caractérisant à la fois l'indépendance, la responsabilité, et le libre développement de la personnalité. La liberté positive de la personne éthique se réalise au moyen de la mise en œuvre d'une biographie individuelle et se manifeste dans ces domaines privés centraux dans lesquels les biographies des membres d'un monde vécu intersubjectivement partagé s'enchevêtrent dans le cadre de traditions communes et d'interactions simples. Pour autant qu'elle est d'ordre éthique, cette liberté se dérobe à toute réglementation juridique, mais elle est rendue possible par la liberté juridique[4].

L'éthique caractérise la démarche entreprise par l'être humain en vue de se réaliser ; elle désigne la voie à suivre pour que les projets de vie individuels ou collectifs soient une réussite.

La liberté, dans la mesure où elle est l'actualisation du potentiel d'autodétermination conféré par la nature à l'être humain, est une construction, un projet, un devenir. L'être humain est l'agent de son propre devenir (agent = celui qui agit). En conférant à l'être humain un simple potentiel d'autodétermination et en le laissant par ailleurs tout à fait indéterminé, la nature rendait l'être humain responsable de son propre devenir. C'est de cette responsabilité, une donnée de la nature, que sourd la nécessité d'une démarche éthique. En effet, puisque l'être humain est responsable de sa vie et que cette dernière n'est une réussite que si elle est construite selon un ensemble de règles qui ne sont pas fournies par la nature selon leur forme achevée, mais qui sont acquises par une démarche spécifique qui est de l'ordre d'un savoir qui ajuste des moyens à une fin, il s'ensuit

---

4. Jürgen Habermas. *Droit et démocratie*, p. 427.

que l'être humain n'a d'autre choix, sous peine de rater sa vie, que d'acquérir la connaissance de ces règles et d'y conformer sa conduite.

La contrainte première, à la base du point de vue éthique, ne réside pas dans le fait d'être assujetti à l'autorité d'une volonté qui s'impose à nous, la nôtre ou celle d'un autre, mais dans une donnée de la nature humaine, à savoir que nous sommes responsables de notre destinée, celle-ci dépend de nous. La nature nous place devant l'alternative suivante : si tu veux réussir ta vie, tu dois assumer la responsabilité de ton devenir, sinon, ta vie est vouée à l'échec.

Est-il possible de ne pas assumer cette responsabilité ? Certes, l'histoire ne fournit pas d'exemple où un individu a opposé un refus global et radical à cette invitation. Par contre, l'histoire universelle et la biographie de chacun fourmillent de cas où les individus, pour une raison ou pour une autre, dans telle ou telle conjoncture particulière, ont adopté des lignes de conduite qu'ils savaient hypothéquer gravement leur devenir. Au fond, cette invitation est présente à tous les moments de la vie et il faut y répondre ; elle est une donnée de la nature humaine.

La contrainte propre à l'éthique n'est pas réductible à l'obligation morale qui, telle que conçue depuis des siècles, découle d'un rapport entre deux volontés dont l'une est investie du pouvoir d'assujettir l'autre ; elle s'enracine dans le fait que l'être humain est responsable de son devenir, et par la suite porte sur les effets qui découlent nécessairement du refus de s'acquitter de cette responsabilité, soit une liberté qui demeure en friche, dans un état d'indétermination et sans essor. Bref, l'obligation éthique tire son fondement d'une nécessité hypothétique inscrite dans la nature même de l'être humain ; à savoir, si ce dernier n'assume pas le contrôle de sa vie, celle-ci est vouée à un échec. Dès lors, puisqu'une telle obligation ne provient pas d'un impératif issu d'une volonté quelconque, elle ne peut être qualifiée de morale.

L'agir (praxis) est jugé bon d'un point de vue éthique lorsque, par ses effets il contribue positivement à l'actualisation de la liberté. Le critère ultime de l'éthique, ce n'est pas l'intention qui préside à l'agir, mais l'effet réel que produit l'agir sur le devenir visé, la réussite ou l'échec. Il n'en est pas ainsi en ce qui concerne les morales traditionnelles ; les critères qu'elles privilégient se situent du côté des principes. Pour Kant, une action est bonne si elle est posée par respect pour la loi, selon la théologie chrétienne, parce qu'elle est conforme à la volonté de Dieu, et enfin, d'après les tenants de la loi naturelle, si elle se situe dans le sillage du cours de la nature. Dès lors, la démarche purement morale, en tant qu'axée principalement sur les principes universels *a priori*, ne peut s'amorcer que par la découverte, l'analyse et l'étude approfondie de ces derniers, d'où par déduction elle tirera les règles de la conduite à tenir.

La perspective éthique est tout autre ; elle est appelée à diriger l'agir en fonction d'une fin à réaliser (ici et maintenant) en autant qu'il est appelé, à titre de cause, à produire des déterminations qui aient pour effet d'actualiser et de parfaire la liberté constitutive de l'être humain. L'élément principal de la démarche éthique est de poser dans l'existence un objectif voulu et recherché, d'alimenter le devenir de la liberté. L'agir produit toujours des déterminations qui affectent le devenir de l'être humain, mais pour que cet impact soit positif, il importe au plus haut point que l'agir soit ajusté à l'effet visé, ce qui relève de l'éthique. C'est un lieu commun d'affirmer que les « agirs » répétés selon un schème identique façonnent l'être de l'individu en lui inculquant des processus décisionnels (ensemble articulé de modalités susceptibles de produire un choix juste, comme les vertus), des schèmes de pensée, des habiletés techniques, des tendances comportementales. Bref, ces acquis, issus de l'agir, sont autant de traits qui dessinent ce que le langage courant nomme « personnalité de l'individu ». Au fond, la personnalité d'un individu n'est autre qu'une forme de devenir de la liberté propre à l'individu.

En outre, agir, c'est s'autodéterminer, c'est se construire soi-même, non pas à partir d'un modèle achevé, mais à partir d'un potentiel susceptible de revêtir diverses déterminations. Certes, à l'instar de tout matériau de base, ce potentiel n'est pas ouvert à n'importe quelle détermination, mais l'éventail de celles qu'il autorise est suffisant pour laisser place à une foule de biographies auxquelles il est possible, malgré leurs différences, d'accorder la mention « succès ». À partir du moment où un individu assume sa responsabilité à l'égard de son propre devenir, il vise à se donner une personnalité qui réponde aux exigences de ce devenir. Or, ces exigences, il appartient à l'éthique de les définir. Elle y parvient, d'une part, en cernant l'étendue des possibilités qu'offre le potentiel volitif ; d'autre part, en déterminant, avec la plus grande approximation accessible, ce en quoi consiste le devenir d'un être libre. De plus, il importe de mentionner que cette double tâche inclut la prise en considération des circonstances contingentes qui marquent la conjoncture dans laquelle le potentiel volitif est appelé à s'exercer en regard de la fin, car ces dernières affectent le rapport entre le vouloir et son objet.

Aristote, en décrivant la prudence, fournit une première esquisse de ce en quoi consiste la démarche propre à l'éthique. Tout d'abord, selon lui, le devenir de l'être libre s'exprime à travers l'idée de bonheur. Ce dernier comprend, outre la pratique des vertus intellectuelles (science, sagesse) et morales (tempérance, courage), la santé, une certaine aisance matérielle, une famille et des amis. Être libre, c'est accéder au bonheur. Malgré sa généralité, et, en un sens, sa trivialité, cette description révèle néanmoins les traits fondamentaux du devenir auquel les humains aspirent. C'est en regard de cette fin que la prudence individuelle s'exerce.

Cependant, puisque l'agir concret, ici et maintenant, est toujours particularisé (de l'ordre de la science, du courage ou de l'avoir) et individualisé (il a pour sujet Pierre), la prudence a pour fonction de régler l'agir de telle sorte qu'il s'achève dans une détermination qui vienne parfaire tel ou tel élément constitutif du bonheur recherché par l'individu (son savoir, son courage ou son avoir). Mais pour établir cette ligne de conduite, la prudence doit au préalable cerner l'état réel, la force du potentiel volitif ainsi que des potentiels cognitif et créatif dans la mesure où ils sont concernés, en regard de la fin que désire poursuivre l'individu. Le pouvoir d'autodétermination, selon toutes ses dimensions, n'existe jamais à l'état pur, il est toujours plus ou moins conditionné par le corps qu'il habite. En plus de subir sans répit les assauts d'une sensibilité qui souvent défie son contrôle, les passions, sa force est plus ou moins grande selon l'état de santé du corps. La prudence doit tenir compte de ces limites. Le devenir accessible aux individus n'est pas identique pour tous. La prudence élabore ses normes au cas par cas. Il existe un rapport étroit de dépendance entre le pouvoir d'auto-détermination réel d'un individu et la forme de personnalité qu'il est susceptible d'acquérir.

Pour bien saisir le rôle spécifique de la prudence, il importe de la situer à l'intérieur du projet dont elle est un élément clé. Dès qu'il assume sa responsabilité à l'égard de son devenir, l'individu forme le projet de se réaliser, il se trace un plan de vie. Ce plan comporte une double dimension : l'une, formelle, qui repose sur certaines données *a priori* universelles qui définissent la condition humaine, telles « se réaliser, c'est maîtriser ses passions, c'est développer ses divers potentiels, c'est répartir son énergie de façon à se donner une personnalité équilibrée dont l'unité est assurée par le contrôle qu'exerce un vouloir conscient et rationnel » ; l'autre, matérielle, concrète, où l'individu, parmi les innombrables ouvertures qu'offre le cadre formel, se choisit un projet de vie personnel à partir d'une estimation de son propre potentiel et de la forme de réalisation de soi (bonheur) qu'il privilégie ; c'est à ce second niveau que la prudence s'exerce.

Ainsi, la prudence est la délibération qui, consécutive à la volonté de se réaliser, a pour fonction de rechercher, à l'intérieur d'un cadre formel, quel est le projet de vie le plus approprié aux conditions réelles d'existence propres à un individu. Cet objectif, toujours à définir, elle le poursuit à travers les multiples « agirs » qui tissent la vie d'un individu en les jugeant à l'aune de ce qui est, pour un individu, dans une conjoncture spatio-temporelle différenciée, une vie réussie, une forme acceptable de réalisation de soi.

À partir de cette perspective se déduisent deux conclusions majeures : premièrement, se réaliser, c'est actualiser, dans le cadre de leur dépendance réciproque, les dimensions volitive, cognitive et créatrice du potentiel dont la nature nous a investi. La vie d'un individu, son devenir, inclut une multitude de composantes, des connaissances de toutes sortes, usuelles, scientifiques, des comportements moraux marqués par la tempérance et le courage, des habiletés techniques pour ajuster la matière à ses besoins, et toutes ces acquisitions sont indispensables, à un titre ou à un autre, à la réussite d'un projet de vie. C'est pourquoi la prudence, forme embryonnaire de l'éthique dans la mesure où elle est ordonnée à une forme de réalisation du soi, ne porte pas seulement sur les opérations classées sous la catégorie morale, au sens aristotélicien du terme, mais aussi sur les connaissances et les habiletés qui s'inscrivent comme éléments de tout projet de vie. L'acquisition de connaissances et d'habiletés est tout aussi nécessaire, d'un point de vue strictement éthique, que la pratique de la tempérance et de la force.

Deuxièmement, puisque les projets de vie sont marqués par l'individualité et par la suite la diversité et qu'il n'existe pas de modèle absolu et définitif de ce en quoi consiste une vie réussie, les jugements sur le succès ou l'échec du vécu de chacun ne peuvent jamais être qu'approximatifs. La vie est un devenir, un projet en marche ; elle est donc une réussite si son cours marque une actualisation progressive du potentiel d'autodétermination dont chacun est investi. Aussi longtemps que le vouloir, malgré des faiblesses momentanées, maintient la tension vers l'objectif, réalisation de soi par soi, et exerce un contrôle suffisant sur le comportement global de l'individu de telle sorte que ce dernier s'améliore, il y a lieu d'accorder au moins la note de passage. Il y a des gens qui, tout en s'abandonnant parfois à l'intempérance, maîtrisent néanmoins la conduite de leur vie et s'avèrent des politiciens honnêtes, des travailleurs infatigables, des savants, des professionnels consciencieux, etc. En revanche, si la volonté est tellement affaiblie qu'elle n'exerce plus aucun contrôle significatif sur le comportement de l'individu, par exemple si elle est à la merci d'une passion qui la domine, l'asservit et par la suite se substitue à elle comme force directrice de la conduite, il s'ensuit une régression du devenir de la liberté, qui donne lieu à un constat d'échec.

La mission qui incombe à la volonté et qu'elle poursuit à travers les diverses formes d'agir qu'elle commande est la réalisation du soi selon ses multiples déterminations constitutives : maîtrise des passions ; ensemble structuré de connaissances ; techniques de travail, etc. La volonté est la force qui met en branle et oriente le projet de vie de tout humain, soit l'actualisation du potentiel d'autodétermination dont la nature a investi chacun.

Tout agir individuel, pourvu qu'il ait la rectitude requise, est une actualisation ponctuelle de ce potentiel. Or, cette rectitude, la volonté ne peut la communiquer à l'agir que si elle adopte une démarche éthique, en l'occurrence celle que l'on attribue à la prudence. La rectitude de l'agir ne désigne rien d'autre que son ajustement au devenir propre à l'individu, à la réalisation de sa liberté, qui s'avère la finalité ultime de tout projet .

Alors que les perfections respectives du savoir et du faire résident dans la vérité et l'efficacité, celle de l'agir consiste en la justesse.

La justesse est l'attribut d'un agir concret déterminé par la prudence. Mais la prudence peut-elle garantir que son jugement soit vrai ? Une réponse affirmative à cette interrogation suppose qu'il existe quelque part un modèle objectif conjoncturel pour tout agir individuel, ce qui de toute évidence va à l'encontre des faits. Il ne s'ensuit pas que la prudence ne puisse offrir aucune garantie. En effet, la prudence est la recherche délibérative d'un individu qui a déjà assumé la responsabilité de son devenir. Or, cette recherche doit tenir compte non seulement des circonstances mais encore du rapport de causalité entre les modalités de cet agir et son effet sur la réalisation de soi. Ce rapport doit être exploré selon l'état des connaissances accessibles. Depuis les récentes recherches relatives à l'impact de la nicotine sur la santé, l'usage de la cigarette est nettement contre-indiqué. En outre, ce rapport de causalité doit aussi être examiné sous l'angle des ressources qu'il requiert. Si ces dernières ne sont pas disponibles, l'agir est voué à l'échec. Il ne sert à rien d'inscrire dans mon projet de vie la composante « savoir mathématique de pointe » si je n'ai aucune aptitude pour cette discipline. La norme doit être posée en regard de ses effets prévisibles sur mon devenir. Lorsque toutes les conditions mentionnées sont remplies, la norme jugée la meilleure possible dans les circonstances par la prudence est dite non pas vraie mais valide, c'est-à-dire suffisante pour régler l'agir. La validité est l'attribut d'une norme ; sa mesure est un comportement individuel répondant aux deux critères suivants : avoir assumé la responsabilité de son devenir et avoir déployé toute l'énergie nécessaire pour cerner avec la plus grande exactitude possible les effets sur la réalisation de soi susceptibles de se produire à la suite de l'application de la ligne de conduite privilégiée.

La perspective éthique, dont les grandes lignes sont déjà tracées dans la prudence aristotélicienne, découle rigoureusement de la condition humaine et embrasse la totalité du projet de vie de chacun. Elle se déploie à travers les multiples décisions qui ponctuent toute vie consciente dans son mouvement d'actualisation. À l'abri d'un cadre formel identique pour tous, elle se manifeste sous une pléthore de prescriptions dont l'infinie diversité sourd des exigences des projets de vie différenciés choisis par les individus.

Impératif éthique et impératif catégorique

L'impératif catégorique de Kant s'énonce ainsi : agis toujours de telle sorte que tu puisses en même temps vouloir que ta maxime devienne une loi universelle. La maxime est la décision par laquelle la prudence recommande tel comportement comme étant le meilleur possible dans les circonstances, ici et maintenant. Selon le point de vue éthique, une maxime tire son caractère obligatoire du fait qu'elle est le moyen le mieux ajusté à la fin que poursuit l'agent, soit son propre devenir en tant qu'individu. Du point de vue de Kant, une même maxime est obligatoire en tant qu'elle est universalisable. La différence entre les deux perspectives est notable. La morale justifie le caractère obligatoire de ses impératifs à partir d'un vouloir universel qui est une fin en soi ; l'éthique le fonde sur un vouloir individuel et particulier en quête d'un devenir conforme au potentiel (à la liberté) dont la nature l'a investi.

À cette distinction s'en ajoute une autre, non moins importante. La sanction attachée à l'impératif éthique ne relève pas d'une volonté externe quelconque ; elle est inscrite dans le projet même. Si les individus n'assument pas correctement la responsabilité qui leur est dévolue par la nature même de leur liberté, leurs projets, quels qu'ils soient, se solderont par un échec. Ce dernier n'est autre qu'une sanction déterminée par la nature elle-même. Si les individus laissent la passion envahir leurs décisions, ils compromettent leur devenir personnel ; si les collectivités n'assument pas leur liberté politique, le devenir de leur société en subit le contrecoup. Cette remarque ne vient que corroborer un constat de Hegel, suivant lequel tout crime porte en lui son châtiment.

Division de l'éthique

Comme voie à suivre, l'éthique doit s'ajuster à la complexité de la condition humaine. Pour réaliser ses tendances légitimes fondamentales, la volonté doit se pourvoir d'un certain nombre de déterminations destinées à surmonter les difficultés évitables qui se dressent sur son chemin. Ces dernières se répartissent en deux catégories : les passions, issues de la sensibilité et susceptibles d'obscurcir le jugement de la raison, et les activités libres d'autrui. Ces pierres d'achoppement, la volonté peut les écarter en se donnant des normes de conduite par la voie qui lui est propre, soit la mise sur pied des projets ajustés à cette tâche. Cependant, vu la diversité des obstacles à surmonter, qui postule des normes fort différentes, les projets se répartiront sous deux espèces distinctes. Les projets qui visent à déterminer les normes susceptibles d'assurer à la volonté de chacun le contrôle sur ses passions relèveront de l'éthique individuelle ou personnelle ; ceux qui ont pour objet de produire les normes ordonnées à protéger la liberté de chacun en cas de conflit avec la liberté des autres se classeront sous l'éthique sociale.

Les projets ordonnés à la production des règles éthiques, à l'instar de tous les autres, supposent des connaissances vraies relatives aux données impliquées dans la construction des normes, comme les multiples ramifications de la liberté, qui s'étendent à la pensée, au choix de carrière, à la politique, etc., la portée des passions, les effets prévisibles de tel acte libre, etc. Mais la norme elle-même n'est pas une simple proposition susceptible d'être vraie ou fausse, elle n'est pas un pur savoir, elle est un vouloir, un impératif qui rend une action obligatoire en raison de son impact sur la sauvegarde de la liberté. En dernière analyse, la qualité éthique est un attribut de l'acte libre, signifiant sa conformité à une juste norme.

Dans la mesure où les projets axés sur la vérité et l'efficacité s'amorcent par un vouloir et exercent un impact sur la liberté, ils sont assujettis à l'éthique. Ainsi, les expériences effectuées sur les humains, au nom de la science, ne sont pas justifiables si elles compromettent l'intégrité du pouvoir décisionnel de ces derniers. C'est pourquoi, en dernière analyse, tous les projets, quels qu'ils soient, doivent être mesurés à l'aune de l'éthique.

Division des projets

Le projet ordonné à la recherche de la vérité est dit théorique en ce sens qu'il n'a d'autre objectif immédiat que de parfaire le savoir de l'agent libre. Les projets finalisés par l'efficacité et la moralité sont qualifiés de pratiques : le premier parce qu'il s'achève dans la transformation d'une matière extérieure ; le second parce qu'il vise à produire des normes destinées à régler le comportement volontaire des êtres humains. La démarche théorique tend à cerner un état de fait ; la démarche pratique, à le produire.

Le savoir propre aux projets relatifs au faire et à l'agir est pratique, bien qu'il intègre, à titre de données utiles, certaines connaissances vraies acquises grâce à une recherche théorique. Le savoir, qui conduit à l'efficacité, est qualifié de technique ; celui qui œuvre en vue de la fin inhérente à l'agir est dit éthique. Les projets qui découlent de la liberté personnelle sont dits individuels ; ceux qui découlent de la liberté politique sont qualifiés de collectifs.

La rationalité, attribut des projets

Tout projet, du commencement à la fin, pour se dérouler correctement, est appelé à se réaliser selon les directives de la raison. Cette dernière œuvre toujours à l'intérieur d'un projet, sous la motion d'un vouloir qu'elle a pour mission d'orienter, tant au point de vue de la fin que des moyens. Le rôle propre à la raison est d'éclairer la volonté en définissant, d'une manière concrète, à la fois la fin à poursuivre et les moyens de réaliser cette fin. Cependant, puisque la vérité, l'efficacité et le point de vue éthique, à titre de fins à réaliser, postulent chacun un processus distinct et particularisé, il s'ensuit qu'il y a lieu de reconnaître trois espèces de rationalité qu'il importe de ne pas confondre. La rationalité inscrite dans un projet théorique diffère de celle que l'on retrouve dans un projet pratique. La rationalité dépend de la mesure inhérente au projet. La mesure de la vérité, c'est l'état de fait. La mesure de l'efficacité et du caractère éthique de l'agir, ce sont les attentes de tous ceux qui sont concernés par ces finalités. Un nouveau modèle d'avion est jugé efficace s'il répond aux attentes de ceux qui l'ont fabriqué et des usagers auxquels il est destiné. Une règle de conduite est dite éthique si elle répond aux attentes légitimes de ceux à qui elle s'adresse.

Selon une approche abstractive, est rationnel ce qui dérive de la raison. Mais la fonction qui revient à la raison, c'est de diriger une démarche constructive de manière à produire un effet recherché, comme une connaissance vraie ou un remède efficace. La raison s'oppose à l'instinct ; alors que ce dernier dispose, en vertu de sa nature, des moyens ordonnés à la réalisation d'une fin, la raison est contrainte de les déterminer. Toutefois, dans son exercice, la raison est tenue d'être fidèle à elle-même, de se plier aux règles que l'expérience et l'apprentissage lui ont révélées comme étant des garanties du succès de ses démarches. Aussi le langage courant ne reconnaît-il comme rationnels que les processus qui se déroulent selon ces règles. Quant aux solutions apportées par la raison, elles sont dites rationnelles si elles s'avèrent les meilleures possibles dans les circonstances ; ce qui suppose que la raison a déployé toute la rigueur désirée pour les énoncer.

Le langage contemporain définit la rationalité en termes relatifs à l'efficacité. Cette assimilation n'est pas dépourvue de rectitude. En effet, le processus élaboré par la raison en vue d'atteindre un objectif recherché, peu importe que ce dernier relève du savoir, du faire ou de l'agir, est toujours une construction et, sous cet aspect, consiste en un certain faire, c'est-à-dire dans l'agencement de plusieurs données. Dès lors, il y a lieu d'inclure l'efficacité parmi les notes qui définissent la rationalité, bien que l'efficacité soit d'abord l'attribut des activités ordonnées à la transformation de la matière extérieure.

La double tâche de la raison

À l'intérieur de chacune des catégories de projets, la raison est contrainte d'assumer une double tâche : d'abord, se donner des règles, puis orienter le processus vers la fin concrète visée, selon les règles qu'elle a elle-même construites. Pour se lancer à la recherche d'une vérité particulière, la raison doit disposer d'un ensemble de règles susceptibles de garantir le succès de sa démarche. Vu son indétermination première, la raison doit acquérir ces règles à travers un projet dont l'objectif est de cerner les moyens les plus appropriés à la saisie correcte d'un état de fait. Aussi, au cours de l'histoire, a-t-elle produit, en réfléchissant sur la teneur de ses propres activités, un certain nombre de procédures susceptibles de déboucher sur la vérité, comme les logiques démonstratives ou autres, la méthode expérimentale, etc. De même, avant d'orienter le processus de fabrication d'un artefact, la raison a besoin de techniques qui assurent l'efficacité de sa démarche. Enfin, la détermination du caractère éthique d'un agir dans une situation conjoncturelle suppose l'existence de normes auxquelles l'acte est appelé à se conformer. Il appartient à la raison d'élaborer ces normes en fonction de l'objectif propre à l'éthique, soit préserver et promouvoir la liberté.

Pouvoir d'autodétermination et société

Certes, l'individu est responsable de son devenir et, tel qu'on l'a démontré au cours des pages précédentes, il dispose du potentiel requis pour s'acquitter de cette tâche, mais il ne peut répondre adéquatement à cette mission que dans et par la société.

Vu l'indétermination congénitale de son potentiel cognitif, l'être humain ne peut se développer en tant que tel qu'en puisant dans les connaissances accumulées par la collectivité au cours des millénaires. Laissé à ses propres forces, il s'élèverait à peine au-dessus du niveau de vie des animaux ; il serait contraint de repartir à zéro, d'inventer le langage et d'acquérir par la voie de l'expérience toutes les connaissances élémentaires relatives à son milieu de vie. Mais comme les connaissances déjà produites se conservent, soit dans la mémoire collective, soit dans les bibliothèques ou les maisons d'enseignement, dans les microfilms ou dans les puces, et qu'en outre elles sont transmissibles, il s'ensuit que l'individu peut accélérer son développement en se les appropriant par la voie de l'apprentissage. Ce dernier s'effectue d'une double manière : par une recherche personnelle ou par le recours à l'enseignement d'autrui. Du berceau à l'adolescence, le savoir s'acquiert surtout par l'enseignement, ce qui révèle une autre dimension de la société : elle ne conserve pas seulement le savoir, elle le transmet et ainsi elle façonne le potentiel cognitif de l'individu. C'est la société qui détermine la langue et les connaissances usuelles sur un territoire donné.

Ainsi modelé par la société, l'individu ayant atteint une certaine maturité intellectuelle produira de nouvelles connaissances qui iront enrichir le savoir de la société, et ainsi il la façonnera à son tour. Tel est le sens du célèbre énoncé de Marx : la société produit l'homme et l'homme produit la société.

L'agir et la société

En ce qui regarde l'agir, au départ, il est aussi indéterminé que le savoir et le faire ; aussi ses déterminations doivent-elles être acquises. Les décisions volontaires, qui sont à la source de l'agir, sont susceptibles d'être plus ou moins rationnelles. Aussi leur rectitude dépend-elle de la docilité du vouloir aux directives de la raison. Or, pour accéder à cette docilité, la volonté doit surmonter une double indétermination : l'une concerne la force requise pour se plier à ces directives ; l'autre, leur connaissance. Dans l'un et l'autre cas, la société assume un rôle important. Certes, la société ne confère pas la force, car celle-ci ne peut être acquise que par des efforts personnels, mais elle opère de l'extérieur surtout par l'éducation, qui vise à susciter des convictions formatrices de la volonté en utilisant divers moyens, dont le registre est des plus étendus : la louange et le blâme ; les récompenses et les châtiments. Quant aux directives de la raison, la volonté les détermine sous forme de lois ou de valeurs, c'est-à-dire d'objectifs dignes d'être poursuivis.

Dès sa naissance, l'enfant baigne dans un milieu social, famille et société, qui le façonne à son insu, tant au point de vue du savoir et du faire que de l'agir. Toutefois, ces déterminations ne sont ni indélébiles ni immuables ; sous l'action d'une prise de conscience de l'individu ou de l'évolution de la société, elles peuvent s'atténuer, s'amplifier, ou encore disparaître et ouvrir un espace à de nouvelles acquisitions. Tous les projets, quels qu'ils soient, sont traversés par une interaction constante entre l'individu et la société.

La division du travail est une forme de socialisation

En ce qui concerne la production des biens matériels en tant que tels, la société s'avère nécessaire sous un autre angle. Certes, dans la mesure où cette production requiert un savoir-faire, ce dernier s'acquiert par la voie de l'apprentissage et ainsi postule la société au même titre que toutes les autres formes de savoir. Cependant, l'accès au bien-être matériel, qui suppose une abondance de biens et de services, n'est possible que moyennant une forme d'association distincte de celle qui caractérise l'apprentissage. La division du travail, suivant laquelle l'individu, au lieu de produire lui-même tous les biens requis pour vivre et de veiller à se protéger par ses propres ressources contre les maux qui le menacent, se voue exclusivement soit à la culture de la terre, soit à la fabrication d'un artefact quelconque, soit à la prestation d'un service, génère de nouveaux liens associatifs entre les humains. Lorsque chacun se consacre exclusivement à l'exercice d'un métier ou d'une profession, les biens produits et les services rendus sont plus abondants et de meilleure qualité, d'où un accroissement du bien-être matériel ; mais en contrepartie, chacun dépend désormais d'autrui pour satisfaire l'ensemble de ses besoins. La division du travail est à la fois un facteur de prospérité et de socialisation.

L'être humain se définit donc comme un être social. Dans un énoncé dense et précis, Habermas dégage l'une des principales implications de cet état de fait :

> Plus les structures d'un monde de la vie se différencient, plus clairement voit-on combien l'autodétermination croissante de celui qui est individué est enchâssée dans l'intégration de plus en plus forte au sein de dépendances sociales démultipliées[5].

Au fur et à mesure que les individus et la société acquièrent de nouvelles dimensions en vertu du rapport de réciprocité qui les unit, la croissance du pouvoir d'autodétermination des individus s'accompagne d'une dépendance croissante de ces derniers vis-à-vis du contexte social. Bref, la liberté des individus ne développe son potentiel que par une socialisation croissante de ces derniers. À tel degré de liberté correspond tel niveau d'intégration sociale. Cette assertion repose sur une multitude de constats.

Ainsi, je ne peux assurer efficacement la protection de ma vie biologique que si je suis membre d'une organisation sociale qui,

---

5. Jürgen Habermas. *De l'éthique de la discussion*. Traduction française de Mark Hunyadi, Paris, Cerf, 1992, p. 20.

par le truchement de son armée, de son système judiciaire et de ses services de santé, neutralise les principaux facteurs qui menacent ma vie, comme la malveillance d'autrui et la maladie. À un autre échelon, en ce qui regarde le choix d'une carrière susceptible de me procurer le bien-être que je souhaite, l'éventail des professions qui me sont accessibles dépend non seulement de mes aptitudes mais encore des ressources humaines et matérielles rendues disponibles par le milieu social. Au Québec, avant l'avènement du ministère de l'Éducation, vu les nombreuses déficiences de la société d'alors, l'accès à l'université et par la suite aux professions les plus lucratives et les plus épanouissantes était réservé à un petit nombre de privilégiés.

Ce constat s'étend aussi au comportement éthique. La plupart des gens adoptent les lignes de conduite qui prévalent dans leur milieu. La délinquance n'est-elle pas attribuée en grande partie à une faiblesse de l'éducation familiale ou aux fréquentations suspectes ? Les études statistiques ne tendent-elles pas à établir une corrélation entre le taux de criminalité et les conditions de vie dans un milieu social donné ? Aristote avait déjà saisi la pertinence de ce rapport lorsqu'il assignait à l'État, comme tâche principale, la responsabilité de créer un milieu favorable à la pratique des vertus. Au cours de l'histoire, cette mission a surtout été assumée par les Églises. Aussi ne faut-il pas s'étonner si la perte d'influence des Églises dans la plupart des sociétés contemporaines s'est traduite par un éclatement de la morale traditionnelle, du moins en ce qui concerne l'agir, dans les domaines où il est principalement régi par les convictions intimes de chacun. En effet, ces dernières s'enracinaient quasi exclusivement dans les croyances religieuses. Voilà l'explication la plus plausible du comportement sexuel anarchique d'un nombre croissant d'individus. Par contre, les activités qui relèvent de la justice, en dernière analyse, reçoivent leur spécification et leur existence, non pas de la conscience de chacun, mais de l'État par la médiation de ses lois et de son système judiciaire. Aussi, dans ce domaine particulier de l'agir, la conduite des individus est-elle principalement déterminée par la société et son gouvernement.

Ici, un constat s'impose. Au cours des trois derniers siècles, bien que subsistent encore de nombreux avatars, l'éthique sociale a marqué de nets progrès. En effet, sous la pression des mouvements et des attentes des peuples, la plupart des États, par la reconnaissance d'une charte des droits de l'homme ainsi que par le raffinement de leur législation et de leur jurisprudence, ont largement contribué à rendre plus justes les rapports entre les individus. En revanche, l'éthique individuelle, qui relève surtout de la prudence de chacun, est de plus en plus indéterminée. Les certitudes qu'elle détenait, par exemple en ce qui a trait à l'homosexualité, à l'amour libre, à la pornographie, sont aujourd'hui remises en question. Ces doutes sont survenus à la suite de l'affaiblissement des bases sur lesquelles se fondaient les certitudes : d'une part, la régression des croyances propagées par les Églises ; d'autre part, le refus, par un nombre croissant d'individus, de reconnaître l'existence de directives données par la nature sur ces sujets. La raison, à laquelle il appartient désormais de se prononcer sur ces questions, ne possède pas à l'heure actuelle les connaissances requises pour apporter une solution claire et nette à ces problèmes.

Il existe donc une relation très étroite entre la conduite adoptée par une foule de gens et le niveau éthique préconisé par la société. Si cette dernière est permissive, comme c'est le cas aujourd'hui en ce qui concerne la sexualité, les individus agiront à leur gré ; par contre, si elle impose des consignes rigoureuses, en matière de justice, par exemple, les individus se conformeront à ses directives.

Dès lors, dans l'ensemble, sous réserve des précisions qui seront apportées au cours de la présente recherche, les individus ne gravissent les échelons de l'éthique que sous la poussée de plus en plus forte et de plus en plus directrice de la société. En somme, l'énoncé de Jürgen Habermas, tel que cité antérieurement, s'applique à la fois au savoir, au faire et à l'agir.

La mise en marche des projets

Selon un lieu commun, les espèces animales ont évolué sous la pression des obstacles de tous genres qui se dressaient devant eux dans les activités déployées pour satisfaire leurs besoins vitaux. Ces espèces mues par leur instinct de survie, au cours d'un long processus dont la durée approximative est aujourd'hui évaluée en millions d'années, leur comportement et leur organisme se sont adaptés aux exigences changeantes de leur milieu de vie. L'évolution de l'être humain s'est aussi effectuée en réaction aux pierres d'achoppement que son milieu de vie, naturel et social, opposait à ses projets. Toutefois, pour lever ces obstacles, à la différence de l'animal, l'être humain n'était pas mû par un instinct déterminé mais par sa volonté et sa raison, par son pouvoir d'autodétermination. Or, ce dernier ne s'enclenche que sous l'attrait d'un but particulier : une vérité à cerner, un instrument à fabriquer, une vertu à acquérir. Ces buts particuliers, dans la presque totalité des cas, se présentent d'abord sous l'enveloppe d'un problème à résoudre en vue de mieux vivre selon les exigences de la liberté. Les infusions de telle plante ont-elles des propriétés médicinales pour résorber telle infection ? Telle pierre, une fois cassée et affûtée, constitue-t-elle une arme défensive efficace ? Plutôt que de poursuivre la guerre, ne vaut-il pas mieux conclure une entente qui permette à chacun de circuler sur un territoire donné sans s'exposer à la mort ? Bref, les démarches de la volonté sont suscitées par une prise de conscience de la nécessité de résoudre tel problème sous peine de voir son bien-être amoindri et entravé.

Si l'évolution de l'être humain est plus rapide que celle de l'animal, c'est attribuable au fait qu'il a le pouvoir de réfléchir sur une situation donnée, d'établir des relations, d'imaginer des solutions possibles et d'en privilégier une. En fait, la raison est plus efficace que le simple instinct. Toutefois, l'évolution de l'un et de l'autre consiste à lever des pierres d'achoppement.

L'être humain ne tend pas seulement à survivre, à conserver sa vie biologique, comme c'est le cas pour l'animal, mais encore à développer tout le potentiel que lui confère sa liberté. Or, les projets de vie à travers lesquels l'être humain développe son potentiel obéissent à une double constante : d'une part, ils sont conditionnés par l'état des connaissances, des habiletés, et du niveau de moralité au moment où ils se déroulent ; d'autre part, ils sont toujours enclenchés par la volonté de lever un obstacle, en l'occurrence jugé surmontable, qui menace leur vie et leur bien-être. D'ailleurs, tout projet, quel qu'il soit, consiste à solutionner un problème.

Mais parmi les nombreuses difficultés susceptibles d'être résolues que les humains rencontrent sur leur route, d'où vient qu'ils s'attaquent à l'une plutôt qu'à l'autre et qu'ainsi ils privilégient un devenir particulier ? Tout d'abord, il est évident qu'ils s'appuient sur des motifs issus de la conjoncture. Si cette dernière comporte des éléments qui menacent leur vie biologique (rareté d'eau potable et de nourriture, bêtes sauvages à l'affût, état de guerre, etc.), les humains accordent leur priorité aux mesures qui ont pour effet de supprimer ces dangers. Par contre, si la conjoncture est sécuritaire, elle ouvre la voie aux projets axés sur le bien-être. Or, la notion de bien-être est moins objective et plus indéterminée que celle de la survie ; aussi la signification qu'elle revêt est-elle en grande partie tributaire de la subjectivité de l'être libre, de ses croyances, de sa culture, de ses préférences. Il s'ensuit que le choix des projets relatifs au bien-être s'appuie en grande partie sur des données contingentes

Toutefois, les problèmes sur lesquels se concentrent les énergies humaines à une époque donnée dépendent d'un choix collectif qui leur confère la dominance. Ce dernier obéit à une dynamique fort complexe où la survie et le bien-être reçoivent leur importance respective à partir d'un rapport de force entre les divers groupes sociaux. C'est ainsi que la période qui s'étend de la fin du XIXᵉ siècle jusqu'au milieu du XXᵉ fut marquée par l'avènement de l'État-providence, qui, par ses mesures sociales, veillait à la survie des défavorisés. En revanche, depuis l'échec de l'expérience communiste dans les pays de l'Est, le courant qui porte la politique mondiale entraîne cette dernière plutôt vers l'accroissement du bien-être, surtout matériel, sans se préoccuper de la répartition des richesses produites et de l'impact sur l'environnement. Issu en ligne directe du libéralisme économique et politique le plus intransigeant, ce courant façonne l'opinion publique par la voie des médias que contrôlent ses adeptes.

L'évolution du savoir, des techniques et de la morale, et par la suite de l'être humain, est donc déterminée à partir des divers problèmes existentiels auxquels les humains se voient confrontés. Cependant, alors que le développement des sciences et des techniques, du moins dans la majorité des cas, se caractérise par un progrès continu, le comportement moral et les normes qui le régissent suivent une trajectoire courbe brisée, tantôt montante, tantôt descendante. Ce phénomène est compréhensible. Le comportement des êtres naturels est déterminé, il se plie à des lois rigoureuses, immuables et nécessaires, dont la teneur est susceptible d'être découverte et vérifiée par la voie de la méthode expérimentale ; au contraire, le comportement de l'être libre est indéterminé et imprévisible ; il est issu d'une décision volontaire et par le fait même contingente. Cependant, les décisions humaines peuvent être bonnes ou mauvaises selon qu'elles sont conformes ou non à certaines lois qui, tout en étant fondées sur les exigences mêmes de la liberté, doivent néanmoins être construites, car, à la différence des lois de la matière, elles ne sont pas des données de la nature. Or, leur construction dépend d'un ensemble de facteurs parmi lesquels il faut mentionner connaissance vraie de l'être humain et de son milieu de vie et volonté de choisir la norme jugée la plus rationnelle dans les circonstances.

Dès lors, d'une part, puisque la nature de l'être humain, selon l'état des moyens disponibles, est plus difficile à cerner que celle de la matière ; d'autre part, comme la volonté est vulnérable et sujette à de multiples pressions, il s'ensuit que la construction d'une norme éthique est plus aléatoire que la découverte des lois de la matière. D'où le décalage entre le progrès des sciences exactes et des techniques qui en dérivent et celui de la morale.

Le projet axé sur le comportement moral suit donc un parcours plus sinueux et plus endigué que celui des autres projets humains. Alors que les sciences exactes, les techniques, et les artefacts se développent à un rythme accéléré et quasi sans contrainte, l'agir humain, en tant que tel, s'améliore à pas de tortue. Au cours des derniers siècles, le projet éthique a néanmoins franchi une étape importante : après avoir été longtemps assujetti aux croyances mythiques et religieuses, il est désormais approprié par la raison. Les humains sont de plus en plus conscients de la place qu'occupe l'éthique dans leur vie et de la nécessité de résoudre eux-mêmes les problèmes qu'elle pose. L'insertion des droits de l'homme dans la constitution de la plupart des pays et la reconnaissance des droits sociaux par certains États témoignent d'une préoccupation grandissante de mieux régler la conduite humaine.

La présente recherche poursuit un double objectif : faire le point sur l'état actuel des connaissances, des comportements, et des normes acceptées, puis dégager les principaux problèmes se rapportant à l'éthique sociale que les humains sont appelés à résoudre ici et maintenant.

CHAPITRE 2

LE DEVENIR
DE LA SOCIÉTÉ

Éthique sociale

Comme l'histoire le démontre à l'évidence, l'individu ne peut se réaliser que dans et par la société. D'où vient cette nécessité ? Par leur nature même, les individus dépendent les uns des autres ; dans l'exercice de leur liberté respective, ils peuvent se nuire ou s'entraider. Ainsi, cette solidarité est susceptible de jouer en des sens divers et opposés : d'une part, elle rend les individus vulnérables par les activités externes d'autrui ; d'autre part, elle leur donne accès aux avantages incommensurables de la coopération. Dès lors, pour que cette solidarité indéterminée tourne à l'avantage de tous et de chacun, il faut qu'elle soit assumée et organisée par la communauté. En effet, cette tâche relève de la responsabilité collective, car elle suppose une entente entre les individus concernés. Un individu isolé ne peut ni présumer ni décider de la conduite à tenir par autrui. Une société n'est autre qu'une détermination, une forme d'aménagement de la solidarité naturelle, en vue de rendre cette dernière avantageuse pour tous. En outre, puisqu'elle consiste en un devenir qui se définit comme un projet collectif, il importe, dans un premier temps, d'examiner les caractéristiques propres à ce dernier.

 # important

Le donné

Vu leur dépendance réciproque, dont l'effet peut être positif ou négatif sur le devenir de chacun, les individus, sous peine d'entretenir des rapports qui tournent à leur détriment et de se priver de biens dont l'acquisition n'est possible que par la voie de la coopération, n'ont d'autre choix que de se regrouper et d'assumer ensemble la responsabilité de veiller au devenir constitutif de leur vie sociale.

Assumer collectivement la responsabilité du devenir de la société, c'est s'engager volontairement les uns vis-à-vis des autres à mettre ensemble sur pied un projet de société qui soit avantageux pour tous. Un tel projet vise à réglementer le comportement social des individus de telle sorte que chacun y trouve son compte. Or, un tel comportement relève de l'agir en tant que volontaire et ordonné en dernière analyse à la réalisation de soi. L'agir social n'a d'autre fin que de constituer un milieu, un tissu de relations interpersonnelles qui favorise tout un chacun dans la poursuite de ses intérêts propres et légitimes.

Le construit

Les comportements sociaux, qui s'avèrent la matière constitutive de la société, ne sont pas déterminés par la nature ; il appartient aux humains, par la voie que trace l'éthique sociale, d'en préciser les modalités. Au cours des pages précédentes, l'éthique, sous la forme de la prudence individuelle, était présentée comme la démarche à suivre pour ajuster l'agir à sa fin, soit la réalisation de soi. L'éthique sociale reprend à son compte les grandes lignes de ce processus, mais elle lui apporte des modifications importantes. Elle consiste en une démarche collective en vue d'ajuster les comportements sociaux de telle sorte qu'ils constituent un milieu externe où chacun peut donner libre cours à son projet de vie. La société n'est autre que l'ensemble des rapports sociaux en ce qu'il a pour effet de produire une ambiance qui se prête à l'exercice de la liberté de chacun.

Selon une première approche, l'éthique sociale apparaît comme un savoir pratique (savoir qui s'achève dans une décision) dont la fonction consiste à encadrer la conception et la mise sur pied d'un projet de société. Mais d'où vient l'idée première, chez les humains, de se regrouper en société ? C'est une donnée naturelle, indépendante de la volonté humaine, que le devenir de l'individu dépend étroitement du devenir de la société, mais en même temps la nature, de même qu'elle laisse à l'individu la responsabilité de son devenir, dans la même foulée, rend la collectivité responsable de son devenir en tant que telle. La collectivité est tenue d'assumer cette dernière responsabilité sous peine de compromettre le devenir individuel de chacun de ses membres. Une fois assumée la nécessité de la vie sociale, puisque la nature ne fournit aucun modèle de structure sociale, la collectivité n'a d'autre choix que d'élaborer et d'exécuter elle-même un projet de vie commune.

Un projet de vie commune n'a de sens que s'il est avantageux pour tous les concernés ; c'est-à-dire si ces derniers trouvent dans cette ambiance un lieu favorable à la poursuite de leurs intérêts personnels, légitimes. D'où la nécessité de cerner, avec la plus grande rigueur possible, les intérêts fondamentaux universels susceptibles d'être l'objet d'un accord entre tous les concernés, car la vie commune repose sur un tel consensus. En effet, s'associer, c'est se reconnaître mutuellement des créances et des obligations en vue d'atteindre un objectif qui soit conforme aux intérêts de tous les participants. Les comportements sociaux, qui s'avèrent les éléments constitutifs de la société, dérivent des accords de réciprocité conclus entre les membres du regroupement.

L'institution d'une société réside dans un projet qui se déroule sous la motion du savoir pratique d'une collectivité. Les termes « éthique sociale » désignent précisément ce savoir et ce vouloir communs qui président à la construction d'une société, au sens usuel du terme, soit un regroupement de gens vivant sur un même territoire et acceptant les mêmes règles de conduite.

Ce savoir pratique, selon qu'il œuvre à tel ou tel moment du projet, au point de départ ou à la mise en place, revêt des modalités particulières qu'il importe de définir. L'élément déclencheur du projet de société est un vouloir commun, une entente portant sur les objectifs auxquels le projet est appelé à s'ajuster. En l'occurrence, ces objectifs sont des intérêts fondamentaux, universels, auxquels nul ne peut renoncer sans contrainte et qui ne peuvent être atteints que dans et par la société.

Mais comment déterminer ces intérêts fondamentaux si ce n'est à partir de la connaissance de certaines vérités de base relatives aux traits caractéristiques dont la nature a pourvu tout être humain ? La connaissance de ces traits est accessible à tout humain pourvu qu'il y apporte la réflexion requise. C'est ainsi que l'être humain parvient à saisir clairement qu'il est responsable de son devenir et que ce dernier ne consiste en rien d'autre que l'actualisation du pouvoir d'autodétermination dont sa nature le gratifie. De cette connaissance, il s'ensuit, s'il assume son état, qu'il ne peut pas ne pas vouloir s'autodéterminer, ce qui s'avère un choix fondamental propre à tout humain.

Il est une autre vérité de base qui s'impose à lui, à savoir qu'il ne peut réaliser ce choix fondamental en dehors de la société et qu'il doit construire celle-ci en agissant de concert avec autrui. Cependant, comme l'histoire le prouve, il existe diverses formes de sociétés, depuis les dictatures fondées sur la force des armes jusqu'aux diverses espèces de démocratie. Il appartient précisément à l'éthique sociale de déterminer la forme de société qui répond le mieux aux exigences incluses dans les choix fondamentaux.

En se fondant sur les postulats issus des choix fondamentaux en regard de la société, l'éthique sociale est appelée à tracer et à implanter les modalités des comportements sociaux constitutifs d'une société légitime. D'ores et déjà, dans le sillage des développements antérieurs, il y a lieu d'affirmer qu'une société ne respecte la liberté fondamentale de chacun que si elle se fonde sur des accords de réciprocité volontairement consentis par lesquels les participants se reconnaissent mutuellement des créances et des obligations. Cependant, puisque les choix fondamentaux sont multiples et distincts et qu'ils postulent des accords de réciprocité appropriés à chacun d'eux, il importe à l'éthique sociale d'explorer au préalable la teneur de chacun de ces choix.

En ce qui concerne l'établissement des accords de réciprocité, elle doit discerner quelles sont les clauses susceptibles de figurer

IMPORTANT

dans une entente rationnelle et parmi ces dernières celles qui sont les plus pertinentes dans les circonstances. Ainsi, toute entente qui privilégierait carrément les uns au détriment des autres est nulle et non avenue, car elle diminue la liberté de ceux qu'elle défavorise. Par contre, il est des cas où il n'est pas facile de déterminer si telle ou telle solution est avantageuse pour tous ; par exemple, s'il vaut mieux privatiser ou non l'exploitation de telle ou telle ressource naturelle. La tâche dévolue à l'éthique sociale est donc double :

1) déterminer les choix fondamentaux à partir de la connaissance des vérités de base relatives à la condition humaine dans toute son extension ;

2) dégager le contenu spécifique de chacun des accords de réciprocité que postulent respectivement les divers choix fondamentaux.

1) Vérités de base et choix fondamentaux

Ici, les termes « choix fondamentaux » désignent un contenu que beaucoup d'auteurs continuent à identifier, non sans ambiguïté, sous l'expression « droits naturels ». Dworkin clarifie cette confusion sémantique dans le texte suivant :

> Elle (l'expression « droits naturels ») n'exige rien de plus que l'hypothèse suivant laquelle le meilleur programme politique, selon la signification qui fait de lui un modèle, est celui qui assume la protection de certains choix individuels comme fondamentaux, et à proprement parler, non subordonnés à quelque but ou devoir, ou à quelque combinaison de ces derniers[1].

Au sens strict, un droit naturel est un choix fondamental dont la protection est assumée par l'État.

Les vérités de base

Les vérités de base ne sont autres que des énoncés exprimant les données universelles et immuables propres à la condition

---

1. Ronald Dworkin. *Taking rights seriously*, Cambridge, Harvard University Press, 1978, p. 127.

humaine et dont la connaissance s'impose à tous ceux qui participent à la construction d'une société. Comment parvient-on à les saisir ?

Selon certains, elles seraient connues par l'intuition, cette sorte de vision intellectuelle qui assimilerait les choses en se tournant vers elles, comme un simple regard, sans autre opération. S'il en était ainsi, le contenu et la quantité de ces données ne seraient aucunement sujets à controverse ; ce qui va à l'encontre de l'état actuel des connaissances. En effet, dans la mesure où ces données se livreraient d'emblée au regard immédiat de l'intelligence, elles seraient aisément accessibles à tous.

Le devenir de la société réside dans un projet global dont l'achèvement présuppose la réussite d'un certain nombre de projets antérieurs qui lui sont subordonnés. Parmi ces derniers, il faut mentionner, en premier lieu, l'acquisition de connaissances vraies relatives aux matériaux sur lesquels la société doit être construite. Ce savoir vrai, à l'instar de toutes les connaissances, s'acquiert à travers un projet finalisé par la vérité. Cette dernière, qui consiste en l'adéquation entre un énoncé et un état de fait, ne s'obtient jamais qu'au terme d'un processus complexe. En effet, vu son épaisseur et ses multiples facettes, un état de fait ne peut être exploré qu'au moyen d'un outil intellectuel qui comprend diverses opérations. En l'occurrence, l'état de fait à cerner est l'être humain selon son genre et son espèce. Jusqu'à ce jour, les disciplines les plus reconnues, comme l'histoire, la psychologie, l'archéologie, la sociologie, malgré la diversité de leurs approches et de leurs visées, présentent néanmoins certains traits communs : elles font toutes appel à l'observation ainsi qu'à l'expérience interne et externe ; elles se rejoignent sur certaines conclusions universelles. Ainsi, aujourd'hui, c'est un lieu commun d'affirmer que l'être humain se distingue de l'animal par son pouvoir d'autodétermination et que ce dernier ne peut s'exercer que dans et par la société.

Le savoir éthique, vu sa fonction propre, soit construire les normes de conduite qui conviennent à l'être humain, se doit d'assumer les connaissances pertinentes fournies par les sciences mentionnées dans la mesure où elles ont un impact sur son projet spécifique. Cependant, une fois ces vérités acquises, il lui revient de les considérer en regard du devenir qui constitue son projet. De cette mise en relation s'ensuivent un certain nombre de décisions qui se prennent selon le raisonnement : puisque je suis responsable de mon devenir, je ne peux m'acquitter de cette tâche qu'en acceptant volontairement de remplir les conditions essentielles à ce devenir. Ces conditions, en tant que recherchées, s'avèrent l'objet des choix dits fondamentaux.

Ces conditions ne sont autres que des données naturelles saisies par la médiation d'un savoir qui présente les meilleures garanties de vérité possibles. Toutefois, bien que ces connaissances soient livrées par des sciences jugées rigoureuses, vu l'importance du projet qui les intègre, il est un autre critère de vérité auquel elles sont susceptibles d'être soumises, à savoir la reconnaissance universelle de leur vérité, sous forme de paradigmes que nul ne conteste. Ainsi, nul ne peut nier que tout vivant tende à conserver son être spécifique. Dès lors, la certitude qu'engendrent ces énoncés s'appuie sur un double fondement : un savoir qui repose sur des critères de scientificité reconnus et l'acquiescement universel des gens.

Ces vérités de base désignent la trame ontologique de tout projet éthique ; elles fournissent à la fois les matériaux et la finalité ultime de la construction postulée. Ces données se réduisent toutes à une tendance naturelle, à un élan vers...

Intégrer ces vérités dans un projet, c'est assumer ces tendances, c'est choisir de les actualiser. Choisir d'actualiser une tendance, c'est assigner au projet la finalité déjà inscrite dans l'élan premier et naturel. Ici, pour éviter toute équivoque, il importe de souligner la distinction entre les matériaux utilisés dans les constructions qui relèvent du faire et ceux qui ressortissent à l'éthique : les premiers ne déterminent pas la finalité du projet, celle-ci origine dans l'imagination et le vouloir du concepteur, alors que les seconds imposent au projet le but à poursuivre.

Certes, le chapitre précédent sur la condition humaine n'avait d'autre objet que l'exploration de la donnée spécifique à l'être humain en tant que distinct de l'animal, soit sa liberté. Or, ce pouvoir d'autodétermination est celui d'un être corporel et terrestre, ce qui entraîne la nécessité d'examiner à nouveau la condition humaine en tenant compte de cette perspective. Le potentiel cognitif, volitif et créatif, bien qu'il soit l'élément principal et distinctif de la condition humaine, n'en est pas moins partie d'un tout, et à ce dernier titre, doit être cerné aussi selon cette particularité.

Dès lors, le savoir éthique, pour atteindre ses objectifs, est contraint d'élargir le champ de ses recherches sur la condition humaine et d'en saisir toutes les données, car elles sont le contenu des choix fondamentaux à l'origine du projet de société. Mais quels sont ces choix fondamentaux à l'origine du projet constitutif de toute société estimée juste ?

Les données qui s'avèrent le contenu des vérités de base se présentent toutes selon le modèle suivant : les humains disposent du « pouvoir de », et il est nécessaire qu'ils actualisent ce pouvoir s'ils veulent se réaliser.

Premièrement, en tout être vivant, il existe une tendance naturelle à la conservation de la vie ainsi qu'à celle de toutes les parties qui le constituent comme un être complet selon son espèce. Chez les animaux, cette tendance se traduit par un instinct déterminé alors que, chez l'être humain, elle s'actualise par une décision, la volonté de vivre et de préserver son intégrité corporelle et psychique, soit les fonctions biologiques et leurs organes afférents ainsi que les processus qui résident dans le connaître et le vouloir avec leurs supports matériels. Ce choix fondamental est dit premier en autant qu'il porte sur l'existence et la substance de l'être humain selon sa corporéité et sa liberté.

Deuxièmement, l'être humain reçoit de la nature le pouvoir de s'autodéterminer, de choisir entre plusieurs possibilités d'orienter et d'aménager son devenir. Ce pouvoir n'est pas un simple potentiel, il comprend aussi la force de passer à l'acte, soit de choisir effectivement telle détermination plutôt que telle autre, de préférer une façon de vivre à une autre. Cette force qui lui est interne, avec sa portée et ses avantages, ne peut qu'être acceptée volontairement par l'être humain, dès qu'il en prend conscience, qu'être assumée sous peine de compromettre le devenir spécifique auquel il est appelé. Mais l'un des traits de ce pouvoir est sa vulnérabilité ; il est susceptible d'être entravé dans son exercice sous la pression de forces contraires comme les passions et les activités nocives d'autrui. Aussi est-ce un aspect du choix fondamental d'exercer sa liberté que de vouloir résister à ces menaces toujours présentes. D'ailleurs, l'absence de contraintes est une condition nécessaire à l'exercice de la liberté, à tel point que maints auteurs, au cours de l'histoire, associaient agir libre et agir sans contrainte. En résumé, c'est un choix fondamental que de vouloir mener à bien son projet de vie sans subir de contraintes.

Troisièmement, selon leur nature, les humains ne peuvent se réaliser que par la voie de l'association. Mais ils sont appelés à construire cette dernière. D'un autre côté, c'est une prérogative inhérente à leur liberté individuelle que d'ajuster leur vouloir à celui des autres de manière à former une volonté collective qui débouche sur un projet commun à tous les participants. Cette prérogative se nomme « liberté d'association ». Chez Aristote, cette liberté d'association était principalement qualifiée de politique, en ce sens qu'elle était en priorité ordonnée à l'institution de la cité (polis). Cette perspective aristotélicienne est encore valable aujourd'hui. D'une part, la société est nécessaire au devenir de l'individu à un double point de vue : d'une part, pour laisser un espace ouvert aux projets issus des choix fondamentaux ; d'autre part, pour fournir des biens dits communs, soit des biens dont tous les individus ont besoin mais qu'ils ne peuvent obtenir autrement qu'à travers un projet collectif, comme l'accessibilité pour tous aux ressources éducatives. C'est à la liberté politique qu'il revient de mettre sur pied une société qui réponde à cette double nécessité. La liberté politique réside essentiellement dans le pouvoir, dévolu aux individus, de s'autodéterminer collectivement, de constituer une volonté commune en vue de répondre à certaines nécessités qu'ils ne pourraient combler autrement. S'unir dans un vouloir commun et par là se regrouper en société est un choix fondamental auquel les individus ne peuvent se soustraire sans compromettre leur devenir personnel. S'autodéterminer ensemble dans le cadre d'un projet collectif signifie assumer, par un accord de réciprocité du genre « je m'engage si tu t'engages », la responsabilité commune de mettre sur pied et d'entretenir une forme de vie sociale.

La formation d'une volonté commune, dans le respect de la liberté de chacun, ne peut s'effectuer autrement que par des accords de réciprocité où les individus se confèrent mutuellement des créances et des obligations. « Je paie mes impôts si tu paies les tiens » équivaut à ceci : « si tu paies tes impôts, je suis obligé de payer les miens et tu es autorisé à me contraindre à m'acquitter de cette dette ».

Certes, l'histoire fourmille d'exemples où l'accord entre les volontés se réalise sous la pression de la violence, dans les dictatures, par exemple, mais dans ces derniers cas, la liberté politique est déniée. Prérogative du pouvoir d'autodétermination des individus, la liberté politique ne peut s'actualiser avec rectitude que par des accords de réciprocité. Toute autre voie se traduirait, à des degrés divers, par une violation du pouvoir d'autodétermination personnel.

La liberté politique, telle qu'elle est définie, se situe à l'origine de toute l'organisation sociale jusque dans ses moindres ramifications ; elle est appelée à présider à l'institution de l'État, des lois, des droits et de tous les organismes sociaux jugés indispensables. Il est évident qu'elle ne peut donner sa pleine mesure que dans un projet de société qui remplisse les conditions d'une vraie démocratie. Encore aujourd'hui, la plupart du temps, on la présente sous deux facettes : la liberté de voter et celle d'occuper une fonction publique, qui sont loin d'exprimer l'ampleur de la véritable dimension qu'elle est susceptible d'atteindre. Que du point de vue des faits la liberté politique corresponde à la vision réductrice mentionnée, cela n'infirme en aucune manière son statut de choix fondamental. En effet, un choix fondamental assume une donnée de base. Or, les êtres humains, qu'Aristote définissait déjà comme des animaux politiques, sont responsables, en vertu de leur condition même, du devenir de la société dont ils sont tributaires pour se réaliser comme personnes.

Bien que la liberté personnelle et la liberté politique soient indissociables, elles constituent néanmoins deux choix fondamentaux distincts, dans la mesure où les données naturelles qu'elles assument respectivement ne sont pas identiques. La première repose sur l'essence même de la liberté, la seconde, sur le fait que l'être libre est un être social.

Quatrièmement, les humains ont le pouvoir de communiquer entre eux par divers signes, mais surtout par un langage articulé et complexe. Grâce à ces derniers moyens, ils sont capables de signifier aux autres leurs désirs, leurs volontés et leurs connaissances. Or, la communication s'avère une nécessité à divers titres. En premier lieu, puisque les potentiels volitif, cognitif et créatif se développent en grande partie par le truchement d'un apprentissage dont le tracé est structuré par l'expérience des autres, il est nécessaire que les agents impliqués dans ce processus communiquent les uns avec les autres. En second lieu, ces acquis, connaissances vraies, rectitude de la volonté, techniques, sont indispensables au succès des projets constitutifs du devenir de chacun. Enfin, la communication s'avère le seul moyen de formation de la volonté commune qui préside à l'institution de la société. En outre, les humains n'ont d'autre choix que de communiquer s'ils veulent assurer le devenir de leur personnalité et celui de leur société. Le devenir consiste en un projet. Or, tout projet se construit à partir de certaines vérités de base dont l'acquisition s'effectue surtout par la voie de la communication.

La liberté de communication, comme choix fondamental, est souvent masquée par certaines de ses manifestations, comme la liberté d'expression et d'opinion, qui est souvent interprétée sans référence à sa véritable racine. Communiquer n'est pas nécessairement exprimer une opinion. Commander, exposer une vérité, s'avèrent des formes de communication distinctes de l'opinion. Ces trois formes de communication se différencient les unes des autres et se justifient selon le rôle qu'elles jouent à l'intérieur d'un projet défini. Le commandement vise à la coordination des efforts dans un projet commun ou à l'imposition d'une ligne de conduite jugée pertinente en regard de la réalisation du soi. L'exposé d'une vérité n'a d'autre objectif que de fournir des bases sur lesquelles il y a lieu d'édifier un projet. Quant à l'opinion, elle n'a de sens que si elle s'inscrit à l'intérieur d'une discussion dont l'objet n'est autre que la recherche de la vérité.

Il importe donc au plus haut point de cerner le véritable lieu de la liberté d'expression revendiquée par les médias, les journaux, la radio, la télévision. Cette liberté n'est pas un absolu ; elle tire sa pertinence de la légitimité des projets où elle figure. Si elle est biaisée au détriment de la vérité, elle perd sa justification.

Cinquièmement, tant pour conserver sa vie que pour se réaliser, l'être humain dépend ontologiquement de la nature externe. Son devenir est terrestre ; en effet, du moins jusqu'à ce jour, selon l'état actuel des connaissances, seule la planète Terre remplit les conditions nécessaires à l'entretien de sa vie biologique. L'air qu'il respire, l'eau qu'il boit, les matériaux (au sens large) d'où il tire sa nourriture, ses vêtements et son logement, tous ces éléments sans lesquels il n'existerait pas, il ne les trouve rassemblés nulle part ailleurs que sur la Terre.

Cependant, parmi ces éléments, il en est qui, pour répondre aux besoins de l'être humain, doivent au préalable être appropriés. Approprier une chose, c'est l'ajuster, la rendre propre à une destination quelconque, par exemple à la satisfaction d'un besoin. D'après ce sens étymologique, s'approprier un élément naturel, c'est l'adapter à ses besoins, et par là l'intégrer dans son projet de vie, soit le faire sien. Puisque l'action d'approprier réside dans le travail, s'approprier une chose par le travail en fonction de ses besoins signifie en acquérir la propriété. Telle est l'origine première et la justification fondamentale de la propriété acquise.

L'argumentation déployée se résume de la manière suivante : il existe un lien naturel de dépendance entre l'être humain et la nature externe ; ce lien se traduit par la nécessité pour l'être humain de puiser dans la nature, par son travail, les biens matériels indispensables à l'entretien de sa vie. L'être humain se plie à cette nécessité en ajustant par son travail une matière externe à ses besoins individuels et particuliers ; cette transformation a pour effet d'intégrer une matière dans le projet de vie du travailleur, soit de l'assujettir au vouloir de ce dernier, d'en faire sa propriété privée. (Selon le langage courant, la propriété privée se définit comme le pouvoir de disposer à son gré et d'une manière exclusive, selon sa volonté, en fonction de ses projets, d'une matière extérieure déterminée.)

Le processus qui conduit à l'acquisition de la propriété privée, dans sa forme la plus élémentaire, est tracé par le lien naturel qui unit l'être humain à la nature externe. D'une part, la nature externe est malléable et susceptible de revêtir plusieurs sens ; d'autre part, l'être humain a besoin de cette nature et dispose du savoir-faire qui le rend capable d'incorporer son vouloir dans une matière.

La propriété privée n'est pas une donnée naturelle ; tout comme les connaissances, elle est acquise à travers un projet. Toutefois, la modalité première d'acquisition de la propriété privée est déterminée par la nature. Il va de soi, il est naturel que le travail débouche sur la propriété privée de l'objet produit. Aussi personne n'osera-t-il nier qu'un auteur est le propriétaire de son œuvre.

De ces remarques se dégage la conclusion suivante : pour vivre, l'être humain est contraint de s'approprier par son travail des biens tirés de la nature externe ; ce qui constitue l'objet d'un projet fondamental qu'il ne peut esquiver. L'une de ses notes définissantes, jusqu'à preuve du contraire, est qu'il est non seulement social mais aussi terrestre. Malheureusement, ce dernier trait de son essence, malgré sa pesanteur sur la vie de tous les jours, ne figure qu'au second plan dans le raisonnement éthique des auteurs. La liberté d'appropriation par le travail et la forme de propriété privée qui s'ensuit s'avèrent sans contredit l'objet d'un choix fondamental.

À la suite de l'exposé précédent, il y a lieu d'énumérer les choix fondamentaux qui constituent la base des droits. Chacun de ces choix assume une donnée naturelle, une note définissante de l'être humain : *choix fondamental = emploi*

1) assumer sa condition de vivant, c'est vouloir protéger sa vie ainsi que son intégrité corporelle et psychique ;

2) assumer son pouvoir d'autodétermination, c'est choisir soi-même, parmi les multiples projets de vie accessibles, celui qui convient le mieux ;

3) assumer son pouvoir d'association, c'est s'engager dans un projet collectif dit de société ;

4) assumer son pouvoir de communiquer, c'est nouer avec autrui des rapports où chacun signifie à l'autre soit son savoir, soit ses désirs, soit son vouloir ;

5) assumer son lien naturel avec la nature, c'est, par son travail, s'approprier cette dernière de telle sorte qu'elle puisse servir à la satisfaction de ses besoins.

Accepter la responsabilité de son devenir, c'est assumer les données suivantes : la vie, la liberté personnelle, la liberté politique, la liberté de communication, la liberté d'appropriation par le travail. Il va de soi que le terme « liberté », en l'occurrence, désigne un pouvoir d'autodétermination. Choisir ces libertés, c'est, par une décision volontaire, entreprendre de les actualiser, car leur développement est ce qui constitue le devenir de chacun.

Ces libertés sont des données internes qui, dans une large mesure, n'atteignent leur pleine maturité que dans un milieu externe qui leur soit propice, une société bien aménagée. La réalisation des projets issus des choix fondamentaux s'avère la raison d'être de toute société. Ces choix fondamentaux spécifient les attentes des individus à l'origine de leur projet de société et constituent la base des droits. En outre, les énoncés qui les expriment sont considérés comme des vérités sur lesquelles la société est appelée à s'édifier. Puisque tels sont les choix fondamentaux, il est nécessaire que la société soit structurée de telle et telle manière. Les choix fondamentaux s'avèrent le critère de légitimité auquel toutes les décisions humaines sont appelées à se conformer.

John Rawls et les choix fondamentaux

En ce qui concerne les choix fondamentaux, la position de John Rawls laisse plutôt perplexe. Tout d'abord, il ne leur accorde pas le rôle de premier plan qui leur revient dans l'institution d'une société juste. Pour lui, la détermination des principes de justice ne repose pas principalement sur des vérités relatives à la condition humaine mais sur une procédure équitable :

> L'idée qui nous guidera est plutôt que les principes de la justice valables pour la structure de base de la société sont l'objet de l'accord originel. Ce sont les principes mêmes que des personnes libres et rationnelles, désireuses de favoriser leurs propres intérêts, et placées dans une position d'égalité, accepteraient et qui, selon elles, définiraient les termes fondamentaux de leur association. Ces principes doivent servir de règle pour tous les accords ultérieurs : ils spécifient les formes de coopération sociale dans lesquelles on peut s'engager et les formes de gouvernement qui peuvent être établies. C'est cette façon de considérer les principes de la justice que j'appellerai la théorie de la justice comme équité[2].

Cette idée centrale de la théorie de Rawls est une dilution de l'idéalisme kantien, tel que présent dans *La critique de la raison pure pratique*. Au lieu d'abstraire radicalement le monde intelligible du monde sensible et de tirer les règles de conduite des seules exigences du monde intelligible, Rawls décrit une situation originelle, imaginaire, où les différences de point de vue s'effacent et laissent place à une pensée et à un vouloir communs.

---

2. John Rawls. *Théorie de la justice*, p. 44-47.

Cette perspective idéaliste est contredite par Habermas selon qui les principes de justice doivent être déterminés par la médiation d'une activité communicationnelle orientée vers l'intercompréhension. Parmi les phases caractéristiques incontournables de cette procédure, il en est une qui, en l'occurrence, mérite au plus haut point d'être retenue, à savoir la connaissance, commune à tous les participants à la discussion, d'un certain nombre de vérités pertinentes relatives au monde et à la condition humaine. Et puisqu'il s'agit de déterminer des principes applicables à une structure de base concrète, il importe au plus haut point que ces connaissances vraies prérequises soient le plus justes possible, et également le plus détaillées possible, car l'état de fait qui mesure la vérité est toujours d'une grande complexité.

Aussi la saisie des vérités relatives à la condition humaine présuppose-t-elle, chez celui qui veut les acquérir, une attitude objectivante qui incline à cerner le réel avec la plus grande approximation possible, et par la suite à accueillir les données fournies par les méthodes fondées sur l'observation et l'expérience. C'est surtout par ces méthodes que les états de fait se laissent appréhender. La condition humaine se présente d'abord comme une donnée, un état de fait, dont la connaissance vraie conditionne la rectitude de la construction des règles de l'agir.

Chez Rawls, la détermination des principes de justice ne s'effectue pas à partir de connaissances vraies et des conclusions qui en dérivent, mais à partir d'un consensus, *d'un accord conclu dans une situation elle-même équitable*. Cet accord tient lieu de fondement des principes. Plutôt que de raisonner de la manière suivante : « si les énoncés relatifs aux choix fondamentaux sont vrais, il s'ensuit que tel et tel principe de justice doivent être établis », il déploie une autre argumentation : les principes qui s'imposent, ce sont ceux qui constituent l'objet d'un accord dans une situation définie.

L'accord se traduit par la détermination d'un contenu et le choix d'un principe incluant ce contenu ; par exemple, le principe qui interdit d'attenter à la vie d'autrui ainsi qu'à son intégrité. Selon Rawls, la validité d'un tel principe reposerait sur le fait qu'il est issu d'un accord conclu dans la position originelle. Le terme « validité » réfère à la pertinence, à la valeur, à un titre à la reconnaissance.

Cette prise de position soulève une difficulté majeure. Les libertés de base, soit les choix fondamentaux qui figurent dans l'énoncé des principes, seraient-ils redevables de leur présence simplement parce qu'ils auraient été sélectionnés à la suite d'un accord ? Dès lors surgit l'interrogation : pourquoi cet accord se produit-il ? Rawls répond : en vertu de la procédure définie par la situation originelle. Cette procédure est telle qu'elle induit chacun des participants à effectuer le même choix.

Par cette réponse, Rawls dévoile explicitement sa perspective idéaliste d'inspiration kantienne. La raison de l'adhésion à tel énoncé n'est pas son adéquation à un état de fait, mais un cadre subjectif imaginaire dans lequel l'individu se place et l'accueille. La condition humaine n'est pas saisie objectivement, en elle-même, comme un état de fait, mais uniquement à travers une représentation issue d'une mise en scène.

Ce point de vue de Rawls est aujourd'hui inacceptable. Il va à l'encontre du courant de pensée largement dominant à l'heure actuelle suivant lequel le savoir pratique, moral ou technique étaie ses constructions sur des connaissances reçues comme vraies, au moins d'une manière approximative.

En outre, l'adoption de son cadre purement formel le conduit à escamoter la justification de la pertinence de chacune des libertés de base appelées à figurer dans l'énoncé de ses principes. Son raisonnement global se résume ainsi : placés dans la situation originelle, vous reconnaîtrez telle ou telle forme de la liberté comme étant de base. D'ailleurs, il se contente de les énumérer dans un paragraphe :

> Parmi elles les plus importantes sont les libertés politiques (droit de vote et d'occuper un poste public), la liberté d'expression, de réunion, la liberté de pensée et de conscience ; la liberté de la personne qui comporte la protection à l'égard de l'oppression psychologique et de l'agression physique (intégrité de la personne) ; le droit de propriété personnelle et la protection à l'égard de l'arrestation et de l'emprisonnement arbitraire[3].

Vu son impact négligeable sur le savoir moral et pratique à l'origine des lois et des droits, même au simple titre de processus

---

3. John Rawls. *Théorie de la justice*, p. 92.

justificateur, la procédure qui définit la justice comme équité n'offre qu'un intérêt théorique : elle représente l'issue idéaliste, qui s'oppose radicalement à l'approche réaliste privilégiée dans cet ouvrage.

Choix fondamentaux et accords de réciprocité

Dans la mesure où les projets issus des choix fondamentaux ne sont réalisables que dans et par la société, ils postulent l'instauration d'un milieu social externe qui leur soit ajusté. Le milieu social externe se définit comme un tissu de comportements relationnels, soit un ensemble d'attitudes diverses que les individus adoptent les uns vis-à-vis des autres. Ces comportements, dans le cadre d'une société qui respecte la liberté, sont déterminés par des accords de réciprocité. Ces derniers sont, pour ainsi dire, la cellule de base de la société. À titre de projets, les accords de réciprocité se concluent en regard de la préservation et de la promotion des choix fondamentaux. D'une part, la liberté de chacun est vulnérable, c'est-à-dire susceptible d'être entravée dans ses démarches légitimes par la malveillance d'autrui ; aussi doit-elle être protégée. D'autre part, il est des biens nécessaires qui sont inaccessibles à l'individu isolé mais non à une collectivité ; d'où la nécessité de les produire par des efforts concertés.

Vulnérabilité de l'individu dans sa démarche pour se réaliser

La vulnérabilité du pouvoir d'autodétermination est une donnée naturelle. En effet, les individus peuvent, s'ils le veulent, poursuivre leurs projets personnels au détriment de ceux d'autrui. Comment obvier à cette éventualité sans employer la force si ce n'est en concluant une entente par laquelle les contractants s'engagent les uns vis-à-vis des autres à ne pas violer la liberté d'autrui ? Au terme de cette entente, chacun est frappé d'une interdiction à laquelle correspond chez l'autre l'autorisation d'exiger que cette interdiction soit observée. Les significations respectives des termes « autorisation et interdiction » sont corrélatives l'une à l'autre. L'autorisation désigne une revendication justifiée, une créance vis-à-vis d'autrui qui, par le fait même, suppose chez ce dernier l'obligation de ne pas s'opposer. Les accords de réciprocité s'avèrent la seule solution de rechange à la violence dans la résolution des conflits d'intérêts. Cependant, il importe de noter que l'alternative, telle que posée, n'exprime que les pôles extrêmes, la violence et le consensus. L'histoire est plus nuancée : jusqu'à ce jour, son cours se déroule plutôt sous l'impact de solutions qui portent à la fois la marque de la force et celle du consensus dans la mesure où elles sont acceptées à travers des activités dites stratégiques. Ce dernier point sera développé plus longuement dans une autre partie de cet ouvrage.

La conclusion d'un accord de réciprocité repose sur un savoir et un vouloir communs à chacun de ceux qui y participent. La réussite d'un tel projet suppose chez chacun des participants la connaissance de certaines vérités de base relatives d'abord au but visé, soit la préservation ou la promotion des choix fondamentaux, et ensuite à la matière qu'il faut ajuster, en l'occurrence, l'agir. Elle requiert en outre un juste discernement du litige à solutionner et des ressources disponibles pour y parvenir ainsi que la ferme volonté d'adhérer à la solution qui soit la plus recevable pour tous.

De cette manière, l'impératif, surgi d'un accord qui remplit les conditions mentionnées, respecte l'autonomie de la volonté de chacun et se présente comme une norme de justice dont Kant nous fournit une formulation claire et précise, bien que générale : « Agis extérieurement de telle sorte que le libre usage de ton arbitre puisse coexister avec la liberté de tout un chacun suivant une loi universelle.»

Ce principe constitue le fondement même de la coexistence pacifique, qui s'avère la base élémentaire de toute forme d'association. L'association, comme société, s'oppose à l'état de violence en ce sens qu'elle se caractérise par la coexistence pacifique. Elle réside dans un projet qui, certes, est susceptible d'être finalisé par de multiples objectifs et par la suite de revêtir diverses modalités selon les exigences respectives des objectifs poursuivis. Toutefois, la paix et la sécurité s'avèrent l'objectif premier et essentiel de la société. Cette fin postule des comportements relationnels déterminés suivant lesquels les choix fondamentaux de tout un chacun sont respectés.

En somme, s'associer, se regrouper en vue de coexister dans la paix et la sécurité, c'est d'abord se conférer mutuellement, par des accords de réciprocité, des autorisations et des interdictions qui définissent ce qui est juste. Au fond, ces dernières constituent des mesures de protection qui ouvrent un espace où la liberté de chacun peut s'exercer sans empêchement de la part d'autrui. Toutefois, ces mesures revêtent des modalités diverses selon qu'elles sont ordonnées à la préservation des projets issus de tel ou tel choix fondamental. Mais d'où proviennent ces modalités ?

D'abord, un comportement est l'objet d'un impératif en raison de son impact prévisible sur l'un ou l'autre des projets qui, issus des choix fondamentaux, constituent le devenir propre à l'individu ou à la société. L'infliction volontaire d'une blessure corporelle à autrui affecte l'intégrité de ce dernier et compromet son devenir. En second lieu, les comportements susceptibles de nuire à autrui sont multiples et divers ; aussi, pour les déceler, est-il nécessaire, à partir des expériences courantes, de les examiner selon leurs effets sur tel ou tel projet légitime d'autrui. Un projet est légitime dans la mesure où il s'amorce dans un choix fondamental. C'est pourquoi il importe d'examiner l'un après l'autre les divers choix fondamentaux sous l'angle de leur vulnérabilité par les comportements d'autrui. En somme, le facteur déterminant, en dernière analyse, le contenu d'un impératif issu d'un accord de réciprocité, est une connaissance vraie relative à un rapport de causalité.

1) *Préservation de la vie et de l'intégrité corporelle et psychique*

Quels comportements faut-il adopter à l'égard d'autrui pour ne pas nuire à son intégrité ? La détermination de ces lignes de conduite suppose des connaissances vraies relatives aux effets externes, prévisibles, sur la vie et l'intégrité, de certaines activités volontaires. En ce qui concerne l'intégrité corporelle, par exemple, il faut disposer d'un savoir vrai portant sur la causalité inhérente à certaines actions transitives, comme décharger une arme à feu sur quelqu'un ou lui inoculer un poison. L'exploration de la relation entre une cause et ses effets est une fonction incontournable du savoir éthique auquel il revient de déterminer les modalités des rapports sociaux pour qu'ils soient justes.

À cette phase de la procédure, l'attitude objectivante est de rigueur. Au fur et à mesure que le rapport de causalité pertinent est mieux connu, il ouvre de nouvelles perspectives sur les modalités dont les comportements externes doivent être investis. À partir du moment où la conduite en état d'ivresse, à la lumière des statistiques, s'est avérée la cause directe d'un grand nombre d'accidents mortels, a surgi la nécessité d'interdire à tout un chacun de conduire un véhicule automobile avec les facultés affaiblies. En dernière analyse, la défense de fumer dans les lieux publics s'appuie sur un constat de causalité entre l'usage de la cigarette et le cancer.

En ce qui regarde l'intégrité psychique, elle est confrontée à une double menace : l'une provient du fait qu'elle dépend d'un organe corporel, le cerveau ; l'autre, du fait que les humains ont besoin de la reconnaissance sociale pour jouir pleinement de leur liberté. La mémoire, la lucidité, les aptitudes d'apprentissage, les sentiments, sont susceptibles d'être affaiblis par des interventions chirurgicales ou autres dans le cerveau. Quant à la reconnaissance sociale, elle est susceptible d'être affectée par les atteintes à la réputation injustifiées, comme les calomnies ou encore par les attitudes méprisantes des autres telles le racisme ouvertement manifesté. Les calomnies endossées par un grand nombre et le racisme généralisé, bien qu'ils ne soient pas des réalités physiques mais des réalités sociales, c'est-à-dire des façons de considérer et de traiter certaines gens, entrent néanmoins dans la catégorie de causes, car elles produisent des effets externes observables. Un innocent accusé de meurtre à la suite du parjure de certains témoins pourra être emprisonné pour la vie.

En possession de ces vérités de base, les participants aux accords de réciprocité, pourvu qu'ils remplissent par ailleurs les conditions préalables à tout engagement mutuel (connaissance des propriétés de l'agir et des caractéristiques de la conjoncture), sont maintenant capables de s'entendre sur l'adoption d'un comportement déterminé.

2) *Liberté personnelle*

Par quels comportements la liberté personnelle est-elle susceptible d'être lésée ? Ma liberté est violée en tant que personnelle lorsque autrui, en ayant recours à une contrainte injustifiée, substitue son vouloir au mien en ce qui concerne les projets présumés relever de mes choix, comme l'orientation de ma vie, le développement de mes divers potentiels, l'exercice d'un métier, un conjoint. Une contrainte est justifiée lorsqu'en dernière analyse elle favorise les intérêts légitimes de celui qui la subit. C'est souvent le cas en ce qui concerne les menaces brandies par les parents ou les gouvernements pour inciter leurs sujets respectifs à respecter certaines lignes de conduite par ailleurs légitimes.

Il est possible de respecter la vie biologique d'autrui tout en ne reconnaissant pas sa liberté. Au Moyen Âge, sous le servage, les seigneurs, bien que non autorisés à tuer ou à blesser les serfs, jouissaient néanmoins du privilège légal de contrôler à vie le travail de ces derniers. De même, lorsque les parents se prévalaient du privilège de choisir eux-mêmes le conjoint de leurs enfants, ils étaient susceptibles d'aller à l'encontre de la volonté de ces derniers. Aujourd'hui encore, de nombreux gourous, à la tête des sectes religieuses, par des pratiques douteuses, parviennent à contrôler le savoir et le vouloir de leurs sujets.

Le problème fondamental qu'affrontent les individus dans la réalisation de leur volonté de s'autodéterminer s'avère les diverses formes de domination qui se glissent subrepticement dans les rapports sociaux officiellement reconnus. Dans la plupart des cas, les formes de domination inacceptables tirent leur force de l'organisation sociale globale dont elles constituent une partie intégrante. À ce dernier titre, bien qu'elles aillent à l'encontre d'un choix fondamental, elles bénéficient de la protection de la loi et tirent leur justification de l'idéologie dominante de l'époque. Malgré sa constitution partiellement démocratique, Athènes autorisait l'esclavage et comptait un penseur, dont les ouvrages sont à certains égards encore pertinents aujourd'hui, et qui pourtant estimait l'esclavage comme légitime. Ainsi, tout au long de l'histoire, le choix de s'autodéterminer, bien qu'universel, a pratiquement été étouffé, à des degrés divers, sous une double pression : celles de l'organisation sociale en vigueur et de l'idéologie sous laquelle cette dernière était embusquée.

Lorsqu'une organisation sociale se désintègre, elle emporte avec elle ses justifications ; c'est pourquoi aujourd'hui l'esclavage est universellement reconnu comme une violation des droits de l'homme. Toutefois, dans la Grèce antique, il apparaissait comme légitime. Au cours de l'histoire, à l'esclavage ont succédé d'autres formes de domination, certes moins violentes, mais néanmoins oppressives.

Jusqu'à ce jour, aucun projet de société, tant en ce qui a trait aux faits qu'aux idées, n'est parvenu ou n'est susceptible de parvenir à éliminer toute forme de domination. La société contemporaine offre à l'autodétermination des possibilités de s'exercer beaucoup plus étendues que sous le servage, où le serf demeurait la quasi-propriété du seigneur, mais elle ne fait pas disparaître pour autant toute forme de domination. En effet, sous le salariat, les individus n'appartiennent plus à personne, mais ils n'en dépendent pas moins d'une structure où la nécessité de travailler les assujettit à la volonté d'autrui. Ce point de vue sera développé dans un chapitre ultérieur.

Quand une forme de domination est-elle justifiée ?

Puisque en ce qui concerne les faits il n'est point de société qui n'entérine une forme quelconque de domination, il semble impérieux de se demander s'il existe des formes de domination qui soient légitimes, compatibles avec la liberté personnelle. Il est évident que l'esclavage et le servage, dans la mesure où ils réduisent un être humain au statut de propriété privée d'un autre, ne respectent en aucune façon cette liberté. Par contre, le salariat, où en principe un individu accepte librement de travailler pour un autre moyennant salaire, est-il légitime ? De prime abord, le salariat, en autant qu'il repose sur un consentement mutuel, semble acceptable, bien qu'il assujettisse le travailleur à l'employeur. Il semble donc possible de concevoir une forme de domination qui soit légitime. En somme, une forme de domination est susceptible d'être légitime si elle est entérinée par un accord de réciprocité entre les parties concernées.

Ainsi, à première vue, le salariat, contrairement à l'esclavage et au servage, doit être reconnu, par des ententes mutuelles entre les membres de la société, comme un rapport social acceptable. Au fond, l'esclavage, le servage et le salariat ont un point en commun : ils consistent tous les trois en un rapport social où un individu travaille pour un autre, mais seules les modalités du dernier répondent aux attentes fondamentales des humains ; les deux autres violent la liberté personnelle.

Liberté politique et démocratie

La liberté politique, à l'instar de tous les autres choix fondamentaux, doit aussi être reconnue et préservée par des accords de réciprocité ; autrement, elle serait inopérante. Sur quoi portent ces ententes ? Si paradoxal que cela puisse paraître, la dimension sociale de l'être humain est aussi vulnérable que ses autres traits caractéristiques. Saisie correctement, cette dimension postule une société dite démocratique, c'est-à-dire à l'édification et à l'entretien de laquelle tous les individus sont appelés à participer volontairement. La démocratie constitue la seule forme de société politique qui respecte l'autonomie de la volonté. L'autonomie dont il est ici question est un attribut de la volonté collective ou, si l'on préfère, un attribut des individus en tant que membres d'une communauté. En effet, selon son étymologie, le terme autonomie se définit comme l'action de se donner à soi-même ses lois. Toutefois, ceci n'est possible que si les auteurs des impératifs en sont aussi les sujets.

Or, les lois ne peuvent être édictées et par la suite valides que si elles sont produites par des accords de réciprocité où les individus s'engagent les uns vis-à-vis des autres à les respecter. Ce dernier énoncé met à jour l'élément fondamental de la démocratie, qui consiste en une organisation politique où toutes les lois sans exception sont issues d'une entente mutuelle.

Cependant, la démocratie, telle qu'elle est définie, dans la mesure où d'autres organisations politiques sont possibles et existent effectivement (les dictatures, par exemple), ne peut être implantée que par un accord de réciprocité entre tous les membres d'une collectivité donnée, c'est-à-dire par une entente mutuelle où tous s'engagent les uns vis-à-vis des autres à ne reconnaître d'autres lois que celles dont la volonté commune est l'auteur.

En somme, la démocratie s'avère le seul régime, le seul milieu externe où la liberté politique puisse se déployer selon toutes ses virtualités ; les dictatures de toutes sortes et les utopies qui préconisent l'anarchie méconnaissent cette volonté des êtres humains qui les pousse à organiser ensemble leur vie sociale.

Toutefois, les démocraties contemporaines, comme gouvernement du peuple par le peuple et pour le peuple, en raison de la conjoncture, soit de la faiblesse des moyens disponibles pour rejoindre tous les citoyens et leur permettre de participer activement aux prises de décision, ne répond que partiellement aux conditions d'exercice de la liberté politique. En pratique, elles reposent sur deux conditions minimales : l'élection au suffrage universel de ceux qui sont chargés de représenter la volonté commune et l'ouverture à tous des postes administratifs gouvernementaux, à titre de député ou de fonctionnaire. Cependant, à l'heure actuelle surgissent de nombreuses initiatives à caractère nettement démocratique, comme les comités de citoyens et les commissions parlementaires.

Les dictatures et les monarchies absolues, à des degrés différents, selon leur conception des intérêts en jeu et du gouvernement, violent plus ou moins les exigences inhérentes à la liberté politique de leurs ressortissants et par voie de conséquence le pouvoir personnel d'autodétermination de ces derniers. C'est pourquoi, au fur et à mesure que leur savoir éthique se développe, les peuples deviennent de plus en plus conscients des possibilités qu'offre la nature de leur liberté et rejettent ces formes de gouvernement. La liberté politique n'existe pleinement que dans un régime démocratique ; ce dernier en est l'expression authentique.

Ici, pour bien saisir les développements subséquents, il importe au plus haut point de retenir la distinction entre le pouvoir d'autodétermination, qui est une donnée naturelle propre à l'individu en tant que tel, la liberté politique, qui consiste en la volonté des individus d'assumer leur dimension sociale, soit la solidarité naturelle qui les unit, et l'autonomie, que les individus acquièrent en tant que membres d'une société qu'ils instituent, par voie de concertation, comme démocratique, et dont par la suite ils ne peuvent se prévaloir que comme peuple.

Liberté de communication et législation

La communication est le seul moyen de circulation du savoir et du vouloir entre les humains. Or, cette circulation, nécessaire à la mise en place et au maintien de tous les rapports qui tissent la vie sociale, est susceptible d'être entravée de diverses manières par la négligence et la malveillance de ceux qui y participent. C'est pourquoi il faut la protéger par des mesures appropriées.

Les relations humaines, quels que soient les projets dans lesquels elles s'inscrivent, ne sont avantageuses pour tous les concernés que si chacun livre à l'autre ses connaissances et ses intentions dans la mesure où elles sont pertinentes en regard des objectifs poursuivis par l'un et l'autre à travers leur mise en rapport. Au cours d'une transaction commerciale, si l'un des échangistes dissimule les vices de la chose qu'il désire échanger, l'opération est faussée, car l'un des contractants ne manifeste ni son savoir ni ses véritables intentions. Mettre sur le marché un médicament sans révéler en même temps ses effets secondaires nocifs biaise la communication. De même, les conventions collectives, si elles se déroulent quasi exclusivement sous le signe de l'activité stratégique qui tolère les omissions, ne remplissent pas les conditions d'une véritable communication. À ces exemples s'en ajoutent d'autres qui appartiennent au même genre. Ainsi, les publicités trompeuses, les fausses informations, la propagation d'idéologies démontrées pernicieuses, comme le néonazisme, les préjugés racistes, tombent sous les interdictions légitimes. Même les religions, dans la mesure où elles entrent en contradiction avec des vérités solidement établies, n'échappent pas aux interdictions. La religion musulmane, en ce sens qu'elle accorde aux femmes un statut inférieur à celui de l'homme, va à l'encontre de l'égalité des sexes aujourd'hui universellement reconnue. La vérité trace une limite à la liberté de conscience, du moins dans ses manifestations extérieures, si ces dernières se répercutent négativement sur les relations humaines. Il est donc nécessaire de réglementer la circulation des connaissances par des autorisations corrélatives à des interdictions.

Outre qu'elle est la voie nécessaire à l'établissement de relations humaines authentiques, la communication s'avère le moyen privilégié et incontournable d'acquérir les connaissances vraies qui actualisent positivement le potentiel cognitif et sur lesquelles se basent tous les projets de vie. Cette perspective, où la circulation des vérités, relatives au savoir ou au savoir-faire, devient elle-même l'objectif poursuivi, postule des accords de réciprocité où des individus s'engagent dans un rapport de maître à élève. Il s'agit d'une entente mutuelle : en effet, l'élève peut opposer une fin de non-recevoir aux enseignements proposés. Au point de départ, du moins, il faut que l'élève adopte une attitude marquée par la docilité.

Vu la nécessité de l'éducation, il importe au plus haut point qu'elle soit accessible à tous, il faut que tous les individus puissent bénéficier de l'enseignement requis. Un tel objectif ne peut être obtenu uniquement par des ententes privées entre des groupes restreints de la population ; il est nécessaire que tous les membres de la société s'engagent les uns vis-à-vis des autres à mettre sur pied une organisation sociale (un système d'éducation) qui mette l'apprentissage à la portée de tous les citoyens.

Ceci n'est possible qu'à travers un projet collectif auquel tous les citoyens participent à divers titres et dont la démarche consiste à rassembler et à ordonner les ressources humaines, matérielles et financières requises pour produire un milieu externe où les individus puissent assouvir leur soif de connaissances et d'habiletés. Les systèmes d'éducation français et canadien fournissent une description valable d'un tel projet.

Liberté d'expression et d'opinion

Quel rôle la liberté d'expression et d'opinion joue-t-elle dans la circulation des connaissances vraies ? Les Anciens affirmaient que la vérité est naturellement communicable. Néanmoins, il faut bien reconnaître que son discernement est plutôt difficile. Parmi les énoncés proposés comme vrais, il en est de nombreux qui sont sujets à controverse et par la suite ouverts à la discussion. Cette dernière réside dans un affrontement entre des opinions diverses. Dans la mesure où certaines vérités ne peuvent être débusquées que par une discussion rigoureuse, il s'ensuit que la liberté d'opinion est un moment incontournable dans la quête de certaines connaissances vraies.

Il est des cas où la discussion est le seul canal d'accès à la vérité. Parmi les énoncés qui nécessitent une discussion, vu l'incertitude qu'ils engendrent et l'importance de leur impact sur l'ensemble des projets individuels et collectifs, il faut citer tous ceux qui véhiculent une vision du monde justifiant une forme de domination.

Il importe au plus haut point de retenir que le vécu des peuples a toujours été marqué par certaines croyances et une idéologie dominante. Par idéologie dominante, il faut entendre les énoncés sur lesquels se fondent les convictions largement répandues dans une communauté et par lesquels une valeur universelle et immuable est accordée à une organisation politico-économique transitoire et historique. Ainsi, les royautés ont été longtemps perçues comme la meilleure forme de gouvernement possible, à l'exclusion de toute autre.

La seule façon de démasquer une idéologie fortement ancrée dans l'opinion publique est de créer un milieu externe qui ouvre un espace à la critique et à la discussion. Il est nécessaire que les opposants au régime en place aient accès aux médias et au système d'éducation. Ici, la liberté académique au niveau universitaire assume un rôle de premier plan, car, la plupart du temps, les idéologies sont retranchées derrière une argumentation que seul un esprit pénétrant qui dispose des ressources pertinentes peut désarticuler. Débusquer l'idéologie néo-libérale actuelle est une tâche d'envergure qui nécessite du temps et des moyens.

L'information et les médias

Il est évident que toute forme de communication livre des informations, soit des connaissances sur un sujet donné. À l'heure actuelle, les médias de toutes sortes, radio, journaux, télévision et Internet, constituent des sources d'information d'une puissance telle qu'elles façonnent l'opinion publique et inculquent des convictions. Les moyens dont ils disposent, mots, sons et images, agencés de façon à former un message susceptible d'être répété et ainsi propagé à travers le temps et l'espace, s'incrustent dans la mémoire et l'imagination à un point tel que les individus sont enclins à y adhérer, non pas tant à cause de la transparence du contenu que du mirage de l'enveloppe sensible.

Il s'ensuit que les individus, en possession des médias, disposent du redoutable moyen de drainer les opinions et les convictions des gens dans le sens de leurs intérêts propres, parfois au détriment de ceux des autres. D'où la nécessité de réglementer la propriété et l'usage des médias, de telle sorte qu'ils soient au service de la vérité et des intérêts communs. Ce n'est pas ici le lieu d'inventorier les divers règlements susceptibles d'être appliqués, mais il convient de souligner quelques abus criants. Entre autres, il est inadmissible de réserver des périodes de diffusion à des individus qui exploitent la naïveté des gens pour en soutirer de l'argent, comme les diseurs de bonne aventure. De même, il est contre-indiqué de présenter une forme d'économie qui, par ailleurs, comporte des faiblesses indéniables et désavantage une partie notable de la population, sous une image des plus favorables comme si elle était la seule capable, à plus ou moins brève échéance, d'éliminer la misère pourvu qu'on la laisse suivre son cours sans lui apporter de correctifs. Cette perspective suinte à travers les médias actuels lorsqu'ils éclairent de tous leurs feux les réussites du système capitaliste et relèguent dans l'ombre tous ses méfaits.

La liberté d'appropriation par le travail et la structure sociale

L'appropriation de la nature par le travail s'avère l'un des choix fondamentaux de l'être humain. La propriété consécutive à cette appropriation en constitue la forme la plus élémentaire et la plus obvie. Le tracé travail-propriété-satisfaction des besoins est une donnée naturelle. S'il veut vivre, l'être humain est contraint d'élever ce tracé au statut de projet.

Ce projet, à l'instar de tous les autres, n'est réalisable que si le milieu externe, social et matériel s'y prête. La condition première à remplir impose que le milieu externe rende accessibles à tous les individus les ressources matérielles susceptibles d'être transformées par le travail. Les modes de vie primitifs, comme il en existe encore aujourd'hui, illustrent clairement cet énoncé. Lorsque le travail réside surtout dans la pêche, la chasse et la cueillette, les individus ne peuvent l'exercer que s'ils disposent d'un territoire où prolifèrent les vies végétale et animale. La plupart des migrations et des guerres chez les peuples primitifs n'ont d'autre cause que la quête d'espaces qui répondent à leurs besoins premiers.

En ce qui concerne les biens produits, ils appartiennent certes aux travailleurs à titre de propriété privée ou commune, selon les cas. Si les biens produits ne se prêtent qu'à la satisfaction des besoins du travailleur et de sa famille, ils sont l'objet d'une propriété privée. Par contre, si, vu leur quantité et l'impossibilité de les conserver, ils réalisent mieux leur finalité en satisfaisant les besoins d'un grand nombre, comme les membres d'un clan, ils sont l'objet d'une propriété commune. Le caractère spécifique de la propriété est déterminé à la fois par le travail et la satisfaction des besoins.

Locke acquiesçait à cette argumentation. Il reconnaissait que l'accumulation de biens produits, à titre de propriété privée, n'est devenue légitime qu'à partir du moment où il était possible de conserver ces biens en vue d'une consommation future, et surtout lorsque la monnaie comme moyen d'échange s'est avérée un substitut adéquat aux biens produits.

Des considérations précédentes, il y a lieu de déduire rigoureusement la conclusion suivante : le lien naturel entre l'être humain et la nature, qui se traduit par le schème travail-propriété-satisfaction des besoins, postule une organisation sociale qui soit telle que chacun puisse, en vue de satisfaire ses besoins, travailler et par la suite disposer des ressources matérielles à transformer.

D'ailleurs, tout être humain aspire à travailler, comme le démontre le désarroi actuel des millions de chômeurs à travers le monde. Leur cri n'est pas un appel à la charité mais à une réorganisation sociale qui reconnaîtrait à tous le droit à l'appropriation des biens et, par le fait même, au travail. Ce n'est pas un hasard si le chômage est considéré comme la faille majeure des sociétés contemporaines.

D'où vient cette fissure qui risque d'ébranler le monde contemporain ? La construction des sociétés s'effectue principalement sous les poussées conjuguées des savoirs éthique et technique. Or, ces deux formes de savoir se développent graduellement par des améliorations ponctuelles issues des solutions qu'elles apportent aux problèmes concrets et immédiats qui se posent à elles. Toutefois, la portée à longue échéance des solutions appliquées leur échappe souvent. Aussi arrive-t-il que la solution d'un problème concret en suscite d'autres.

Sous l'impulsion légitime d'accroître leur bien-être, avec le progrès du savoir éthique, de la science et de la technique, les humains se sont donné des sociétés plus évoluées, plus per-formantes ; aux communautés primitives rigoureusement ajustées au schème naturel travail-propriété-satisfaction des besoins ont succédé des sociétés mieux organisées qui, en apportant des modifications au schème premier tout en le conservant, l'ont néanmoins embrouillé.

Avec l'accentuation progressive de la division du travail et la généralisation de l'échange qui a suivi, l'échange est devenu à son tour un mode d'acquisition de la propriété privée. La légitimité de ce dernier s'appuie sur l'argumentation suivante : le propriétaire d'un bien est autorisé à en disposer comme il l'entend et par la suite à l'échanger. Toutefois, au long de l'histoire, la notion d'échange qui a eu cours exigeait que les biens échangés soient d'égale valeur. La justice commutative désignait cette caractéristique propre à l'échange. Aujourd'hui, l'impossibilité, dans l'état actuel des connaissances et des moyens disponibles, d'établir l'égalité de valeur entre deux biens, artefact ou service, est universellement reconnue. Entre autres, les tentatives d'Aristote et de Marx se sont soldées par un échec. (Ces dernières seront analysées dans un chapitre subséquent.)

En ce qui concerne les faits, aujourd'hui comme par le passé, la seule justification de la pratique de l'échange réside dans le consensus des participants. D'où l'interrogation : le simple consensus est-il un titre d'acquisition de la propriété équivalent au travail ?

La propriété incluse dans le schème premier mentionné est une donnée naturelle ; il n'en est pas ainsi pour la propriété issue de l'échange. En effet, cette dernière s'enracine dans un acte de la volonté. En outre, le consensus, comme chacun le sait, est susceptible d'être arraché sous la pression de diverses contraintes. Avec le rejet de la condition « égalité des valeurs », l'échange est devenu une pratique où il arrive, la plupart du temps, que les uns soient gagnants et les autres, perdants. Dans l'optique de ces remarques, il ne semble pas rationnel de considérer le travail et l'échange comme des titres équivalents à la propriété, bien que l'opinion publique les reçoive tous deux comme tels. Le travail salarié opère une dissociation entre le bien produit par le travailleur et la satisfaction de ses besoins ; le travailleur n'est pas le propriétaire des biens qu'il produit, il satisfait ses besoins par la médiation du salaire qu'il perçoit.

L'organisation sociale fondée sur l'échange et le salariat modifie et rend plus complexe l'ordre entre les éléments du schème initial, mais elle n'efface pas la ligne de fond tracée par la nature. C'est par son travail que l'être humain acquiert les biens nécessaires à sa subsistance. Ce tracé, bien que sous des formes différentes, se retrouve à la fois dans les communautés primitives et dans les sociétés les plus sophistiquées. Travailler pour vivre s'avère un choix fondamental qui pose aux sociétés contemporaines un défi qu'elles ne peuvent esquiver et qui les contraint à se renouveler sous peine de se désintégrer.

Synthèse de l'argumentation

Tout d'abord, il importe de saisir clairement la distinction entre les principales notions de base en jeu au cours du raisonnement déployé.

La liberté, définie comme pouvoir d'autodétermination individuel ou collectif, est une donnée naturelle. Ce pouvoir d'autodétermination, pour être actualisé selon l'une ou l'autre de ses possibilités, doit être assumé, pris en charge par une décision volontaire. Ce choix fondamental consiste en la volonté de développer le potentiel dont on dispose. Le devenir de l'être humain n'est autre que l'actualisation du pouvoir d'autodétermination selon ses multiples dimensions, soit le pouvoir de conserver sa vie et son intégrité, de choisir son mode de vie et sa personnalité, de s'intégrer avec autrui dans une volonté commune, de communiquer, de s'approprier par son travail les biens nécessaires à la subsistance. Toute faiblesse dans l'actualisation de l'une ou l'autre de ces dimensions affecte son devenir.

Toute actualisation, dans la mesure où elle consiste en la production de déterminations, constitue une opération complexe nommée « projet », qui comporte plusieurs étapes : le vouloir d'une fin, l'idée ou le plan pour la réaliser, la mise en œuvre des moyens conformément au plan tracé.

Au cours du processus de son devenir, l'individu doit surmonter un double obstacle : le premier n'est autre que sa vulnérabilité face aux activités libres d'autrui ; le second réside dans son impuissance à se procurer, par ses seuls moyens, certains biens nécessaires à la réalisation de soi. Il ne peut résoudre l'une et l'autre de ces difficultés que par la voie de l'association. En l'occurrence, il s'agit d'une association politique qui regroupe tous les individus vivant sur un territoire délimité. Les accords de réciprocité constitutifs d'une telle association se répartissent sous deux catégories : les uns concernent la vulnérabilité et se traduisent par l'édiction d'autorisations et d'interdictions ; les autres se réfèrent aux biens nécessaires qui ne sont accessibles que par la coopération. Les premiers impliquent l'engagement mutuel de ne pas se nuire les uns les autres ; les seconds, une entente de réciprocité par laquelle les individus s'engagent les uns vis-à-vis des autres à unir leurs efforts pour mettre sur pied des biens communs.

La plupart des projets issus des choix fondamentaux postulent des accords relevant de l'une et l'autre catégorie. La survie nécessite, outre des interdictions, un programme d'assurance-santé, la circulation des vérités de base, en plus d'une réglementation interdisant de l'enrayer, et la mise sur pied d'un système d'éducation.

Un autre point reste à souligner : les projets issus des divers choix fondamentaux sont interdépendants. Dans la mesure où ils postulent tous un milieu externe qui leur soit propice et où ce dernier ne peut être implanté que par un projet de société, ils dépendent tous d'un projet enraciné dans la liberté politique. D'un autre côté, tous les projets, sans exception, y compris ceux qui émanent de la liberté politique, se fondent sur des vérités de base dont l'acquisition se fait par la communication. La conservation de la vie entretient un lien particulier de dépendance avec l'appropriation des biens par le travail ; en effet, cette dernière constitue le moyen le plus répandu de se procurer les biens de subsistance.

Le milieu externe, soit le tissu social postulé par les choix fondamentaux, pour remplir le rôle qui lui est assigné, doit être marqué par l'universalité et la justice, c'est-à-dire qu'il doit protéger et promouvoir les intérêts primaires de tout un chacun et par la suite ne pas favoriser les intérêts des uns au détriment de ceux des autres.

CHAPITRE 3

L'ÉTAT ET LES DROITS

Jusqu'ici, nous avons défini la société mais non l'État ; la justice mais non le droit. De même que les choix fondamentaux postulent les accords de réciprocité, ces derniers, à leur tour, postulent la formation d'un État. En effet, vu la fragilité humaine, les impératifs issus des accords de réciprocité, dans la majorité des cas, ne sont efficaces que s'ils s'appuient sur une force contraignante autre que l'engagement mutuel. En quoi consiste cette force contraignante et d'où provient-elle ?

Comment les sociétés en sont-elles venues à se doter d'un gouvernement, d'une institution mandatée pour veiller à l'exécution des impératifs décrétés par la volonté commune ? Lorsqu'un individu, au mépris de la volonté commune, décide de léser les intérêts légitimes d'autrui, la seule façon de lui résister est l'usage de la force physique. Mais si tout individu est autorisé à l'emploi de la violence pour défendre ses intérêts légitimes dès qu'ils sont menacés, étant donné la fréquence et le nombre de ces situations conflictuelles, il s'ensuivrait un état virtuel de guerre. La seule issue à cette dangereuse solution est de réserver, par voie de mandat, à des représentants autorisés l'usage exclusif de la force physique. Dès lors, puisque tous les impératifs qui réglementent les comportements sociaux sont susceptibles de se heurter à un refus, il s'ensuit que les représentants autorisés, désormais seuls détenteurs de la force, sont investis du pouvoir d'intervenir dans tous les conflits si la solution de ces derniers l'exige.

Ces représentants autorisés constituent le gouvernement. Ce dernier, issu lui-même d'un accord de réciprocité entre les citoyens, reçoit donc le mandat de veiller à ce que le tissu social ne se déchire pas. Une société qui se dote d'un gouvernement est dite un État et ainsi se distingue de l'utopie anarchiste.

Des remarques précédentes, inspirées de Hobbes, corroborées par Dworkin et les perceptions courantes, se dégage une première caractéristique de l'État moderne : son pouvoir décisionnel tire son effectivité de l'accord entre les individus, en vertu duquel il est le seul autorisé à employer la force pour régler les litiges qui surviennent[1]. En se dotant d'un gouvernement, les individus s'instituent eux-mêmes comme les sujets de ce dernier. Leur association devient un État ; d'où l'expression « État-société », par opposition à une société anarchique.

En résumé, puisque les individus ne peuvent assurer leur devenir que dans un milieu où règnent la paix et la sécurité, et comme ces dernières ne peuvent être instaurées que dans une société qui accède au statut d'État, il s'ensuit que la première démarche à entreprendre en vue de donner suite aux accords de réciprocité est l'institution d'un État.

Le bien-fondé du processus exposé dans les paragraphes précédents se vérifie aisément lorsqu'on examine les modalités selon lesquelles un État déchiré par une guerre civile est reconstitué : les belligérants déposent les armes ; ils signent un accord par lequel ils s'engagent les uns vis-à-vis des autres à reconnaître un seul et même gouvernement.

L'État, une force régulatrice

Toutefois, ce renoncement à l'usage de la force par les individus au profit de l'État en vue d'assurer l'ordre ne constitue que l'étape élémentaire du processus de socialisation. En tant que projet, l'État-société sourd des attentes fondamentales des individus qui lui assignent son rôle et sa fin. La mission qui lui est confiée est d'aménager les comportements relationnels par une régulation contraignante, de sorte que les rapports sociaux soient ajustés aux exigences des choix fondamentaux.

---

1. Ronald Dworkin. *Law's Empire*, Cambridge, Harvard University Press, 1986, p. 199-201.

L'État comporte une double dimension : l'une régulatrice, dont il s'acquitte par la voie législative, l'autre, contraignante, qu'il exerce par l'emploi de la force. Aussi peut-on définir l'État comme une force régulatrice qui tire sa légitimité de sa fidélité aux choix fondamentaux.

Comme force régulatrice, l'État se compose d'un ensemble de ressources humaines et matérielles (des députés rassemblés en un parlement, une police), ainsi que de moyens matériels (des lieux de réunion, des armes, etc.), dont la mise sur pied repose sur la volonté commune, expressive des accords de réciprocité.

Attentes fondamentales et accords de réciprocité

Ici, il importe de distinguer entre les attentes fondamentales et les accords de réciprocité. Les attentes des individus vis-à-vis de leur État sont déterminées par les choix fondamentaux ; elles constituent le critère ultime de sa légitimité. Tout État qui va à l'encontre de l'une ou l'autre de ces attentes est illégitime de ce point de vue. Les accords de réciprocité, qui s'achèvent dans un consensus, président à l'institution même de l'État, ils en tracent la configuration en lui conférant ses modalités concrètes. Ils se concluent à travers une procédure définie comme un savoir pratique où sont pris en considération tous les éléments, nécessaires ou contingents, pertinents au projet en cours, en l'occurrence, la construction d'un État.

Ce savoir éthique, dans la mesure où il consiste en un savoir et un vouloir communs aux participants, tient compte des attentes fondamentales, mais telles qu'il les perçoit selon l'état des connaissances et des possibilités qu'offre la conjoncture. Aussi y a-t-il souvent un écart notable entre les attentes telles que saisies à la suite d'une analyse rigoureuse de la condition humaine et telles qu'elles figurent dans un État institué.

Cependant, bien que non satisfaites par l'État institué, les attentes fondamentales ne sont ni étouffées ni muettes ; elles s'expriment sous la forme d'un malaise observable doublé d'un ressentiment à l'égard de l'État. Non comblées, ces attentes menacent toujours la stabilité de l'État. Les changements de structure sociale et gouvernementale qui ont tissé l'histoire n'ont eu, la plupart du temps, d'autre cause que le mécontentement des peuples surgi d'une attente fondamentale non satisfaite. Ainsi, l'esclavage, aujourd'hui rejeté par la plupart des États, résidait dans une négation pure et simple du pouvoir d'autodétermination ; une répartition trop inégale des richesses s'avère la cause principale des révolutions parce qu'elle met en danger la vie et l'intégrité d'une partie notable de la population ; le chômage crée un malaise social grave, car il empêche les individus d'accéder aux biens nécessaires à la vie par le travail. Ces faits vérifiables révèlent une donnée à retenir, à savoir que les individus établissent un lien nécessaire entre la réalisation de leurs attentes fondamentales et leur État, leur organisation sociale.

L'État, un bien commun

La mise sur pied d'une force régulatrice, destinée à répondre aux besoins fondamentaux de tout un chacun, nécessite le rassemblement d'une multitude de ressources humaines et matérielles, que seule une participation concertée de tous les citoyens est en mesure d'assurer. Dès lors, la justice qui préside à l'institution de l'État ainsi qu'à ses responsabilités est dite distributive et se traduit par les principes suivants : en ce qui regarde sa construction, *à chacun selon ses moyens* ; en ce qui concerne sa fonction relative à la répartition des avantages produits par l'association, *à chacun selon ses besoins*.

D'ailleurs, si l'on retrace l'origine des États à travers l'histoire, il est aisément constatable qu'ils se sont établis et maintenus grâce à un impôt proportionnel, comme la dîme, ou un impôt progressif, soit la forme de taxation privilégiée par les pays contemporains. En outre, tout État comporte une diversité de composantes qui se traduit par des rôles différents répartis entre les participants : les uns commandent, d'autres exécutent, et enfin il en est dont la contribution est surtout monétaire. Une telle organisation ne peut reposer que sur la justice distributive.

Étendue de la responsabilité de l'État

Du point de vue des faits, la responsabilité de l'État se confine au mandat que lui confient ses ressortissants. Cependant, les accords de réciprocité, qui assignent à l'État ses limites, sont susceptibles d'élargir ce mandat aussi loin que l'exige la réalisation des attentes fondamentales. Dans la mesure où les projets issus des choix fondamentaux postulent un milieu externe qui soit propice à leur réalisation, les sujets d'un État sont autorisés à étendre le mandat de ce dernier de sorte que l'une ou l'autre des attentes fondamentales, à laquelle les comportements relationnels existants ne répondent pas, soit satisfaite. Le chômage, considéré comme un mal inévitable attribué à la structure économico-politique en place, va à l'encontre de la liberté d'appropriation par le travail. Mais rien ne s'oppose à une modification de cette structure.

En tant qu'être social, l'être humain ne peut se réaliser que par la société dont il est l'agent et l'architecte ; sous cet aspect, la liberté politique l'autorise à entreprendre toute modification de la structure sociale qui serait bénéfique pour tout un chacun, sans léser les intérêts légitimes de qui que ce soit. La promulgation des droits sociaux par l'État-providence se situe dans la logique de cette argumentation. En tant qu'associés regroupés en un tout, les humains ont tout pouvoir sur les modalités de leur organisation sociale, sans autre limite que le respect des choix fondamentaux.

La nature rend les humains solidaires les uns des autres, mais, en même temps, elle leur confie la responsabilité d'aménager cette solidarité de telle sorte qu'elle soit avantageuse pour tout un chacun. Il s'ensuit qu'en vertu de cette solidarité, les humains sont responsables de leur projet de société, de ses échecs et de ses réussites. Il leur revient de nouer les accords de réciprocité qui s'imposent dans telle ou telle conjoncture.

L'État de droit

Selon sa genèse, qui le pose dans l'existence comme force régulatrice, l'État a pour fonction principale d'instituer des droits.

L'expression « de droit » est interprétée par certains comme l'équivalent de « légitime » ; cette signification est certes présupposée, mais ce qui définit le mieux l'État comme projet est la mission qui lui est conférée principalement, soit de gouverner en implantant des droits. Au fond, l'État et le droit sont si intimement liés qu'ils se définissent l'un par l'autre : le premier comme auteur des droits, le second comme impliquant la force de l'État.

En outre, il y a lieu de répartir les diverses activités de l'État selon les objectifs qu'il se propose et la teneur des droits qu'il instaure pour y parvenir. L'État est investi d'une double mission : réglementer les rapports sociaux dont l'enjeu principal réside dans les intérêts individuels, et définir et imposer la participation de chacun dans la mise sur pied des biens communs nécessaires ainsi que les modalités à suivre pour bénéficier des avantages de ces institutions.

La première mission consiste à ouvrir un espace où chacun peut déployer ses projets personnels à l'abri des activités nocives d'autrui. La construction de ce milieu s'effectue par des autorisations corrélatives à des interdictions et appuyées sur la force de l'État. Ces autorisations ainsi consolidées accèdent au statut de droits dits formels en ce sens qu'elles tracent un cadre à l'intérieur duquel chacun peut poursuivre ses intérêts propres comme il l'entend. Le secteur des activités régies par les droits formels est dit privé dans la mesure où chacun est laissé libre d'agir à sa guise, pourvu qu'il ne dépasse pas certaines limites. En pratique, le secteur privé est régi par des interdictions : ne pas attenter à la vie ou à l'intégrité d'autrui ; ne pas susciter d'empêchements à l'autodétermination, à l'autonomie politique ; ne pas dissimuler les informations jugées nécessaires, etc.

Le secteur public couvre l'ensemble des activités relatives à la mise sur pied et à l'usage des biens communs, y compris l'État lui-même. Le droit qui gouverne ce secteur est dit matériel (à défaut d'un terme plus précis), en ce sens qu'il s'enracine dans un accord de réciprocité où les individus s'engagent les uns vis-à-vis des autres non pas à s'abstenir de tel ou tel agir, comme dans le cas du droit formel, mais à poser tel agir déterminé, comme payer les impôts prescrits.

L'expression « droit social » appelle des réserves, bien qu'elle soit couramment utilisée. Elle est souvent employée pour désigner les droits issus des programmes sociaux adoptés par les États-providence. En réalité, tout droit, qu'il soit formel ou matériel, est social à un double point de vue : pour autant qu'il s'appuie sur la force sociale de l'État et pour autant qu'il s'enracine dans un accord de réciprocité.

Dans la mesure où la loi et le droit gouvernent l'ensemble des activités sociales, peu importe qu'elles se rangent dans le secteur privé ou public, et, où l'État est l'auteur des lois et des droits, il s'ensuit que toute la vie sociale tombe sous la juridiction de l'État et par la suite relève de la politique.

En résumé, la réalisation des projets issus des choix fondamentaux dépend des libertés externes établies par l'État-société. Ce dernier est lui-même une construction nécessaire postulée par la nature sociale de l'être humain. La responsabilité confiée à l'État s'étend aussi loin que les conditions externes nécessaires à la poursuite des projets légitimes des individus. En tant que projet toujours perfectible, vu l'envergure de la mission qui lui revient, l'État progresse en étendant de plus en plus ses ramifications dans les divers domaines de la vie sociale. La législation se raffine de plus en plus ; par voie de conséquence, les droits se précisent et se multiplient. Bref, le rôle de l'État s'amplifie. Toutefois, cette démarche historique et observable, que justifient les argumentations présentées dans ce travail, se heurte aujourd'hui à un courant de pensée qui préconise une diminution radicale de la mission confiée à l'État, le néo-libéralisme. En outre, ce courant s'alimente à la lutte pour la prépondérance que se livrent à l'heure actuelle la politique et l'économie.

Robert Nozick et l'État minimal

Ici, je ne veux pas entreprendre une étude approfondie des positions de Nozick ; cette tâche a déjà été effectuée dans un ouvrage antérieur. Je souhaite simplement souligner les points saillants qui, à mon avis, vicient singulièrement son approche[2].

---

2. Roger Lambert. *La justice vécue et les théories éthiques contemporaines*, Sainte-Foy, Les Presses de l'Université Laval, 1994, p. 143-169.

Tout d'abord, il ne reconnaît que partiellement, et non selon toute sa portée, une vérité élémentaire de base, indéniable, à savoir que l'être humain est un être social, c'est-à-dire que, d'une part, les individus ne peuvent surmonter leur vulnérabilité naturelle les uns vis-à-vis des autres que par une entente volontaire commune ; que, d'autre part, ils ne peuvent accéder à certains biens nécessaires que par la voie de la solidarité et de l'entraide. Au mépris de l'histoire et de l'organisation factuelle des États contemporains, dont la constitution, à titre de bien commun, s'appuie sur la solidarité, il refuse de reconnaître que le recours à cette dernière, même en cas de nécessité, s'enracine dans ce choix fondamental, la liberté d'association.

Comment en arrive-t-il à cette dénégation ? Tout d'abord, sa lecture des données naturelles est différente de la nôtre. Selon lui, le pouvoir naturel de s'associer dévolu aux humains ne figure pas parmi les données de base qui doivent être nécessairement assumées. Son interprétation assujettit le pouvoir de s'associer à la défense et à la promotion d'une donnée de base qu'il considère comme la seule note définissante de l'être humain, soit la liberté dévolue à chacun de disposer à son gré et d'une manière exclusive de ce qui lui appartient en propre. Une chose appartient en propre à quelqu'un soit parce qu'elle est un élément constitutif de son être, de sa vie, de son corps, de ses organes, de sa liberté, de ses compétences, soit à titre d'objet externe, comme avoir acquis par le travail ou quelque autre mode légitime, sa fortune, sa maison, etc. En outre, on qualifie cette forme de liberté « droit de propriété privée ».

Cet énoncé, en apparence évident, recèle une triple mystification ; en gros, il entérine comme identiques des réalités distinctes : la liberté et le droit ; l'être et l'avoir ; la propriété fondée sur le travail et celle qui est fondée sur l'échange. Pour que ces identifications soient justifiées, il faudrait au moins que l'une des deux réalités mises en rapport contienne implicitement l'autre. Or, il n'en est pas ainsi. La liberté est une donnée interne à l'être humain en tant qu'individu, alors que le droit est aujourd'hui universellement reconnu comme une force sociale externe ; l'être humain est un tout composé de parties complémentaires, organiquement reliées entre elles et n'ayant de sens que les unes par rapport aux autres et par rapport au tout, tandis que l'avoir désigne un rapport entre l'être humain pris comme un tout et les biens extérieurs ; la propriété fondée sur le travail est une donnée naturelle, alors que la propriété fondée sur l'échange repose sur un consensus. Le lien le plus étroit que l'on puisse établir entre les diverses réalités mentionnées est que l'une postule l'autre : la liberté postule le droit ; l'être humain, pour survivre, appelle l'avoir ; la satisfaction des besoins à laquelle le travail est ordonné est réalisable aussi par l'échange. Mais de là à les ramener à une même signification, il y a un écart impossible à combler.

Tel qu'énoncé, le droit naturel de propriété privée reconnu par les néo-libéraux est une pure construction de l'esprit, et une mauvaise. En effet, une bonne construction réside dans un agencement de matériaux qui respecte la spécificité de chacun d'eux. En l'occurrence, les réalités concernées sont dépouillées de leur caractère propre et réduites à une même signification : le droit est la liberté ; l'être est une forme d'avoir, l'échange est l'équivalent du travail en regard de la propriété.

Si on suit à la trace le raisonnement des néo-libéraux, cette réduction du sens par la voie de l'abstraction n'est pas innocente. Pour eux, il n'existe qu'un seul droit ; il est naturel et individuel, il consiste en le droit de propriété privée, qui a pour objet la totalité de l'être et de l'avoir, la vie, le corps, les biens extérieurs acquis, etc. Par cette prise de position, ils se livrent à une autre simplification outrancière ; ils restreignent la portée du pouvoir d'auto-détermination ainsi que l'autonomie politique de l'être humain, en vertu desquels les humains, tout au long de l'histoire et aujourd'hui encore, se confèrent mutuellement des droits et des obligations. Ils ne reconnaissent pas que les engagements fondés sur la solidarité puissent donner lieu à des droits authentiques.

Cette perspective, unicité et caractère naturel du droit, conduit les néo-libéraux à limiter singulièrement le rôle assigné à l'État. Ce dernier n'a plus pour mission de gérer et d'organiser la société en instituant des droits, mais exclusivement de protéger par des mesures adéquates le droit de propriété privée des gens. Il est évident qu'aucun État passé ou actuel ne restreint ses prérogatives à l'accomplissement de cette seule tâche. Cependant, dans son ouvrage, *Anarchy, State, and Utopia*, Robert Nozick tente de démontrer qu'il serait rationnellement possible qu'un État soit issu uniquement des activités autorisées par le droit de propriété privée, soit les échanges, vente et achat, dans un climat de saine concurrence[3]. Pour y parvenir, il imagine le scénario suivant : pour protéger leur droit de propriété privée, les individus seraient sollicités par diverses agences de protection qui leur offriraient ce service, moyennant une prime semblable à celle qu'exigent les compagnies d'assurances contre le feu, les accidents, etc. Ces dernières seraient en compétition les unes avec les autres et donc en lutte pour accaparer la plus grande part du marché. Ce rapport de force se déroulerait selon la loi de l'offre et de la demande, où chaque concurrent essaie de présenter le meilleur rapport qualité-prix. Au cours de cette lutte, les compagnies les plus faibles disparaîtraient progressivement jusqu'à ce que surgisse un monopole qui exercerait un contrôle absolu sur le marché. En dernière analyse, ce monopole se transformerait en ce qu'il est convenu d'appeler un État minimal, soit un État qui, selon les modalités de son établissement, n'aurait d'autre fonction que la préservation de l'exercice du droit de propriété privée.

À travers toute cette argumentation, Nozick vise à montrer que le droit de propriété privée, qui, selon lui, est l'expression adéquate de la liberté humaine, ne postule dans son exercice qu'un État minimal ; en somme, une agence de protection qui garantit à chacun la libre disposition de ce qui lui appartient dans le respect, toutefois, de l'égale liberté d'autrui.

Replaçons cette dernière remarque dans le raisonnement qui l'englobe : pour assurer son devenir, l'individu doit compter principalement sur lui-même, soit sur l'exercice de son droit de propriété privée ; l'État n'est qu'un arbitre ou un gendarme chargé de veiller au respect des règles. Cette argumentation ne reconnaît que la dimension individuelle de l'être humain ; elle ne tient pas compte de sa dimension sociale, qui est tout aussi importante et essentielle. En l'occurrence, il faut entendre que le devenir de l'individu dépend à la fois et à des titres égaux de son agir propre et de celui de la société. L'analyse de l'histoire et de la conjoncture actuelle, ainsi que les pensées rigoureuses de Marx et de Habermas, qui sur ce point se rejoignent, témoignent de l'évidence du dernier énoncé. En effet, selon ces auteurs, le devenir de l'individu et celui de la société sont reliés dialectiquement, de telle sorte qu'ils

---

3. Robert Nozick, *Anarchy...*, p. 22-25.

dépendent effectivement et réciproquement l'un de l'autre. Par dimension sociale, ici, il faut retenir que les individus, en vertu de leur nature, sont contraints d'unir leurs efforts et d'agir solidairement les uns avec les autres en vue d'obtenir certains biens nécessaires à leur devenir propre (des connaissances, des habiletés, des garanties). Être libre et être membre d'une société et, aujourd'hui, d'un État-société est une seule et même réalité vue d'un angle différent.

En réduisant et en condensant l'essence de l'être humain dans le droit de propriété privée tel qu'ils le définissent, les libéraux préconisent une notion étriquée et incomplète de la nature humaine, rationnellement inacceptable.

Les droits fondamentaux

Le droit, tel qu'esquissé au cours des pages précédentes, se présente comme une réalité complexe où il faut discerner trois composantes : 1) un choix fondamental ; 2) un accord de réciprocité par lequel les individus s'engagent les uns vis-à-vis des autres à observer une ligne de conduite qui respecte ce choix ; 3) la force de l'État, qui vient appuyer l'impératif issu de l'entente. Chacun de ces éléments est un moment du processus selon lequel un choix fondamental devient un droit. Le premier l'amorce ; le second détermine ce qui est juste et institue ce dernier comme impératif ; le troisième garantit l'observance de ce commandement. *En somme, le droit se définit comme un pouvoir subjectif de contrainte qui vise à protéger ou à promouvoir un choix fondamental que les individus se confèrent mutuellement et que l'État protège de sa force.*

Bien que tous les choix fondamentaux soient susceptibles d'accéder au statut de droit, il ne s'ensuit pas qu'ils y parviennent. Pour en saisir les raisons, et elles sont multiples, il faut analyser le niveau où le droit acquiert sa validité, soit les accords de réciprocité.

Liberté politique et accords de réciprocité

La liberté politique, pour autant qu'elle est ordonnée à la formation d'une volonté commune, cause première de tout projet de société, ne peut s'actualiser autrement que par des accords de réciprocité. Certes, il est possible, non contradictoire, que tous les individus, pris isolément, souhaitent la paix, par exemple ; mais ce souhait que tous partagent ne constitue pas une volonté commune. En effet, même les belligérants souhaitent la paix. L'objet propre du vouloir est toujours un devenir, un projet. Vouloir n'est pas « se complaire dans la possession de », c'est agir en vue de posséder. Ne dit-on pas couramment : « tu le voulais, maintenant, tu l'as » ? Un vouloir commun n'a d'autre objet propre qu'un projet collectif. Or, un projet collectif ne réside pas dans la simple addition d'une multitude de projets individuels, mais dans la coordination d'une multitude d'agirs diversifiés. Cette coordination entre individus libres et indépendants ne peut s'obtenir que si les individus acceptent volontairement d'ajuster leur agir à celui de tous les autres. La décision d'ajuster son agir à celui des autres n'a de sens et d'efficacité que si tous les autres acceptent d'en faire autant. Dès lors, une telle décision n'est pertinente que si tous les individus concernés s'engagent les uns vis-à-vis des autres à coordonner leur agir. Ainsi, la volonté commune au sens strict consiste en un accord de réciprocité en vue de produire un devenir constitutif de la société. La liberté politique s'actualise dans une volonté commune telle que définie.

Accords de réciprocité et intérêt commun

Les accords de réciprocité ne revêtent la rectitude désirée que s'ils respectent les choix fondamentaux, autrement ils iraient à l'encontre des libertés de base. En outre, ils ne sont dits valides que si l'objet de leur entente, soit une ligne de conduite, soit un bien commun, remplit les conditions d'un véritable intérêt commun.

La conclusion d'une entente ainsi spécifiée suppose chez les participants trois attitudes distinctes et liées les unes aux autres. La première est marquée par la responsabilité ; en effet, il est nécessaire que les individus soient conscients que le devenir de leur société dépend de la solidarité de leur agir. Loin d'être anodine, cette condition fait reposer le poids de l'état actuel de la société, ses forces et ses faiblesses, sur l'ensemble de ses membres. Elle rappelle que, si les individus n'assument pas cette responsabilité collective, le devenir de leur société s'en trouve gravement compromis, car une minorité, si bien disposée soit-elle, sauf dans les cas d'une évidence indéniable, ne peut à elle seule construire un intérêt qui soit véritablement commun en ce sens qu'il recouvre tous les intérêts individuels légitimes. Ces derniers ne sont connaissables que si chacun les exprime. Le nombre et la diversité des données actuelles à considérer dans la détermination des véritables intérêts communs font ressurgir le rôle qui revient à la responsabilité collective. La seconde attitude est de l'ordre de la sincérité, c'est-à-dire que tous les participants doivent avoir la ferme intention d'établir un véritable intérêt commun ; ce qui les oblige à tenir compte non seulement de leurs intérêts propres mais encore de ceux des autres. La troisième attitude concerne l'ensemble des connaissances vraies que chacun doit posséder en vue de cerner l'intérêt commun à instaurer.

Lorsque des individus, vivant dans un état d'anarchie et de guerre sur un territoire déterminé, décident de vivre en paix, ils n'ont d'autre choix que de se réunir et de déterminer ensemble les comportements qu'ils devront adopter les uns vis-à-vis des autres pour atteindre leur objectif commun. Pour qu'un tel projet réussisse, il est nécessaire que tous, au point de départ, veuillent sincèrement la paix et soient conscients que cet objectif dépend d'eux collectivement et ne peut être atteint autrement que par des accords de réciprocité. En effet, si, comme cela s'est souvent produit au cours de l'histoire, la pacification s'établissait uniquement sous la pression constante d'une force armée qu'exercerait une faction dominante sur le reste de la population, l'ordre ainsi construit exclusivement sur la violence irait à l'encontre de la liberté politique qui autorise et incline tous les individus à participer à l'établissement de leur organisation sociétale et serait privé de l'un des piliers sur lesquels repose sa stabilité, soit l'adhésion volontaire des individus concernés. Tout ordre social s'appuie à la fois sur une force externe et sur une participation volontaire (intériorisée) de ses supports.

Si l'un des facteurs mentionnés est manquant, la société se désagrège à plus ou moins longue échéance. La chute des empires, des dictatures, des monarchies absolues qui ont marqué l'histoire n'a d'autre cause ultime qu'un refus global de la part des sujets de ces divers gouvernements face aux impératifs de ces derniers. Un tel refus, pour être global, doit être concerté, c'est-à-dire issu d'une entente de réciprocité : je me rebelle si tu te rebelles. En d'autres mots, un tel refus ne peut être attribuable à une simple coïncidence, il doit être construit. L'unité de vouloir qui résulterait du hasard serait friable, à la merci des caprices décisionnels de chacun en ce sens que tout être autonome, en l'absence de contrainte, peut changer de cap pour une raison ou pour une autre. Il n'en est pas ainsi pour la volonté collective issue de la liberté politique : cette dernière est consistante et stable en vertu d'une contrainte librement acceptée de tous par le truchement d'un engagement mutuel de tous les concernés. En dernière analyse, les dictatures s'écroulent sous la poussée d'une volonté politique qu'elles ne peuvent plus contenir.

L'intérêt commun

Une chose est un intérêt en autant qu'elle possède des propriétés qui sont susceptibles de produire un effet bénéfique chez un sujet conscient, comme satisfaire un besoin, combler une aspiration, procurer une jouissance, etc. L'intérêt implique donc un rapport de causalité entre un objet et un sujet conscient. Les intérêts sont dits individuels ou collectifs selon qu'ils répondent aux attentes des individus ou des collectivités ; ils sont aussi dits légitimes ou non selon qu'ils répondent à des attentes justifiées ou non. Cependant, dans le langage courant, l'intérêt commun désigne une réalité dont la source et la mesure résident dans les attentes légitimes, soit conformes aux choix fondamentaux, d'une collectivité : la paix par exemple, qui produit des effets dont les retombées sont bénéfiques pour tout un chacun.

Les intérêts communs se répartissent en deux groupes distincts : les uns consistent en un bien dit commun, soit en un ensemble de ressources humaines et matérielles mises à la disposition de tous, comme les soins de santé issus d'un régime d'assurance universelle ; les autres, en un comportement social, régi par un principe de justice, de telle sorte qu'ils protègent et promeuvent les intérêts individuels et légitimes de tous les individus. Lorsque ces derniers, dans leurs rapports sociaux, observent les interdictions de tuer ou d'infliger des blessures corporelles, ils adoptent un comportement qui répond aux exigences des choix fondamentaux.

Dans tout comportement social admissible, il y a lieu de discerner un double aspect : l'un formel, régulateur, soit un principe de justice, qui lui confère sa détermination spécifique, l'autre matériel, soit l'agir lui-même, en vertu duquel il est cause efficiente de. Ainsi, un comportement social n'est un véritable intérêt commun que s'il est à la fois juste et efficace. C'est pourquoi la volonté commune engagée dans le processus d'implantation des comportements sociaux doit être éclairée par un savoir commun relatif aux exigences d'un véritable intérêt commun. La volonté commune ne se soude qu'à travers des connaissances communes.

Ce savoir, en quoi consiste-t-il et comment la collectivité l'acquiert-elle ? La configuration globale de ce savoir réside dans un rapport de causalité entre un comportement social déterminé et son impact sur les intérêts individuels légitimes de tout un chacun. Si l'impact est positif et universel, le comportement est un véritable intérêt commun. Lorsque cet impact est si évident que sa saisie est aisément accessible à tous, il devient d'emblée l'objet d'un savoir commun. Par contre, s'il est opaque et par le fait même difficile à cerner pour de multiples raisons, comme une connaissance insuffisante de la portée causale du comportement ou une méconnaissance de l'ensemble des intérêts individuels en jeu, il faut avoir recours à une discussion qui rassemble tous les individus concernés et dont les modalités varient selon la complexité de l'enjeu.

Intérêt commun et discussion

Il est des cas où l'intérêt commun est si manifeste que la discussion se résume à établir la concordance des savoirs respectifs de chacun en ce qui regarde sa détermination. Ainsi, le rapport de causalité entre les interdictions (ne pas tuer, ne pas infliger de blessures corporelles à autrui, ne pas violer la propriété d'autrui, etc.) et la préservation des libertés de base de tout un chacun est si évident que personne n'oserait le contester. Cependant, il n'en est pas toujours ainsi. Au fur et à mesure que la société se développe, elle devient de plus en plus complexe et fait face à de nouveaux problèmes à propos desquels il est difficile d'affirmer si leur enjeu est un intérêt commun ou non. Tel qu'il a déjà été mentionné, un comportement social réside dans un agir social régulé par un principe de justice, mais un agir social se produit toujours dans un milieu physique et normatif dont il dépend et auquel il doit s'ajuster. Par exemple, le comportement social régi par le droit aux soins de santé ne peut s'implanter que dans un pays qui dispose des ressources humaines et financières requises et dont la législation en vigueur autorise son établissement sans pour autant devenir incohérente. Lorsqu'il s'agit de sortir de l'état de guerre et par conséquent d'implanter les bases de toute société, un comportement social pacifique, le contexte normatif n'existe pas encore et les ressources physiques, en l'occurrence, n'ont qu'un impact secondaire ; c'est pourquoi, dans un tel cas, le milieu ne figure pas parmi les facteurs déterminants. Mais lorsque la société évolue et veut instaurer de nouveaux comportements sociaux qui, eux, dépendent du milieu, ce dernier devient un facteur incontournable. L'instauration d'un système universel d'éducation suppose un milieu évolué qui dispose des ressources humaines et matérielles requises.

Dès lors, le savoir éthique commun, présupposé au vouloir commun à l'origine de tout projet collectif, doit s'étendre aussi loin que l'exige la réalisation du projet visé. En effet, il ne faut pas oublier que ce savoir est une partie intégrante d'un projet dont la finalité n'est autre que la détermination et l'introduction dans un comportement social d'une norme valide. Ce savoir a pour fonction de définir l'intérêt commun ainsi que ses conditions d'existence ; ce qui consiste à cerner : 1) la légitimité des attentes à l'amorce du projet ; 2) le rapport de causalité entre un comportement social déterminé et ses effets sur les intérêts individuels de tout un chacun ; 3) les caractéristiques du milieu physique qui rendent possible l'insertion du comportement social ; 4) le contexte législatif où il est appelé à se dérouler. Tel est l'objet du savoir vrai que présuppose le projet.

Toutefois, ce projet n'est pas principalement ordonné à la recherche de la vérité mais plutôt à la production d'une norme destinée à parfaire le tissu social. Or, l'adhésion à une norme ne relève pas principalement du savoir mais du vouloir qui se manifeste à travers les convictions de chacun. Je donne mon assentiment à une loi non pas tant à cause de la vérité de son contenu que de sa conformité à mes attentes. Partager les mêmes vérités et partager les mêmes attentes sont des démarches distinctes. Ce qui est requis des attentes, c'est qu'elles soient légitimes, conformes aux choix fondamentaux. Il en est des lois comme des artefacts ; le critère selon lequel les unes et les autres sont jugés est subjectif, il réside dans les attentes de ceux pour qui ils ont été conçus et réalisés. Dans l'un et l'autre cas, il n'est point de modèle préexistant.

Bien que présupposant un savoir commun, l'intérêt commun est néanmoins l'objet propre d'une volonté collective, enracinée dans les attentes fondamentales et nouée par des accords de réciprocité. Adhérer à un intérêt commun, c'est l'accepter comme norme de conduite et s'y assujettir. Chacun y donne son assentiment parce qu'il le perçoit comme une réponse satisfaisante à la réalisation de ses choix fondamentaux. Dès lors, élaborer un savoir commun et dégager une volonté commune s'avèrent les deux tâches distinctes assignées à la discussion.

Intérêt commun et activité communicationnelle orientée vers l'intercompréhension[4]

Au cours de l'histoire, ces deux tâches ont été accomplies à l'intérieur d'un cadre mal défini et pour cette raison se sont soldées par des succès plutôt mitigés. Habermas s'est donné pour mission de tracer les lignes d'un cadre de discussion qui, si elles sont suivies rigoureusement, conduisent à la détermination des véritables intérêts communs. À cette phase de l'exposé, je me propose simplement de mentionner les principales avenues du trajet qu'il nous invite à suivre en me réservant le privilège d'y revenir lorsque l'analyse de la société contemporaine, qui constitue la deuxième partie de cet ouvrage, l'exigera.

Tout d'abord, pour participer à la discussion, il faut que les intervenants aient la ferme intention de cerner le véritable intérêt commun et d'y donner leur assentiment. Cette volonté première a pour corollaire incontournable que chacun adopte une attitude de sincérité sans faille tout au long de la démarche, car sans cette dernière la discussion serait biaisée.

---

4. Jürgen Habermas. *Morale et communication*, traduction par Christian Bouchindhomme, Paris, Cerf, 1986, p. 150-154.

En second lieu, il faut retenir que la discussion en cours s'insère dans un projet finalisé en dernière instance par la production d'une norme et non par la recherche de vérité, bien que cette dernière soit aussi partie intégrante du projet. Dès lors, il est nécessaire que les gens aient des convictions éthiques, qu'ils se reconnaissent l'obligation de se plier à des normes pour vivre ensemble et que cette attitude soit conciliable avec celle des autres de telle sorte qu'ils puissent en venir à une entente sur les normes qui s'imposent à tous. Par le fait même, les gens dépourvus de toute conviction éthique ou encore imbus de règles de conduite non universalisables sont exclus de la discussion. Avoir le sens de l'éthique signifie prendre en considération tout ce qui affecte le devenir de l'être humain selon sa double dimension individuelle et sociale et en tenir compte. Dans le cadre de la discussion, il ne faut pas seulement connaître les lois mais encore adopter envers elles une attitude d'accueil ou de rejet. Cette dernière attitude relève du vouloir, non du savoir.

Afin de rassembler toutes les données pertinentes à la détermination d'un intérêt commun selon un schème qui en éclaire la portée, Habermas définit et applique un appareil conceptuel dont les traits caractéristiques sont les suivants :

1) Le monde, soit « l'ensemble des états de choses existant, ayant valeur de système référentiel qui permet de décider de ce qui est effectif et de ce qui ne l'est pas ». Tel qu'on l'a défini, ce monde comprend des réalités physiques, les unes naturelles, comme les matières premières, les autres issues de la transformation de ces dernières par le travail humain ; des réalités sociales, comme les comportements sociaux régis par des lois reconnues ; et enfin une pléthore de projets individuels où se manifeste en priorité la subjectivité de chacun.

La vie humaine consiste en un ensemble de projets. Or, tout projet, qu'il soit individuel ou collectif, se déroule à l'intérieur du monde qui, tel qu'il est défini, l'encadre et le conditionne. C'est pourquoi les humains ne peuvent décider « de ce qui est effectif » que s'ils situent leur agir en regard des exigences de ce monde.

2) Le monde est dit vécu dans la mesure où il entre dans la conscience de l'être humain, soit à titre d'objet connu, de contrainte normative, ou de moyen susceptible de servir des intérêts issus de

la subjectivité de chacun. Chacun de ces rapports entre le monde et la conscience nécessite une attitude appropriée de la part de l'être humain.

2.1) Pour connaître le monde tel qu'il est et l'enfermer dans des énoncés vrais, l'être humain doit adopter une attitude objectivante, c'est-à-dire accueillir le monde comme un fait et se laisser mesurer par lui dans toute sa complexité, selon la multitude de ses composantes : nature ; ressources matérielles et autres ; lois naturelles et humaines, etc.

2.2) Le monde, en tant que lieu et cadre de tous les projets, affecte aussi le vouloir de l'être humain en lui imposant des contraintes qui limitent la portée et l'étendue de son agir. Ces contraintes, quels qu'en soient la provenance, la nature, la volonté collective, la conjoncture, le degré de culture scientifique, les convictions éthiques reçues etc., si elles sont justifiées et incontournables, appellent une attitude réaliste de soumission par laquelle chacun ajuste son agir à leur impact. L'attitude ainsi postulée est dite de conformité à des normes (au sens large), en ce sens qu'elle se traduit par une certaine régulation de l'agir. En résumé, l'agir, quelle que soit la fin poursuivie, pour ne pas être biaisé, doit tenir compte de tous les facteurs susceptibles de modifier son cours : l'état des ressources disponibles, la conjoncture économique et sociale, les lois existantes, etc.

3) Le monde, avec toutes ses composantes, peut aussi être considéré et traité sous un angle purement subjectif qui, à l'instar d'un prisme, lui confère diverses significations. D'un côté, ma connaissance du monde peut être plus ou moins objective, mes convictions éthiques, ne pas correspondre à celles de la majorité ou encore être contestables, ma façon de le traiter, purement égoïste, en l'assujettissant exclusivement à mes intérêts personnels. D'un autre côté, mon rapport subjectif au monde est aussi susceptible d'être vrai, légitime et ouvert aux intérêts des autres.

Dans tous leurs projets, les individus concernés, sous peine d'échec, doivent prendre en considération ces trois dimensions du monde vécu et adopter les attitudes qu'elles postulent. Si je décide de mettre sur pied une entreprise commerciale, je dois posséder un certain nombre de connaissances vraies relatives à l'état du marché, aux ressources disponibles, aux lois existantes et à l'impact de ces données factuelles sur mon projet. En outre, je dois avoir la ferme intention d'observer les lois en vigueur qui concernent mon projet. Et enfin, il m'incombe d'ajuster ces connaissances et ces convictions éthiques au but que je poursuis.

Cependant, la problématique du présent exposé, en tant qu'axée sur un projet collectif visant un intérêt commun recevable par tous les individus, appelle d'autres considérations. D'abord, tout intérêt, individuel ou commun, est de l'ordre de la subjectivité ; il est voulu et recherché en tant qu'il répond à des attentes subjectives, égoïstes ou partagées. En second lieu, tout projet collectif s'alimente à un savoir commun, à des convictions éthiques que tous partagent, et s'achève dans un vouloir commun. Or, ces traits spécifiques du projet collectif n'existent pas d'emblée, ils doivent être construits à travers une discussion obéissant à certaines règles ; d'où la nécessité d'établir ces règles. Habermas condense toutes ces règles dans l'énoncé suivant : l'activité communicationnelle orientée vers l'intercompréhension. Cette dernière a lieu « lorsque les acteurs acceptent d'accorder leurs projets d'action de l'intérieur et de se tendre vers leurs buts respectifs qu'à la seule condition qu'une entente sur la situation et les conditions escomptées existe ou puisse être ménagée[5]. »

De cette définition, certaines expressions appellent des éclaircissements : « de l'intérieur », c'est-à-dire sciemment et volontairement ; « une entente sur la situation », soit sur tous les éléments pertinents au problème découpés sur le monde vécu ; « les conditions escomptées », celles qui sont jugées incontournables en regard de la réalisation de l'objet de l'entente. Le sens global de l'énoncé se paraphrase ainsi : les acteurs acceptent d'accorder volontairement leurs projets individuels respectifs pourvu qu'il y ait une entente, au moins possible, sur les données de la situation et sur leur aménagement éventuel. Ou encore : les acteurs acceptent d'assujettir leurs intérêts individuels à un intérêt commun (accord entre les intérêts individuels) qui serait fondé sur une approche rationnelle et commune de la situation découpée sur le monde vécu. Cette approche rationnelle et commune ne peut s'effectuer autrement que par la voie d'une discussion articulée selon des attitudes que

---

5. Jürgen Habermas. *Morale et communication*, p. 148.

les participants doivent adopter vis-à-vis du monde et les uns vis-à-vis des autres.

Au point de départ, les participants à la discussion doivent avoir la ferme volonté de rechercher un véritable intérêt commun et de communiquer avec sincérité à leurs collègues, tout au long de l'opération, l'état de leur démarche personnelle tel qu'ils le conçoivent. Au premier tour de table (au sens propre ou figuré), chacun doit révéler aux autres : 1) les énoncés, pertinents à la situation découpée sur le monde objectif, qu'il juge vrais ; 2) ses convictions intimes en ce qui concerne les normes touchées par la situation ; 3) la teneur de ses intérêts personnels susceptibles d'être affectés par le projet.

Cette première approche, à moins qu'il ne s'agisse du passage de l'état de guerre à la coexistence pacifique où les données de cette situation primitive sont claires et aisément perceptibles, met à jour une grande diversité d'opinions, de convictions et d'intérêts individuels. C'est ici que s'amorce la discussion proprement dite qui vise un triple objectif : 1) dégager, par l'observation et la réflexion, l'interprétation et l'argumentation, des connaissances que tous les participants reconnaissent comme vraies ; 2) malgré la diversité des prises de position initiales, susciter, par l'exploration des attentes légitimes, des convictions éthiques communément partagées ; 3) par l'examen des intérêts individuels en jeu, préconiser un intérêt qui s'accorde à toutes les finalités subjectives jugées légitimes.

En somme, la discussion a pour objet de produire un savoir commun, des convictions éthiques communes et, à partir de ces deux prérequis, de susciter un vouloir commun portant sur un intérêt universel en accord avec les intérêts individuels légitimes de tout un chacun. Pour conférer une figure concrète à cette procédure, à première vue des plus complexes, il est nécessaire d'apporter certaines précisions.

Tout d'abord, les objectifs assignés à cette procédure décisionnelle s'enracinent dans la liberté politique (telle qu'elle a déjà été définie dans cet exposé), dont la mise en œuvre se traduit par un projet de société. La forme de discussion proposée par Habermas désigne la voie que la liberté politique doit emprunter pour que son projet collectif réponde aux attentes de tout un chacun.

Cette procédure de discussion, à l'époque contemporaine, n'est pas enferrée dans les seuls débats parlementaires ; elle s'étend à tous les intervenants qui, par leurs écrits, leurs colloques, leurs prises de position, leurs protestations, alimentent, d'une manière ou d'une autre, le processus décisionnel politique et exercent un certain impact sur lui. Toutes les interventions, qui contribuent soit à la propagation d'un savoir vrai pertinent à la législation en cours, soit à l'adoption de convictions éthiques justes, ou encore à l'émergence d'un véritable intérêt commun, s'intègrent à la discussion dans la mesure où elles ont pour effet de favoriser les objectifs qu'elle poursuit.

L'adoption des droits dits sociaux aux soins de santé, aux prestations de chômage s'est effectuée à la suite de longues discussions qui ont eu lieu, pendant de nombreuses années, sur la place publique, où les opinions, les convictions éthiques, les intérêts particuliers, se sont étalés à travers les médias de toutes sortes.

Certains de ces débats portaient sur des propositions à vérifier, comme : selon la condition humaine, les soins de santé relèvent-ils de la responsabilité individuelle ou collective, ou indifféremment de l'une ou de l'autre ? D'autres mettaient en jeu la validité des normes concernées : l'impôt progressif, nécessaire à la mise en place de l'assurance-santé, viole-t-il le droit de propriété privée ? Enfin, cette assurance remplit-elle les conditions d'un véritable intérêt commun ?

Cette discussion, qui a eu lieu et qui, dans les grandes lignes, s'est déroulée selon la démarche propre à l'activité communicationnelle, comme le démontrent les différents problèmes dont elle a traité, révèle que nous sommes parvenus à une phase de la vie démocratique où la procédure orientée vers l'intercompréhension commence à s'implanter comme forme de délibération lorsque surgissent des problèmes d'intérêt public.

L'éthique de la discussion

Cette procédure, selon Habermas, ne remplit sa mission que si elle s'achève dans la production d'une norme qui répond au principe éthique suivant :

Une norme en litige entre ceux qui prennent part à une discussion pratique ne peut être approuvée que si U est en vigueur, autrement dit : si les suites et les effets secondaires, qui de manière prévisible proviennent du fait que la voie litigieuse a été universellement observée dans l'objectif de satisfaire les intérêts de tout un chacun, peuvent être acceptés sans contrainte par tous[6].

Dès lors, si une norme n'est valide que si elle est acceptable par tous sans contrainte, il importe de préciser ce qu'il faut entendre par contrainte. Outre la force physique, la contrainte se présente sous d'autres formes, comme la menace et un intérêt particulier travesti en intérêt commun. Ce dernier est une contrainte, car sans ce camouflage, le consensus n'aurait pas lieu. Seul un véritable intérêt commun est susceptible d'être accepté sans contrainte par tous les concernés.

D'ailleurs, ce dernier est clairement inclus dans la formulation du principe U : les effets, découlant de l'observance de la norme en voie d'adoption, dont la finalité est de satisfaire les intérêts de tout un chacun, sont acceptables sans contrainte dans la mesure où ils répondent à des attentes universelles.

Ainsi, sous l'État-providence, le droit aux soins de santé a été reçu comme un véritable intérêt commun. Au cours de la discussion qui a précédé son adoption, les difficultés suivantes ont été résolues. D'un côté, bien que les soins médicaux puissent dans certains cas être assurés à travers des projets individuels, il n'en reste pas moins que seul un projet collectif peut en garantir l'accès à tous. L'universalité d'accès, lorsqu'un choix fondamental est concerné, s'avère une raison suffisante pour justifier l'intervention de l'État. D'un autre côté, le financement d'un tel projet, par le truchement d'un impôt progressif, ne viole en aucune façon le droit de propriété privée ; en effet, il relève de la justice distributive qui, différente et indépendante de la justice des échanges, préside à l'instauration de tous les services étatiques. Enfin, ce droit ne lèse en aucune façon la liberté personnelle, car cette dernière ne peut aller à l'encontre de mesures qui, si elles n'étaient pas appliquées, compromettraient gravement l'intégrité corporelle d'un grand nombre d'individus. La liberté personnelle de chacun est toujours limitée par celle des autres.

---

6. Jürgen Habermas. *Morale et communication*, p. 114.

Les points soulevés lors de cette discussion ainsi que les arguments apportés révèlent que l'activité communicationnelle est bel et bien en voie d'implantation dans les débats qui conduisent à l'adoption des lois. Mais la partie est loin d'être gagnée, car trop souvent, hélas, les discussions sont déformées par le virus de l'activité stratégique.

Intérêt commun et activité stratégique

L'activité stratégique est une déformation de l'activité communicationnelle telle que définie par Habermas. Certes, elle vise à l'obtention d'un consensus, mais elle se distingue de l'activité orientée vers l'intercompréhension par les moyens qu'elle autorise et par l'objet même du consensus.

L'activité stratégique n'a d'autre objectif que de faire passer un intérêt particulier pour un intérêt commun. En miniature, les conventions collectives entre patrons et ouvriers fournissent un exemple de ce trait. Au cours de leurs délibérations, les uns et les autres n'ont d'autre objectif que d'inculquer la croyance que ce qui est bon pour les uns est aussi bon pour les autres. Ainsi, les patrons essaient de démontrer que le maintien de profits substantiels s'avère la condition incontournable de la survie de la compagnie et, par le fait même, de la sauvegarde des emplois. Au fond, l'intérêt particulier du patron est proposé en qualité de commun en ce sens que les intérêts particuliers des ouvriers en dépendent. Sans profits substantiels, point d'emploi, et par conséquent, point de salaire.

À l'échelle de la société, l'ordre social, dans une foule de cas, est un intérêt particulier déguisé en intérêt commun. Certes, en tant qu'ordre, il est avantageux pour tous ; mais dans sa structure spécifique, jusqu'à ce jour, il privilégie les intérêts des uns au détriment de ceux des autres. Les sociétés esclavagistes sacrifient carrément le droit à la liberté personnelle des uns au profit de celle des autres. Les régimes monarchique ou dictatorial confèrent aux dirigeants un pouvoir décisionnel outrancier qui prive les citoyens de leur liberté politique. Et enfin, l'ordre économique capitaliste assujettit les intérêts des salariés à ceux des détenteurs des forces productives.

Mais comment un intérêt particulier peut-il revêtir l'apparence d'un intérêt commun ? Comment une telle opération est-elle possible ? D'un point de vue ontologique, en soi et selon ses effets, un intérêt particulier se distingue toujours de l'intérêt commun. Par contre, du point de vue de la société, un intérêt particulier peut être considéré et traité comme s'il était avantageux pour tout un chacun. L'humain n'est et ne sera jamais une simple chose, mais il est des sociétés qui, en instituant l'esclavage, l'ont réduit à l'état de chose. Un humain n'est esclave qu'à titre de réalité sociale, c'est-à-dire que s'il est considéré et traité comme tel par la société. Dès lors, rien n'empêche qu'un intérêt en soi particulier soit considéré et traité par la société comme un intérêt commun, et vice versa.

Une telle mystification implique à la fois le savoir et l'agir (considérer et traiter). C'est uniquement aux yeux de l'opinion publique qu'un intérêt particulier peut revêtir l'apparence d'un intérêt commun. C'est pourquoi la stratégie déployée par ceux qui désirent faire passer leurs propres intérêts pour ceux de tout un chacun consiste d'abord à former l'opinion publique. Dans les grandes lignes, les dictatures, malgré leur diversité, reproduisent un noyau similaire, articulé autour du schème de pensée suivant : notre vision personnelle de ce qui est avantageux pour tous les citoyens est la seule qui soit juste et raisonnable ; les buts que nous poursuivons dans la foulée de cette vision ne peuvent pas ne pas être recherchés par tous.

Que vaut une telle prise de position ? Tout d'abord, elle va à l'encontre de deux faits : d'abord, il n'existe pas de modèle universel de société juste qui soit à découvrir, aussi personne ne peut se prévaloir de la prérogative de le connaître ; ensuite, la mesure de tout projet de société correspond aux attentes fondamentales de tous les concernés, parmi lesquelles figure la liberté politique, qui est en principe rejetée par toute forme de dictature.

D'où le problème suivant : comment un projet particulier peut-il être reçu comme le projet de tous ? Tout simplement parce que, tout au long de l'histoire et encore aujourd'hui, il existe une croyance qui, tout en étant de plus en plus contredite par les analyses et les recherches contemporaines, demeure encore vivante dans l'esprit de certaines gens, à savoir qu'il existe un modèle objectif et universel d'organisation sociale, dont il importe de découvrir le tracé. La monarchie s'est longtemps prévalue de ce statut privilégié. Toutefois, cette croyance, pour mieux s'ancrer dans le vécu sans cesse en transformation, revêt souvent une figure moins absolue : par exemple, telle dictature s'affirme comme la meilleure forme de gouvernement objective dans les circonstances. Il suffit de se rappeler la pléthore de publications des années soixante qui visaient à justifier la dictature du prolétariat dans les pays de l'Est.

En soufflant habilement sur les tisons de cette croyance de façon à ce qu'elle anime l'opinion publique, certains parviennent à faire reconnaître leur projet particulier de société comme ayant une portée objective et universelle. Par ce moyen, ils se bâtissent une légitimité purement factice, car fondée sur l'opinion, non sur un savoir vrai. Une opinion n'est autre qu'un jugement dont la vérité n'est pas démontrée, qui se fonde sur des raisons probables et auquel on adhère la plupart du temps pour des motifs extrinsèques à son contenu, comme les intérêts égoïstes. Une opinion devient publique lorsqu'elle rallie une portion notable de la population. Ainsi partagée, elle apparaît plus vraisemblable.

Toutefois, il ne faut pas sous-estimer la force de l'opinion publique ; en effet, elle est l'un des facteurs qui contribuent à la position d'une réalité sociale ; en l'occurrence, complétée par un agir commun, elle fait en sorte qu'un intérêt particulier, en soi et par ses effets, soit assumé par la société comme un intérêt commun. Ici, il importe de noter les résultats d'une telle opération. En tant que particulier, l'intérêt produit les effets qui lui sont propres ; mais, en tant que reçu par la collectivité à titre de commun, il réduit au silence les individus dont la liberté est lésée par la prévalence d'un intérêt qu'ils ne partagent pas en ce qui a trait aux faits. Ainsi, Hitler, au mépris de la liberté politique de ses sujets, imposa au peuple allemand sa propre vision du monde : supériorité de la race aryenne qui autorisait le peuple allemand à dominer le monde et conséquemment à le conquérir par la voie des armes. Cette vision, non universalisable car elle allait à l'encontre de certains traits fondamentaux de la condition humaine, comme le droit des peuples à l'autonomie et celui des individus à disposer eux-mêmes de leur vie, grâce à une propagande savamment orchestrée et à des moyens de pression où figuraient, entre autres, des menaces de toute sorte, finit par apparaître au peuple allemand comme un intérêt commun qui entraîna ce dernier dans la guerre la plus meurtrière de l'histoire. Ce projet particulier, en toute logique, ne pouvait déboucher que sur la guerre et, en bout de ligne, sacrifier la vie d'une partie notable du peuple allemand ; ce qui arriva. Un intérêt commun, à titre de réalité sociale seulement, demeure toujours, du point de vue des faits, un intérêt particulier qui s'oppose à d'autres intérêts particuliers.

Cependant, l'activité stratégique n'est pas une pratique propre aux dictatures, elle est aussi à l'œuvre dans les démocraties contemporaines. Elle ne vicie pas tout le système parlementaire, mais elle a sa porte d'entrée dans l'existence des partis politiques. Le parlement rassemble en un même lieu les représentants des divers groupes d'intérêts qui s'opposent les uns aux autres dans la vie quotidienne : les investisseurs, les travailleurs salariés, les consommateurs, les familles, etc. Cependant, ces représentants se regroupent sous diverses bannières, soit les partis politiques qui, à travers les programmes d'organisation sociale qu'ils préconisent, manifestent déjà une prise de position reliée à des intérêts particuliers qu'ils ont l'intention de défendre et de promouvoir comme s'ils étaient également avantageux pour tous.

Ce point de vue privilégié par un parti politique se traduit par une opinion et une volonté arrêtées qui pèsent lourdement sur les décisions relatives à la solution des divers conflits ponctuels soumis à la discussion. À titre d'exemple, aux États-Unis, le Parti républicain, ouvertement voué à la défense et à la promotion des intérêts des investisseurs, s'est farouchement opposé à l'initiative démocrate qui visait à instaurer un régime d'assurance-santé obligatoire, universel et régi par l'État, pourtant postulé par un choix fondamental de l'être humain, soit préserver son intégrité physique et mentale. Les républicains se sont faits l'écho des investisseurs dans les domaines de l'assurance privée et des produits pharmaceutiques et ont réussi à bloquer le projet de loi en faisant valoir que les mesures préconisées par ce dernier ne répondaient pas à un intérêt commun et donc ne pouvaient constituer l'objet d'un droit. Par les pressions et la propagande, ils sont parvenus à convaincre la majorité des représentants du peuple qu'une telle loi ne protégeait pas un intérêt commun, mais particulier. Ainsi, l'activité stratégique n'a pas seulement pour effet d'élever un intérêt particulier au statut d'intérêt commun mais aussi, dans certains cas, de réduire un intérêt commun à celui d'intérêt particulier.

Il importe maintenant de situer clairement les activités communicationnelle et stratégique en regard du processus qui s'achève dans la production des lois et des droits. La loi n'a d'autre cause efficiente qu'une entente de réciprocité ; la conclusion d'un tel accord surgit au terme d'une discussion menée selon l'une ou l'autre des activités mentionnées. La qualité de l'entente et par conséquent des lois dépend de celle de la discussion. Bref, l'entente s'avère le principe immédiat des lois et la discussion, celui de l'entente. Au fond, la discussion, c'est le lieu où le savoir éthique commun prend forme. Dès lors, en dernière analyse, le sort des lois et des droits se joue sur le plan de la discussion ; d'où l'importance des modalités de cette dernière.

L'activité stratégique vise la formation d'un consensus à travers une procédure qui n'exclut ni la ruse, ni les menaces, ni les demi-vérités, et qui se déroule dans une conjoncture où chacun tente, par tous les moyens, de faire prévaloir son opinion sur celle de l'autre, ses intérêts propres sur ceux des autres, et d'amener l'autre à penser et à vouloir comme lui. Au contraire, l'activité communicationnelle poursuit le consensus en le fondant sur des connaissances vraies que tous les concernés partagent, sur des convictions éthiques communes, et sur un traitement équitable de tous les intérêts individuels en jeu.

Le discernement d'un véritable intérêt commun, saisi et perçu comme tel par l'ensemble des concernés, et l'adhésion à la loi qui le promulgue ne peuvent s'effectuer autrement que selon une procédure qui relève de l'activité communicationnelle, du moins dans ses grandes lignes, car seule cette dernière garantit la rectitude de la délibération et respecte l'autonomie de la volonté. L'activité purement stratégique, en vertu même de sa finalité, soit coller à un intérêt particulier l'apparence d'un intérêt commun, biaise la délibération et ne peut conduire à un consensus sans recourir à la contrainte.

L'activité stratégique ne peut produire que des lois factices dépourvues de validité. Une loi n'est valide que si elle a pour contenu un véritable intérêt commun. Une loi est dite purement factice lorsque son observance est garantie par la force de l'État malgré le fait qu'elle impose un comportement social qui ne soit pas un véritable intérêt commun.

Selon la perspective développée depuis le début du présent exposé, les droits sont légitimes dans la mesure où ils s'enracinent dans les choix fondamentaux et tirent leur efficacité des lois valides promulguées par l'État. Cependant, la procédure qui conduit à une loi valide se range parmi les activités communicationnelles et non parmi les activités stratégiques. Or, l'activité communicationnelle est une procédure démocratique qui exige la participation de tous les individus concernés, au moins par la voie de leurs représentants dits authentiques en ce sens qu'ils sont des mandataires fidèles et intègres.

Il est évident que les démocraties contemporaines ne répondent aux exigences de l'activité communicationnelle que d'une manière approximative. Si elles tombent parfois dans les travers de l'activité stratégique et ainsi produisent des lois purement factices, il n'en reste pas moins qu'elles génèrent aussi des lois valides dont le contenu commandé est un véritable intérêt commun. C'est pourquoi il importe maintenant d'examiner la structure commune à la plupart des démocraties contemporaines en regard des intérêts communs qui s'avèrent leur finalité.

Les intérêts communs se répartissent en deux catégories distinctes : les biens communs et les comportements sociaux assujettis à une loi valide. Ces deux catégories se distinguent en tant que fins, mais chacune d'elle est aussi impliquée dans l'autre à un autre titre. Je m'explique. Un bien commun est la fin d'un projet collectif spécifique, mais ce dernier inclut à titre d'élément fondamental des comportements sociaux déterminés ; de même, en tant que fin d'un projet collectif, un comportement social tire sa régularité d'une force qui lui est extrinsèque, soit celle d'une institution étatique, d'un bien commun.

Les biens communs

Les biens communs ne sont autres qu'une institution où sont rassemblées, réparties et réglementées les ressources humaines et matérielles destinées à répondre à une attente fondamentale ; ils ont pour caractéristiques de ne pouvoir être mis sur pied que par un effort collectif et d'être disponibles pour tous selon les nécessités occurrentes. En tant que force régulatrice, l'État est un bien commun ; il en est de même pour ses diverses ramifications, comme les systèmes judiciaire, militaire, et d'éducation. La mise en place d'un bien commun repose sur un comportement social déterminé où les individus s'engagent les uns vis-à-vis des autres à remplir les fonctions qui leur sont assignées respectivement en raison d'un tel projet. Ainsi, le système judiciaire comprend des avocats, des juges, des forces encasernées et des ressources financières. Tous sont appelés à y participer au moins par le truchement de l'impôt. En ce qui concerne ce dernier, quelles modalités doit-il revêtir pour être juste ?

Il va de soi que les richesses dont chacun dispose sont inégales ; dès lors surgit l'alternative suivante : faut-il exiger de chacun une part équivalente qui sera forcément minimale puisqu'elle sera fixée selon les moyens des moins bien nantis ou encore proposer une contribution proportionnelle aux moyens de chacun ? L'adoption du premier membre de l'alternative revient à instituer un bien commun dont l'efficacité sera douteuse, sinon carrément insuffisante ; celle du second, un service d'une qualité acceptable. Dans la mesure où la justice doit être compatible avec l'efficacité, ce dernier choix apparaît comme la meilleure solution possible dans les circonstances.

Comme il apparaît dans l'exposé précédent, le principe de justice postulé par l'institution d'un bien commun s'énonce ainsi : à chacun selon ses moyens. Pour autant que le bien commun est un bien construit en vue d'être mis à la disposition de tous au prorata des besoins, il inclut dans sa finalité propre le principe qui régit sa répartition, soit « à chacun selon ses besoins ».

Lorsqu'il est reconnu par un État, ce principe s'applique à tous ses membres, soit à tous ceux qui jouissent du statut officiel de citoyen. Il faut noter que la répartition est indépendante de la contribution ; contrairement à ce qui a lieu dans les échanges, où chacun compte recevoir l'équivalent de ce dont il se départit. Cette particularité se justifie en raison de la finalité même qui est assignée au bien commun : répondre aux besoins fondamentaux de tous et de chacun des membres de la collectivité.

La justice distributive

Ces principes (à chacun selon ses moyens, à chacun selon ses besoins), qui régissent respectivement la mise en place et la répartition des avantages d'un bien commun, ressortent à la justice dite distributive, en ce sens qu'ils consistent en un mode de distribution des charges et des bienfaits. En quoi cette forme de distribution est-elle dite juste ? Quelles sont les racines de cette forme de justice ? Tel qu'on l'a déjà vu, le devenir de l'être humain est rigoureusement lié au devenir d'une société organisée en État. Or, les États ne se définissent pas autrement que comme des biens communs issus des accords de réciprocité entre leurs membres et ordonnés à la satisfaction des besoins de ces derniers. D'une part, l'État est un organisme hétérogène qui se déploie en diverses fonctions, plus ou moins comparables les unes aux autres : des gouvernants, des cadres, des exécutants, et des sujets dont la participation minimale est financière ; d'autre part, il est destiné à satisfaire des besoins qui pour les uns sont actuels et pour les autres, éventuels. Tel qu'institué, l'État est une nécessité.

À l'intérieur de ce cadre, comment répartir les rôles de façon à ce que la distribution soit juste, c'est-à-dire ne favorise pas les intérêts légitimes des uns au détriment de ceux des autres ? Requérir une égale participation de tous s'avère une utopie ; en effet, il n'est point de dénominateur commun aux divers rôles et donc il est impossible de les enserrer dans une équation. Dans une armée, comment comparer la participation du soldat qui risque sa vie au front et celle du fabricant d'armes derrière les lignes ? Le seul critère disponible reste l'impact de la participation sur les projets individuels et légitimes de chacun. Par exemple, si les impôts sont si élevés qu'ils se traduisent par un appauvrissement des plus démunis tout en ayant peu d'effets négatifs sur le niveau de vie du reste de la population, ils sont injustes, car, dans un tel cas, la participation au bien commun irait à l'encontre des intérêts individuels légitimes d'une portion de la collectivité. Encore ici, il n'est point de mesure quantitative qui permette d'évaluer rigoureusement l'impact de la participation sur les projets de vie de chacun. Dès lors, il ne reste qu'une solution viable : établir une loi des impôts qui, en vertu de ses effets sur les intérêts légitimes de chacun, soit recevable sans contrainte par tous les individus concernés. Il serait contradictoire qu'une institution, destinée à la protection et à la promotion des projets légitimes de tout un chacun, soit établie et maintenue au détriment de certains de ces derniers.

La forme de justice qui dérive de la notion même de bien commun s'accorde en tous points au paradigme de la justice livré par Habermas : équilibre adéquat entre les revendications concurrentes. L'expression « revendications concurrentes » désigne les attentes respectives de chacun en ce qui concerne leur participation au bien commun, tandis que l'expression « équilibre adéquat » signifie le lieu où ces diverses attentes s'ajustent les unes aux autres. La formule « à chacun selon ses moyens » décrit ce lieu.

Ici, il importe de retracer la genèse de la justice dite distributive : les libertés de base, pour se développer, postulent nécessairement des biens communs ; ces derniers, pour être établis correctement, vu l'hétérogénéité des fonctions qui les caractérisent et l'impact de la participation qu'ils exigent sur les intérêts légitimes de chacun, ne peuvent avoir d'autre principe organisateur que le principe « à chacun selon ses moyens ». Quant à la répartition des avantages, saisis du point de vue des besoins fondamentaux, puisque ces derniers sont soit actuels, soit éventuels, il n'est d'autre avenue que le principe « à chacun selon ses besoins ».

Cette forme de justice, telle qu'elle est reconnue universellement, du moins dans les faits, s'enracine dans la condition humaine et s'étend au gré de l'évolution des sociétés au fur et à mesure que ces dernières mettent sur pied de nouveaux biens communs. Elle se construit dans le cadre du projet collectif dont elle est l'un des principes organisateurs, car un tel projet relève de l'agir et donc de l'éthique. Elle s'inscrit dans le mouvement du devenir de la société. Elle ne relève ni d'une volonté extérieure, comme Dieu, ni d'une volonté transcendante, comme l'impératif catégorique, dont elle serait un dérivé nécessaire, ni d'une loi naturelle qui en tracerait le contenu ; bref, elle ne repose pas sur une donnée antérieure et extérieure au projet collectif dont elle est une partie intégrante. Elle prend sa source dans la volonté commune engagée dans un projet collectif légitime. Son rôle est de garantir la légitimité du projet qui, elle, n'a d'autre critère que la légitimité des intérêts individuels en jeu.

La justice distributive doit être comprise dans le cadre propre à l'éthique et non dans celui des morales traditionnelles. Elle se rattache à l'agir en tant qu'engagé dans le devenir sociétal dont il reçoit sa finalité et ses directives. D'un point de vue éthique, l'agir est juste en raison de ses effets positifs sur le devenir de l'individu ou de la société, et non en raison de sa conformité à un principe transcendant, un impératif quelconque venu d'ailleurs.

Le cadre législatif formel tracé par des interdictions

Outre les institutions mentionnées sous le titre « biens communs », il est une autre catégorie d'intérêts communs qui réside dans les lois destinées à protéger chacun contre les activités nocives d'autrui. Ces lois s'avèrent un intérêt commun en ce sens que leur fonction consiste à garantir à tout un chacun la liberté de poursuivre ses intérêts individuels légitimes sans empêchement de la part d'autrui. Il faut distinguer ces lois de celles qui réglementent les rapports sociaux à l'intérieur d'un projet collectif ; en effet, ces dernières exigent de chacun une participation positive à l'instauration et au maintien d'un bien commun alors que les premières consistent surtout en une interdiction.

Ces lois, marquées du sceau de l'interdiction (ne pas tuer, ne pas voler, ne pas infliger de blessures corporelles, ne pas entamer la réputation d'autrui, etc.), ouvrent un espace protégé où chacun peut sans entrave vaquer à ses projets légitimes. Ce milieu préservé répond tout à fait à la notion d'intérêt commun ; il est nécessaire, se plie à des attentes universelles et s'accorde aux intérêts de chacun.

Les comportements qui intègrent ces interdictions sont dits justes en ce sens que leurs effets externes ne lèsent en aucune façon la liberté d'autrui, conformément au principe du droit tel que défini par Kant. Mais pourquoi faut-il adopter des comportements qui soient ajustés aux intérêts légitimes d'autrui ? D'un point de vue éthique, la réponse est relativement simple : parce que le devenir de l'individu en dépend. C'est une donnée élémentaire que les êtres humains ont le dangereux pouvoir de poursuivre leurs intérêts propres au détriment de ceux des autres et, s'ils ne renoncent pas à cette possibilité, il s'ensuit un état chaotique et conflictuel tout à fait inapproprié à l'actualisation de leur potentiel de base. Le devenir de l'être humain, qui consiste en l'actualisation de son pouvoir d'autodétermination, nécessite un espace protégé contre la malveillance d'autrui, lequel ne peut être établi que par des comportements sociaux qui soient justes.

Dans le présent cas, ces comportements sociaux justes ne peuvent être déterminés et mis en vigueur que par des accords de réciprocité en vertu desquels les individus s'engagent les uns vis-à-vis des autres non pas à construire ensemble quelque chose, comme dans le cas de la justice distributive, mais à s'abstenir de franchir les frontières tracées par les libertés de base de tout un chacun. Telle est la raison pour laquelle cette forme de justice se traduit par des interdictions.

Cette dernière forme de justice est dite élémentaire en ce sens qu'elle est sous-jacente aux autres espèces de justice. Ainsi, le principe de justice distributive « à chacun selon ses moyens » répond à la finalité suivante : constituer une forme de participation appropriée aux exigences d'un bien commun sans toutefois léser les libertés de base de l'un ou l'autre des participants. Imposer une forme d'impôt, qui aurait pour effet de rejeter une partie de la population en dessous du seuil de pauvreté, irait à l'encontre de la justice élémentaire.

Toutefois, à côté de cette perspective éthique, il est un autre point de vue préconisé, à l'heure actuelle, par le courant de pensée dit néo-libéral. Selon cette doctrine, la justice dérive du droit de propriété privée. Ce dernier, qui constituera l'objet d'une longue étude dans la deuxième partie de cet ouvrage, est présenté comme un droit naturel ou quasi naturel selon les auteurs. Un comportement est considéré juste ou injuste selon qu'il est conforme ou non au droit de propriété privée et non en raison de son impact sur le devenir propre aux humains. Le droit de propriété privée, à titre de norme, constituerait le critère ultime de la justice, alors que certains des effets nocifs qui découlent de sa mise en application seraient considérés simplement comme des maux inévitables. L'entrepreneur qui se prévaut de ce droit pour privilégier la rentabilité en regard de tout autre dessein est autorisé à réduire au chômage autant d'employés qu'il le désire sans pour autant commettre une injustice. L'éthique juge cette assertion indéfendable, car elle assume comme critère ultime de la justice non pas une norme universelle destinée à régler l'agir, mais l'impact de l'ensemble des effets, résultant de l'agir conforme à une règle, sur le devenir de l'individu. Le chômage compromet gravement le devenir de ceux qui le subissent ; aussi l'éthique le considère comme une injustice alors que le néo-libéralisme, en tant que doctrine privilégiant le droit de propriété privée, malgré les maux qu'il engendre, se contente de hausser les épaules et de répondre : et puis après ?

La doctrine néo-libérale s'appuie sur une perspective qui s'apparente à la morale et non à l'éthique. En effet, le dénominateur commun à la presque totalité des morales consiste à poser, comme règles ultimes de la conduite humaine, des normes déjà données, non construites, auxquelles on accorde la préséance sur les effets litigieux qui découlent de leur mise en pratique. Parmi ces normes déjà données et considérées comme absolues, il faut citer les impératifs catégoriques de Kant, les commandements issus de la volonté divine, les lois dites inscrites dans la nature, auxquelles on rattache le droit de propriété privée et le principe privilégié par l'utilitarisme, soit la plus grande somme de satisfactions en retombées sur l'ensemble d'une population. Ainsi, le mouvement pro-vie fonde sa prise de position sur l'avortement en jugeant qu'il est interdit d'interrompre le cours de la nature, quelles que soient les conséquences sur la mère et l'enfant. De même, les utilitaristes ne tiennent compte que de la croissance globale du bien-être sans préjuger de sa répartition, qui parfois tourne au détriment des plus démunis. Au contraire, dans une perspective éthique, les normes ne sont pas données mais construites principalement à partir de leurs effets prévisibles sur le devenir de l'individu.

Structure globale de l'État

Les activités libres qui mettent les humains en rapport les uns avec les autres se répartissent en deux groupes distincts, selon qu'elles tombent sous la responsabilité individuelle ou collective. Assurer sa subsistance par le travail, choisir son projet de vie, communiquer avec autrui pour acquérir ou parfaire ses connaissances ou encore pour échanger des biens matériels ou autres figurent parmi les activités dont l'individu est l'agent principal. En revanche, dresser un écran de protection qui empêche les individus de se nuire les uns aux autres, construire un réservoir de ressources humaines et matérielles indispensables à la vie humaine s'avèrent des projets qui relèvent de la liberté collective. L'ensemble des projets individuels forme le tissu du secteur privé, alors que l'ensemble des projets collectifs constitue celui du secteur public.

Le secteur privé

Toutefois, le secteur privé ne se définit pas uniquement par la matière dont il se compose, soit les projets individuels, mais aussi par un cadre formel, législatif, qui réglemente les rencontres, les croisements, les oppositions entre les projets individuels de façon à ce que les uns ne se développent pas au détriment des autres. Ce cadre législatif est un intérêt commun qui tire son efficacité de la force de l'État.

Du point de vue de sa genèse, l'État, sous sa forme primitive, a d'abord été institué comme force pour assurer l'observance des lois destinées à tracer des limites à l'exercice des libertés de base de chacun et définies par les accords de réciprocité en vue de substituer la paix à l'état de guerre. Sous cet angle, l'État n'a d'autre rôle que de garantir l'efficacité des décisions surgies des accords de réciprocité, et par conséquent de faire accéder au statut de droits les libertés externes postulées par les choix fondamentaux concernés.

En tant qu'agent principal de son devenir, pour actualiser son pouvoir d'autodétermination, l'individu doit mettre sur pied une foule de projets personnels destinés à couvrir les diverses sphères de développement postulées par les libertés de base. Ces dernières lui enjoignent de travailler pour vivre, d'orienter sa vie selon ses préférences, et de communiquer avec autrui, car ses propres desseins dépendent aussi en grande partie des projets personnels des autres. Ainsi, dans le cadre inévitable de la division du travail, vu les avantages incontestés qu'elle comporte, un individu ne peut choisir de se consacrer exclusivement à l'exercice d'un seul métier, l'agriculture par exemple, que si d'autres décident corrélativement de se livrer exclusivement à l'un ou l'autre des autres métiers nécessaires pour répondre aux besoins de l'être humain. Cette dépendance élémentaire des êtres humains les uns vis-à-vis des autres révèle le caractère indéniablement social de l'être humain : ses projets personnels sont liés aux projets individuels des autres. Assumée consciemment, cette dépendance se vit par la communication.

La matière de la sphère privée réside dans une multitude de projets individuels qui se réalisent les uns à travers les autres. Elle donne lieu à de nombreux échanges de biens et de services, telles les transactions purement économiques qui impliquent rigoureusement la bilatéralité, et aux multiples opérations communicatives, dont le déroulement est parfois unilatéral et par lesquelles des individus transmettent à d'autres leur savoir, leur expérience et leur habileté. Tous les projets actuels visant à l'acquisition d'un savoir, d'un savoir-faire ou d'un agir rectifié s'alimentent respectivement à des connaissances, des habiletés, et des expériences issues de projets mis sur pied par d'autres.

Cette matière comprend l'ensemble des projets individuels qui, en raison même de leur particularité, ne constituent pas un intérêt universalisable. Devenir écrivain, savant, riche, médecin, acteur, vedette sportive constituent certes des projets légitimes, mais ils ne peuvent en aucune façon engager la volonté collective, car en eux-mêmes ils demeurent des intérêts particuliers, non communs. Il serait déraisonnable que la collectivité mette sur pied un projet commun pour enrichir tel individu ou tel groupe restreint. Dès lors, de tels projets particuliers, puisqu'ils sont légitimes, n'ont d'autre choix que de se réaliser à travers les projets individuels des autres.

Les projets individuels, issus d'agents divers, sont susceptibles de s'ajuster les uns aux autres ou d'entrer en conflit. Puisqu'ils s'enracinent dans la volonté personnelle, ces projets sont ordonnés aux intérêts propres aux individus. Or, il arrive que les intérêts individuels des uns s'opposent à ceux des autres. Dans ce dernier cas, pour régler le litige, il importe que l'agir de chacun soit assujetti à des normes qui fixent les limites à ne pas franchir. Ces normes n'ont d'autre objectif que d'aménager un espace où les libertés de base de chacun, soit les libertés personnelle, de communication, et d'appropriation par le travail peuvent s'exercer sans nuire aux égales libertés des autres et ainsi répondre aux exigences de la justice élémentaire. Pourvu que ce cadre formel soit respecté, tous les ajustements possibles entre les divers projets individuels sont autorisés. Toutefois, il est nécessaire que ces ajustements soient volontaires de part et d'autre. Tout individu peut refuser un don, un échange, un engagement, une information, un conseil, un travail de préférence à un autre, une association particulière. Chacun n'est mû que par son intérêt propre et c'est dans la foulée de ce dernier qu'il accepte ou refuse. Ces ajustements ne reposent pas sur un savoir commun ou sur des motifs également partagés ; il suffit que l'un et l'autre y trouvent leur intérêt propre. En somme, parmi les accords autorisés, ne s'effectuent que ceux qui sont estimés avantageux par chacune des parties concernées.

Le droit formel

La justice élémentaire, qui préside aux ajustements caractéristiques du secteur privé lorsqu'elle s'appuie sur la force de l'État, accède au statut de droit, c'est-à-dire que les individus, dans la poursuite de leurs justes projets, peuvent désormais compter sur la force de l'État pour vaincre les résistances à leurs desseins en provenance d'autrui. Ce droit, pour autant qu'il consiste principalement en des interdictions, érige un enclos protégé à l'intérieur duquel les individus peuvent, sans empêchement, poursuivre leurs intérêts égoïstes en ajustant leurs projets à ceux des autres.

Les chartes existantes relatives aux droits de l'homme ou de la personne ne reconnaissent quasi exclusivement que les droits formels. Ainsi, parmi les droits mentionnés par la presque totalité des chartes, il faut citer les droits à la vie, à l'intégrité, à la sécurité, à la réputation, à l'association, à la propriété, à la liberté par opposition à l'esclavage, qui sont tous interprétés comme des droits formels qui obligent autrui à ne pas nuire à leur exercice. Dans la charte américaine figure le droit au travail ; mais, comme cette même charte n'oblige personne à fournir du travail à ceux qui n'en ont pas, il faut bien accorder à ce droit un sens purement formel, à savoir qu'il est interdit d'empêcher quelqu'un de travailler. Le seul droit, cité par quelques chartes, qui ne soit pas formel est le droit à l'éducation, qui a pour corrélat l'obligation collective de veiller à ce que tous aient les moyens de l'exercer.

Toutefois, la plupart des codes civils et criminels ne contiennent pas que des interdictions ; ils prescrivent aussi des actions positives, surtout à titre de compensations lorsqu'un individu a violé un droit formel d'autrui. Les victimes de vol, en vertu de la loi, sont investies du droit d'exiger une réparation de la part de l'auteur du méfait. Ce dernier droit est dit matériel en ce sens qu'il oblige le malfaiteur à réparer le tort causé en posant une action positive déterminée, soit en remettant l'équivalent de la somme volée, soit en purgeant une peine. Au fond, le droit matériel mentionné n'est que le prolongement ou, si l'on préfère, l'autre face du droit formel ; si l'interdiction est enfreinte, la victime a le droit d'exiger une réparation.

Nécessité du secteur privé

Puisque les individus sont à la fois les responsables et les agents de leur propre devenir et qu'en outre leurs projets particuliers dépendent des projets particuliers des autres, il s'ensuit la nécessité d'un espace où ils puissent sans entrave poursuivre leurs intérêts égoïstes légitimes. Ce constat, bien qu'il ait été déjà mentionné au cours de cet exposé, est ici évoqué sous un angle nouveau. En effet, la première partie du XXe siècle a été marquée par l'avènement d'un grand nombre de régimes dictatoriaux qui ont réduit à sa plus simple expression la sphère privée. Par exemple, les transactions économiques, qui occupent une grande partie du secteur privé, sont passées sous la juridiction des instances décisionnelles du secteur public, comme en témoignent les pratiques planificatrices en usage dans les pays de l'Est au cours de la période évoquée. Dans la mesure où chacun réalise son projet de vie selon les ressources matérielles et financières qu'il contrôle, si ces dernières échappent quasi totalement à son emprise, il s'ensuit un impact négatif sur l'exercice de sa liberté personnelle. Lorsque Gorbatchev préconisait le projet de transformer le régime politique russe en État de droit, il signifiait par là sa volonté de redonner au secteur privé l'autonomie nécessaire pour que les libertés de base, qui avaient été quasi étouffées sous la dictature, puissent reprendre de la vigueur.

Depuis Hegel, surtout, le secteur privé est souvent désigné par l'expression « société civile ». Cette dernière, bien qu'elle désigne l'ensemble des ajustements consentis par les individus dans le cadre de leurs divers droits à la vie, à l'intégrité, à l'association, est considérée surtout comme le lieu des opérations économiques régies par le droit de propriété privée. Cette perspective s'explique par l'importance prépondérante que le monde contemporain accorde aux activités se rapportant à la production des biens, à la prestation des services et aux échanges.

Le secteur public

Cependant, la sphère privée postule un secteur public à un double titre : d'abord, parce que seul ce dernier possède la structure requise pour lui fournir un cadre juridique ; ensuite, parce que les ajustements, effectués sous la poussée des seuls intérêts égoïstes, ne parviennent pas à satisfaire les besoins fondamentaux de tout un chacun. Ainsi, à l'heure actuelle, le secteur privé, malgré son cadre juridique, est impuissant à conjurer certains maux, comme le chômage, la pauvreté et la misère, qui compromettent gravement les libertés de base. Quelle est la liberté du chômeur qui, malgré tous ses efforts, ne trouve pas de travail ? Certes, il incombe d'abord à la responsabilité individuelle de chacun de pourvoir à sa subsistance, mais encore faut-il que le milieu externe se prête à son exercice. Comme le démontrent les faits, il arrive que le secteur privé ne remplisse pas les conditions de ce milieu.

Le secteur public comprend, au premier niveau, l'ensemble des institutions ou biens communs, y compris l'État lui-même, mis sur pied par la volonté collective ou politique, en vue de créer un milieu externe qui soit propice à l'éclosion des libertés fondamentales. En regard de cet objectif, le secteur public est investi d'un double mandat : entourer le secteur privé d'un cadre juridique et injecter dans le milieu externe des ressources humaines et matérielles, nécessaires à l'exercice des libertés fondamentales mais ne pouvant être fournies que par un effort collectif, comme le système d'éducation et les assurances sociales. À un second niveau, lorsque la volonté commune l'autorise, le secteur public incorpore des institutions qui, sans être explicitement rattachées aux libertés fondamentales, sont néanmoins susceptibles d'apporter des retombées avantageuses pour tous, comme les instituts de recherche de grande envergure, qui sont destinés à faire progresser la science ou encore les projets d'aide aux pays défavorisés.

Par ses traits spécifiques, le secteur public se distingue du secteur privé. Ses institutions sont toutes ordonnées à un intérêt commun, tandis que les accords propres au secteur privé n'ont d'autre finalité que les intérêts particuliers des agents concernés. Les principes qui président aux opérations relatives aux biens communs relèvent de la justice distributive, alors que ceux qui régissent les ententes caractéristiques du secteur privé dépendent de la justice élémentaire. Le droit qui régit les projets privés est purement formel, bien que les infractions à son égard donnent lieu à des sanctions qui se traduisent par des droits matériels pour les victimes. Le droit qui enchâsse les projets collectifs (sens strict) est matériel, son corrélat est une obligation d'agir et non de s'abstenir (payer ses impôts, par exemple).

Lien dialectique entre ces deux secteurs

À l'instar de son objet propre, l'intérêt commun, le secteur public tire sa raison d'être des intérêts individuels fondamentaux de tout un chacun ; il est ordonné soit à les protéger, soit à les promouvoir. Sa nécessité s'enracine dans la dimension sociale de l'être humain. Le devenir personnel de ce dernier dépend de la société, du milieu externe dans lequel il baigne. La dimension sociale des êtres humains ne se manifeste pas uniquement dans cette dépendance mais aussi dans ce pouvoir d'autodétermination collective dont la nature les a dotés et qui les rend responsables de l'aménagement de cette dépendance. L'existence même du secteur privé, dont la paix est une note distinctive, est conditionnée par celle du secteur public. D'un autre côté, le secteur privé limite la portée interventionniste de l'État. En effet, ce dernier n'est pas autorisé à prendre des mesures qui auraient pour effet de violer l'une ou l'autre des libertés fondamentales dévolues à chacun.

Position des néo-libéraux

Selon les néo-libéraux, toute forme d'impôt proportionnel ou progressif violerait le droit de propriété privée, car elle implique l'intrusion d'une volonté étrangère dans un domaine qui relève uniquement de la volonté de chacun. Tout d'abord, il faut noter que l'État n'est pas une volonté étrangère mais le représentant de la volonté commune à laquelle tous les citoyens participent. En second lieu, dans les États contemporains, les individus sont officiellement reconnus comme jouissant d'un double statut, celui de personne et celui de citoyen. Toutefois, il faut bien noter que c'est le même individu qui est à la fois personne responsable de son propre devenir et citoyen responsable, solidairement avec les autres, du devenir de la société. Cette double responsabilité, l'individu s'en acquitte en utilisant les ressources humaines « talent, savoir », et matérielles « avoir » dont il dispose en propre. En tant que membre d'une société, de participant à son devenir, dans une mesure déterminée par la volonté commune, l'individu, avec ses talents et son avoir, n'appartient pas qu'à lui-même, il appartient aussi à la société. Les décisions prises par la collectivité sont aussi les siennes.

En outre, il faut reconnaître que, dans une saine démocratie, le rapport entre les intérêts individuels et l'intérêt commun conflictuel ou non, est toujours pris en considération. Lorsque les membres d'une société, d'un commun accord, adoptent une législation relative à l'impôt, leur décision se prend en tenant compte de l'impact de la mesure promulguée sur l'avoir et le bien-être de chacun. La liberté personnelle et la liberté collective ne se déroulent pas sur deux lignes parallèles ; elles se déterminent consciemment l'une par l'autre, de telle sorte que la décision commune soit acceptable par chacun et ainsi compatible avec leur liberté personnelle. L'utilisation de l'être et de l'avoir de chacun, impliquée dans le projet collectif, est déterminée par une volonté commune qui s'est formée à partir d'une discussion où, tout considéré, chacun estime que cette utilisation n'empiète pas sur sa liberté de disposer à son gré de ce qui lui appartient en propre.

À travers ce consensus, les individus acceptent sciemment et volontairement, à l'intérieur du cadre défini par l'entente, de gérer, non pas seuls mais solidairement, une part de leur être et de leur avoir. Au fond, en vertu des accords de réciprocité qui déclenchent un projet collectif, les individus, tant selon leur être que selon leur avoir, au prorata des exigences du projet voulu, deviennent une propriété commune. Une propriété n'est rien d'autre qu'un être quelconque, dont un individu ou une collectivité peut légitimement disposer en fonction de ses projets. D'ailleurs, tout projet, quel qu'il soit, implique l'utilisation d'une propriété quelconque : connaissances, talents, richesses matérielles.

La propriété désigne une chose qui, pour une raison ou pour une autre, est assujettie à la volonté, c'est-à-dire que cette dernière détient le pouvoir d'en disposer. Elle est privée ou commune selon qu'elle se réfère à la volonté individuelle ou commune. Par des accords de réciprocité, les individus s'engagent à soumettre une part des ressources qu'ils détiennent à titre de propriété privée à une gestion collective. Ce transfert de juridiction respecte en tout point l'autonomie de la volonté. Lorsque cette appropriation commune est effectuée en vue de mettre sur pied un projet collectif nécessaire et légitime, la résistance d'un individu ou d'un groupe minoritaire, dans une démocratie où la volonté de la majorité tient lieu de la volonté commune, est nulle et non avenue en raison des effets néfastes qui s'ensuivraient si une minorité pouvait bloquer n'importe quel projet collectif. En effet, toutes les institutions, dites biens communs, y compris l'État lui-même, ne pourraient être mises sur pied, car l'unanimité, en l'occurrence, est de l'ordre de l'utopie. En outre, dans une telle hypothèse, un intérêt privé, tel que conçu par un individu, l'emporterait sur un intérêt estimé commun par la majorité.

Dernière mystification, les néo-libéraux appuient leur argumentation sur une interprétation de la nature humaine qui inclut le droit de propriété privée au titre de l'une de ses notes définissantes. Une telle assertion est aujourd'hui indéfendable, comme il sera démontré subséquemment dans le chapitre où figure une analyse du droit de propriété privée tel qu'en vigueur dans la plupart des sociétés contemporaines.

Pour l'instant, il importe de retenir que la plupart des États-sociétés figurant sur la carte du monde présent comprennent un secteur privé et un secteur public, ce dernier ayant pour composantes des biens communs tels que définis précédemment. Cette situation factuelle, bien qu'elle ne constitue pas un argument péremptoire, démontre néanmoins que les humains, jusqu'à ce jour, pour protéger et promouvoir leurs intérêts fondamentaux, n'ont trouvé d'autre moyen que d'instituer des biens communs : État, armée, système judiciaire et d'éducation, assurances sociales, etc.

Il est maintenant pertinent d'entreprendre une approche plus précise des lois qui commandent des comportement sociaux définis à titre d'intérêts communs ainsi que des droits subjectifs qu'elles génèrent. Cette étude s'impose d'autant plus que c'est par la médiation des lois issues des accords de réciprocité que les biens communs nécessaires sont institués et maintenus.

Les lois et les droits

Dworkin décrit ainsi le point de la loi, c'est-à-dire son élément incontournable :

> Notre discussion assume dans l'ensemble, du moins je le suggère, que le point le plus abstrait et le plus fondamental de la pratique légale consiste à guider et à contraindre le pouvoir du gouvernement de la manière suivante. La loi exige que la force (sociale) ne soit employée ou retenue, peu importent l'utilité escomptée, les avantages et la noblesse des fins visées, que si elle est permise ou requise par les droits individuels dérivant des décisions politiques passées déterminant quand l'emploi de la force est justifié[7].

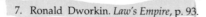

---

7. Ronald Dworkin. *Law's Empire*, p. 93.

Dans ce passage, Dworkin reconnaît que l'État est une force dont l'exercice est assujetti aux droits individuels déjà acquis. Selon ce texte, le point de la loi réside dans sa conformité à ces mêmes droits. Toutefois, ce paragraphe ne livre pas toute la pensée de Dworkin sur ce sujet. En effet, un autre de ses énoncés permet de clarifier son opinion :

> L'expression droit naturel n'exige rien de plus que l'hypothèse suivant laquelle le meilleur programme politique, selon la signification qui fait de lui un modèle, est celui qui assume la protection de certains choix individuels comme fondamentaux et, à proprement parler, non subordonnés à quelque but ou devoir, ou à quelque combinaison de ces derniers[8].

Ici, à l'expression « droits acquis », la formulation « choix fondamentaux » est substituée. Il n'y a pas d'équivalence entre les deux expressions : les droits acquis sont susceptibles de s'enraciner dans des lois valides ou purement factices, alors que les choix fondamentaux, antérieurs à toute loi, ne se prêtent pas à ce choix.

Dans le cadre du présent ouvrage, le point de la loi est ainsi défini : la responsabilité première qui incombe à l'État en tant que force régulatrice est d'implanter et de stabiliser, à travers ses lois, un milieu externe qui protège et promeut la réalisation des projets issus des choix fondamentaux (tels que circonscrits dans un chapitre antérieur). En résumé, le milieu externe, créé par la loi, est appelé à jouer un double rôle en regard des choix fondamentaux : protéger et promouvoir les projets qui en sont issus. Les lois promulguées par l'État remplissent leur finalité dans la mesure où elles ont pour effet de répondre à l'une ou l'autre des opérations mentionnées. La seule différence entre ce point de vue et celui de Dworkin réside en ce que ce dernier, du moins d'après ses écrits, semble assigner à l'État surtout le rôle de protecteur et reléguer au second plan, sinon l'ignorer, le mandat de promoteur qui, selon nous, est aussi requis pour assurer le devenir de l'individu.

---

8. Ronald Dworkin. *Taking rights seriously*, p. 127.

La positivité des lois

Les lois destinées à régler le comportement social sont dites positives en ce sens qu'elles sont posées, construites par les humains agissant de concert. Leur rôle consiste à commander ce qui est juste. Et le juste, selon Kant, est « un fait conforme au devoir ». Un fait est une action ou une abstention pour autant qu'elle corresponde à une obligation. Comme fait, le juste réside soit dans l'abstention d'un agir qui aurait eu pour effet externe de nuire à l'exercice de la liberté d'autrui, soit dans une action qui, par ses effets externes, n'entrave en aucune façon cette même liberté[9].

La difficulté que soulève cette dernière assertion est de déterminer les cas précis où une action est réellement nuisible et une abstention, réellement exigible. Aussi ceux qui sont investis du pouvoir de légiférer, avant de conférer un caractère obligatoire à un comportement social déterminé, doivent-ils explorer tous les effets connus et prévisibles sur la liberté d'autrui attachés à ce comportement. Dans une perspective proprement éthique, c'est en raison de ses effets sur le devenir humain qu'un comportement social est susceptible de figurer parmi les impératifs.

Une loi est dite juste dans la mesure où elle est compatible avec l'exercice des libertés de base de tout un chacun. Mais cette compatibilité n'est pas inscrite dans un modèle objectif à découvrir ; elle n'a d'autre point de référence que les attentes légitimes des individus concernés, c'est-à-dire les attentes que suscite en chacun la perception de ses libertés de base. Il appartient à la subjectivité de chacun de déterminer si oui ou non telle mesure sociale lui est ajustée. Tout ce qui est construit par les humains est mesuré par les attentes des concernés. Un artefact est efficace s'il a pour effet de répondre à la finalité que son auteur visait en le fabriquant, soit satisfaire tel besoin ; une loi est estimée juste si elle répond aux attentes universelles et légitimes des individus.

Toutefois, il subsiste ici une difficulté : comment reconnaître qu'une loi répond aux attentes légitimes de tous les individus concernés ? Selon Habermas, la solution est la suivante : lorsqu'elle est acceptable sans contrainte par tous les participants à la discussion

---

9. Emmanuel Kant. *Métaphysique des mœurs...*, p. 98.

qui débouche sur un accord relatif au contenu de la loi. Dès qu'une loi remplit cette dernière condition, elle est dite valide, c'est-à-dire que son contenu est susceptible de revêtir le statut d'impératif.

Une loi valide est présumée juste ; mais les termes « valide » et « juste » ne revêtent pas la même signification. Qui dit juste dit référence aux intérêts fondamentaux de tous les individus concernés ; qui dit valide dit référence à l'acceptabilité sans contrainte par l'ensemble des participants à la discussion. Cette dernière distinction donne lieu aux précisions suivantes. Par exemple, si, à l'occasion des activités parlementaires, les intérêts fondamentaux de tous les individus concernés sont adéquatement représentés, puisque l'acceptabilité sans contrainte se fonde sur la saisie de ces intérêts, la validité recouvre la justice. Par contre, si certains intérêts fondamentaux sont mal représentés, sinon ignorés, il est possible que la validité s'écarte de la justice. Lorsque l'intérêt commun est d'une évidence telle que tout individu peut le représenter, comme l'interdiction de tuer, de blesser, de violer la propriété d'autrui, il n'est pas nécessaire que les participants à la discussion soient spécialisés et nombreux. Aussi, dans un tel cas, la discussion couvre-t-elle et résoud-elle tous les aspects du problème que pose la justice, de telle sorte que la solution acceptée au terme de l'accord final est non seulement valide mais juste. Par contre, si l'intérêt commun est d'une grande complexité et difficile à cerner, comme les mesures fiscales, dont l'impact n'est pas le même sur les intérêts particuliers des diverses classes de la société, la discussion doit se dérouler entre des représentants spécialisés des multiples intérêts individuels en jeu. Si la représentation est inadéquate, si les participants à la discussion, regroupés en un tout, ne représentent pas tous les intérêts concernés, la solution adoptée pourra leur paraître acceptable sans contrainte et ainsi valide, mais pas nécessairement juste, puisque certains des intérêts en jeu n'auront pas été pris en considération. Il peut aussi arriver qu'une loi soit purement factice, c'est-à-dire que son observance soit garantie par la force de l'État, sans pour autant être valide. En effet, si le consensus à l'origine de la loi est obtenu au terme d'une discussion où l'activité stratégique l'emportait sur l'activité communicationnelle, il n'est pas libre de toute contrainte, et ainsi la solution sur laquelle il porte n'est pas valide.

Autrefois, de nombreux auteurs renommés établissaient une distinction entre loi positive et loi naturelle, cette dernière étant considérée comme déterminée par la nature elle-même et comme le fondement des lois positives. Cette distinction est encore retenue aujourd'hui par les tenants du néo-libéralisme. Le courant de pensée dans lequel se coule le présent ouvrage rejette ce point de vue, non sans apporter certaines nuances. Étant donnée la condition humaine, assimilable à une table rase sur laquelle rien n'est écrit, comme l'affirmait Aristote, les normes de conduite ne peuvent être déterminées que par les humains eux-mêmes. Toutefois, ces normes, pour être rationnelles, doivent se plier aux exigences incontournables de la condition humaine, qui non seulement rend l'homme responsable de son devenir mais aussi détermine que ce devenir réside dans l'actualisation du potentiel dont sa nature l'a pourvu à sa naissance. Quant aux modalités de cette actualisation, il appartient à l'homme de les poser. Parmi ces modalités figurent les lois. Les lois positives, bien qu'ayant pour auteurs les humains, n'en sont pas pour autant laissées à l'imagination et à la discrétion de ces derniers. Elles s'enracinent dans une donnée des plus exigeantes, la responsabilité qui incombe à l'homme d'assurer lui-même son devenir dont le tracé de fond lui est imposé par l'ontologie de sa propre liberté.

L'obligation qui dérive des lois positives est dite éthique et juridique, et non morale au sens traditionnel du terme. Je suis obligé d'obéir aux lois parce que mon devenir et celui de la société en dépendent, et non en vertu d'un assujettissement à une quelconque volonté extérieure à la mienne ; encore moins à une fiction comme la volonté pure transcendantale de Kant.

Division des droits

En imposant aux individus des comportements sociaux déterminés, les lois leur confèrent des droits et des obligations. Tel qu'on l'a déjà défini, le droit consiste en un pouvoir subjectif de contrainte, destiné à protéger ou à promouvoir un choix fondamental et appuyé sur la force de l'État.

En ce qui concerne leurs sujets ou leurs supports, les droits se répartissent en quatre catégories.

1) Les droits individuels au sens strict sont dévolus aux individus en tant que tels et ont pour objet de les protéger contre la malveillance d'autrui dans la poursuite de leurs projets personnels légitimes, comme le droit à la vie et à la propriété. Ils régissent ce qu'il est convenu d'appeler la sphère privée et dérivent de lois qui résident dans des interdictions.

2) Les droits sociaux sont accordés aux individus en tant que membres de la société, en tant que participants aux institutions qui sont des composantes de la société ; ils résident dans des créances vis-à-vis des représentants de la volonté commune, comme le droit à l'éducation et aux soins de santé. Ils dérivent de lois qui obligent le gouvernement à pourvoir les individus de biens et services qui sont indispensables à leur devenir personnel.

3) Les droits de l'État sont reconnus aux gouvernements qui représentent la volonté commune et qui sont par le fait même investis du pouvoir de légiférer et d'exécuter à l'intérieur du mandat qui leur est confié, comme instituer des biens communs et percevoir des impôts. Ce sont des créances des États vis-à-vis de leurs ressortissants.

4) Les droits collectifs n'ont d'autre sujet que les collectivités en tant que telles, les peuples, par exemple. Ainsi l'expression largement répandue « droit à la souveraineté » signifie tout simplement que certains peuples sont reconnus par les autres peuples comme autorisés à disposer d'eux-mêmes en tout ce qui concerne leur organisation sociale interne sur un territoire donné. La France, l'Angleterre, les États-Unis d'Amérique sont tout à fait autorisés à se donner l'organisation sociale de leur choix sans être tenus de rendre des comptes aux autres peuples, pourvu qu'ils n'empiètent pas sur le droit identique de ces derniers.

Cette division des droits appelle cependant quelques explications. Les droits individuels et les droits sociaux n'existent que par un droit réservé exclusivement à l'État, soit celui d'employer la force pour vaincre les résistances illégitimes. C'est sur ce droit étatique que s'appuient les autres droits, à tel point que le recours à la force de l'État entre dans leur définition. En second lieu, entre les droits strictement individuels et les droits sociaux, il existe un rapport de complémentarité : les premiers n'ont pour effet que d'affranchir les libertés de base de toute entrave à leur exercice, tandis que les seconds les alimentent en biens et services accessibles par la voie de la solidarité seulement. Enfin, il faut noter que les droits sociaux tels que nous les concevons aujourd'hui sont d'origine relativement récente. Au Canada, par exemple, les droits à l'éducation, aux soins de santé, à des compensations en cas de chômage et d'indigence datent de la deuxième moitié du vingtième siècle.

Droits formels et droits matériels

Cette distinction entre droits formels et droits matériels, largement répandue chez les auteurs, dans un contexte marqué par une offensive sans précédent du néo-libéralisme, mérite toute notre attention. Le droit formel est un droit qui encadre, qui trace le contour d'un espace où les libertés individuelles peuvent s'exercer sans se nuire les unes aux autres ; il dérive d'un réseau d'interdictions. Le droit matériel (à défaut d'un meilleur qualificatif), au contraire, réside dans des prescriptions qui enjoignent non de s'abstenir mais d'agir de telle ou de telle manière.

Les droits formels, avec l'envers matériel qui caractérise l'application des sanctions, sont les seuls qui soient reconnus par tous les courants de pensée sans exception. Toutefois, en tant qu'ils reposent sur des interdictions, ils sont souvent perçus comme l'expression pure et simple d'une conception étroite de la liberté, soit celle qui réduit cette dernière à l'absence d'empêchement de la part d'autrui. La solidarité naturelle qui appelle la coopération est reléguée dans l'ombre. Cette vision tronquée de la liberté est aujourd'hui présentée comme la seule valable par le néo-libéralisme.

Les droits matériels, reliés aux diverses institutions en lesquelles les États modernes se ramifient, malgré l'opposition doctrinale dont ils sont l'objet, occupent un large espace du contexte juridique contemporain, comme en témoignent les droits sociaux et les droits de l'État effectivement reconnus par la majorité des pays. Ces droits s'appuient sur la liberté comme pouvoir d'autodétermination, et non pas sur la liberté définie comme simple absence d'empêchements externes.

L'évolution des lois et des droits

Au fur et à mesure que la conscience humaine s'affine, la perception des intérêts communs devient plus claire et plus précise et, par voie de conséquence, les accords de réciprocité débouchent sur des impératifs qui, pour mieux cerner les exigences des choix fondamentaux, présentent une complexité sans cesse croissante. L'élément déclencheur de ces changements réside dans un malaise social saisi comme intolérable et remédiable, tandis que leur réalisation s'appuie, d'une part, sur des droits acquis ou sur des principes de justice déjà reconnus, d'autre part, sur une meilleure connaissance du rapport de causalité entre une loi projetée et ses effets prévisibles. Ainsi, dans le domaine des transactions commerciales et de la publicité ont surgi de nouvelles lois formelles destinées surtout à la protection des clients et des consommateurs. Mais c'est principalement dans le secteur public, avec l'avènement de l'État-providence, ainsi qualifié pour avoir hissé des assurances sociales au statut de lois matérielles, que les progrès les plus significatifs ont été réalisés.

La division des droits, telle qu'exposée ci-dessus, exprime une situation de fait aisément vérifiable. Ces droits sont effectivement reconnus par la majorité des gens et régissent l'ensemble de la vie sociale. Cependant, ils ne recouvrent pas tous les choix fondamentaux, et à ceux qu'ils protègent et alimentent, ils n'apportent pas toujours une garantie adéquate. Telle est la raison pour laquelle les codes civil et criminel sont sans cesse en cours de révision et d'amélioration.

Résumé de l'argumentation déployée dans la première partie du présent exposé

La première partie de cet ouvrage est destinée à fournir un instrument d'analyse qui permette de poser un diagnostic sur l'état des sociétés contemporaines les plus avancées. Aussi importe-t-il de retracer dans un résumé les grandes lignes de l'enchaînement argumentatif déployé au cours des pages précédentes.

La note spécifique de l'être humain réside dans sa liberté définie comme pouvoir d'autodétermination. Comme Aristote le mentionnait déjà, à sa naissance, l'être humain est comme une table rase sur laquelle rien n'est écrit (ni connaissances, ni habiletés, ni rectitude décisionnelle), mais il reçoit en héritage le pouvoir d'acquérir ces diverses perfections. Ce pouvoir d'acquisition s'actualise à travers trois opérations principales : le savoir ordonné à la saisie de la vérité ; le savoir-faire, qui débouche sur des arts et des techniques ; le vouloir ou le décider, qui enclenche toutes les formes d'actualisation.

S'autodéterminer signifie parfaire son potentiel, se configurer soi-même. Les connaissances, les habiletés, les rectitudes décisionnelles acquises ont pour effet d'élargir et de renforcir le potentiel conféré par la nature. Tout considéré, la liberté de l'homme mûr est plus grande que celle de l'enfant. Aussi est-il vrai d'affirmer que l'être humain est une liberté qui se construit, sans cesse en devenir. Lorsqu'un être humain veut faire le point sur sa vie, la question à se poser est la suivante : quel est mon pouvoir actuel d'autodétermination ? Dans les domaines du savoir, du faire et de l'agir, quelle est l'étendue de mes capacités ?

En conférant la liberté à l'être humain, la nature l'a par le fait même rendu responsable de son devenir. Cette responsabilité, l'être humain est appelé à l'assumer par sa volonté. Est-il obligé de l'assumer ? S'il ne l'assume pas, il demeure dans un état de stagnation, son potentiel s'étiole, ne s'actualise pas. Il est comme un oiseau qui ne prend jamais son envol. Le devenir de l'être humain dépend de sa propre volonté. Le vouloir par lequel chacun assume la responsabilité de son devenir n'est jamais posé une fois pour toutes, il doit être constamment renouvelé au rythme des défis qui se posent. C'est pourquoi, au cours d'une vie humaine, il existe des périodes fécondes où la liberté se développe, et d'autres, creuses, où elle vivote. L'obligation d'assumer cette responsabilité est dite éthique. Le point de départ de la démarche éthique réside dans la responsabilité qui incombe à l'être humain de veiller à son propre devenir. Le premier acte que commande l'éthique est d'accepter cette responsabilité, autrement, il n'y a pas de devenir possible.

On dit qu'un agent s'autodétermine lorsqu'il produit des déterminations qui ont pour effet de le parfaire lui-même. La fonction propre à la liberté est de produire, de faire devenir des choses. Un être en devenir sous la motion du vouloir et la direction du savoir est un projet. Exercer sa liberté et mettre des projets sur pied est identique. Un projet est un processus en marche qui se déroule en deux étapes principales : la conception et la réalisation ; ce qui nécessite le déploiement de la liberté dans toute sa diversité (agir, savoir et faire). La notion de projet clarifie et explicite celle de liberté en exercice. Cependant, tous les projets issus de la liberté n'ont pas le même impact sur le devenir de l'être humain : certains le propulsent, d'autres l'entravent. Comment discerner les projets à retenir de ceux à rejeter ?

La liberté n'existe pas à l'état pur, elle est l'attribut spécifique d'un être qui, pris dans sa totalité, comporte d'autres données ontologiques, corporelles, sociales et terrestres, qui doivent nécessairement être prises en considération dans la détermination des projets à poursuivre. Ces derniers doivent s'étayer sur certaines vérités de base, accessibles à tous, qui définissent l'être humain et qui constituent l'objet des choix fondamentaux, à l'origine des projets à poursuivre. Le devenir de l'être humain est celui d'une liberté enserrée dans un ensemble de données ontologiques qui lui impriment des marques et influent sur son exercice. Ces vérités de base et les choix qui en dérivent s'énoncent de la manière suivante :

1) À l'instar de tous les vivants, l'être humain tend à sa conservation et à son intégrité. Assumée par la liberté, cette tendance se manifeste par la volonté de vivre et de préserver son intégrité corporelle et psychique.

2) Doué de liberté, l'être humain est enclin à orienter sa vie comme il l'entend ; dans cette foulée il se choisit un projet de vie personnel sous lequel il englobe tous les autres projets qui tissent la trame de son existence, parmi lesquels figurent les liens associatifs particuliers qu'il noue avec autrui en vue de réaliser ses intérêts égoïstes. Cette tendance de l'individu à s'actualiser comme personne prend le nom de liberté personnelle.

3) En tant qu'êtres sociaux, les humains, d'une part, dépendent les uns des autres et ainsi sont appelés à vivre ensemble

à l'intérieur d'une société (cité) ; d'autre part, ils sont capables, en conjuguant leurs efforts, de constituer une volonté et une force communes de telle sorte que leur solidarité naturelle tourne à l'avantage de tous. Cette tendance à s'unir ainsi ne peut s'actualiser que par un choix collectif assumant ce qu'il est convenu d'appeler la liberté politique. Cette dernière doit être distinguée de la liberté d'association pure et simple, qui est aussi un élément de la liberté personnelle.

4) Tant dans la poursuite de leurs intérêts individuels que collectifs, les humains ont besoin de communiquer entre eux et ils en ont le pouvoir. Cette tendance a pour objet les connaissances vraies requises pour la conception et la mise sur pied des projets. C'est à travers leurs projets respectifs que les individus entrent en communication les uns avec les autres. La liberté de communication doit être jugée et traitée, à l'instar de toutes les formes de liberté, selon l'impact qu'elle exerce sur les projets des individus concernés. Elle ne doit pas être confondue avec la liberté d'expression et d'opinion telle que conçue par certains, soit comme une autorisation naturelle de dire tout ce qu'on pense, sans préjuger des effets de ses propos sur les projets d'autrui.

5) Les humains sont des êtres terrestres ; leur vie dépend de la planète sur laquelle ils vivent. Pour assurer leur devenir, ils doivent, par leur travail, s'approprier des ressources naturelles. La liberté d'appropriation par le travail est une donnée naturelle.

Ces choix fondamentaux, issus des libertés de base, enclenchent tous les projets constitutifs du devenir de l'être humain. Toutefois, ces projets ne sont réalisables que dans et par la société, soit un milieu externe qui les protège et les alimente. Mais un tel milieu externe n'est pas une donnée naturelle, il est à construire. Il n'est construisible que par la volonté commune, qui, elle-même, prend forme dans la foulée de la liberté politique. Cette volonté commune ne peut s'enraciner que dans des accords de réciprocité. Ces derniers se nouent autour d'un projet collectif.

Un projet collectif n'a d'autre fin qu'un intérêt commun, soit un intérêt qui englobe tous les intérêts individuels issus des choix fondamentaux. Les intérêts communs se rangent sous deux catégories principales : 1) les comportements sociaux régulés par des lois qui consistent en des interdictions visant à protéger les individus les uns contre les autres ; 2) les biens communs, soit les institutions qui, établies et maintenues par des comportements sociaux déterminés, ont pour objectif de préserver et d'alimenter les projets individuels légitimes de tout un chacun, comme l'État, les systèmes judiciaire et d'éducation.

Les accords de réciprocité se concluent par la voie de l'activité communicationnelle ou celle de l'activité stratégique. Il faut bien noter cependant que seule l'activité communicationnelle engendre un consensus authentique. Les accords de réciprocité constitutifs de la société, pour être stables, doivent être garantis par une force régulatrice qui s'impose à tous les citoyens : l'État ou le gouvernement. La fonction qui incombe à ce dernier est de faire accéder les choix fondamentaux au statut de droit ; ce qui n'est possible que si sa structure est démocratique.

Les lois, à l'origine des droits, pour remplir pleinement la finalité qui leur est assignée, doivent être justes, conformes aux choix fondamentaux, valides, acceptables par tous sans contrainte, et factices, garanties par le sceau de l'État. Quant aux droits, ils sont formels dans la mesure où ils ouvrent un espace protégé où chacun peut s'autodéterminer sans entrave de la part d'autrui, ou matériels s'ils ont pour corrélat chez autrui l'obligation de poser une action déterminée.

Les pratiques sociales gérées par l'État se répartissent en deux groupes distincts : le secteur privé, principalement régi par le droit formel, et le secteur public, réglementé par le droit matériel issu de la structure même des biens communs qui s'avèrent les composantes de l'État

Il est évident que l'argumentation précédente conduit à la nécessité de l'implantation d'un État démocratique, un État de droit qui seul répond à l'ensemble des attentes fondamentales de tous les citoyens en tant qu'institué par des accords de réciprocité conclus par la médiation de l'activité communicationnelle.

Conclusion de la première partie

L'argumentation déployée dans cette partie démontre, en s'appuyant sur les données qui définissent la condition humaine, que seules les démocraties respectent l'autonomie de la volonté et répondent aux attentes fondamentales des individus. Elle constitue un instrument d'analyse, une grille d'interprétation qui permet de poser un diagnostic sur l'état des sociétés actuelles. Déjà, au cours de son développement, en s'affirmant, elle autorisait des jugements sur les pratiques sociales contemporaines.

Ainsi, dans sa perspective, qui relève de l'ordre de l'éthique, elle projette un premier éclairage sur la structure des démocraties existantes. Ces dernières, tout en présentant des caractéristiques qui s'accordent aux exigences de la condition humaine saisie correctement, comme la reconnaissance de certains droits incontournables, formels ou sociaux et la mise en place des secteurs privé et public, suscite néanmoins des malaises justifiés dans la population. En effet, il est des attentes fondamentales auxquelles le milieu externe, mis en place par l'État, ne répond que d'une manière insuffisante. Parmi celles-ci, il en est deux qui retiennent l'attention : la volonté de travailler pour vivre et l'absence de toute forme de domination incompatible avec la liberté personnelle. Le milieu externe, créé par les démocraties contemporaines, en ne laissant d'autre choix à certains individus que de travailler pour d'autres et en les abandonnant à la discrétion de ces derniers, affecte à la fois leur liberté personnelle et leur liberté d'appropriation par le travail.

En pointant le malaise qui définit la crise que traversent les États actuels, soit le chômage persistant, l'instrument d'analyse développé pose en même temps les premiers jalons de la problématique qui va occuper la seconde partie de cet ouvrage. Mais cette grille d'interprétation, bien qu'elle s'avère le référent en dernière instance de tout jugement sur l'état des sociétés contemporaines, vu la complexité de ces dernières, postule le recours, selon la matière étudiée, à d'autres instruments d'analyse plus appropriés aux particularités conjoncturelles des démocraties marquées par l'économie capitaliste.

L'éthique et le monde contemporain

CHAPITRE 1

LA CONJONCTURE ACTUELLE

Lorsqu'on entreprend d'appliquer à l'étude du monde contemporain la grille éthique exposée dans les pages précédentes, on s'engage dans une voie obstruée par deux faits à première vue incontournables : la prédominance quasi absolue d'un droit de propriété privée élargi au point de reléguer dans l'ombre certains autres droits fondamentaux et la reconnaissance effective et universelle d'une règle de conduite qui s'est implantée dans les mœurs à l'insu de la volonté collective, soit la loi de l'offre et de la demande. Ce droit de propriété privée et cette règle de conduite qui lui est ajustée façonnent en grande partie la vie sociale dans la mesure où les activités économiques y occupent la plus grande place.

Une vision en survol de la situation mondiale révèle un tissu social, d'ordre économique surtout, qui s'étend au delà des frontières géographiques et politiques et dont les éléments constitutifs de base ne sont autres que les échanges et le profit. Le monde contemporain, malgré les différences et les oppositions persistantes des parties qui le composent, est en train de se transformer en un vaste et unique marché sous la pression d'une force des plus agressives, la recherche du profit. Ce mouvement, bien que son cours soit traversé par de nombreux remous, tels le chômage et l'accroissement de l'écart entre les riches et les pauvres, se justifie en affirmant, par la voie de ses idéologues, qu'il s'avère la voie la plus efficace vers la prospérité et qu'à longue échéance son courant éliminera les incidents fâcheux.

Les multiples statistiques compilées par divers organismes de recherche en vue de cerner les effets de cette politique en vigueur depuis plus d'un quart de siècle se traduisent, dans les grandes lignes, par les données suivantes. Au cours de cette période où le libre marché s'est progressivement élargi, une étude effectuée en France, dont la teneur est consignée dans un ouvrage intitulé *Déchiffrer les inégalités*, révèle le constat suivant :

> Une société de plus en plus riche, des pauvres de plus en plus nombreux : cette contradiction apparente s'explique aisément par une répartition de plus en plus inégale de la richesse nationale. En effet les historiens futurs de la société française de cette fin du 20e siècle pourront retenir, parmi ses caractéristiques, le retournement de la tendance pluridécennale, voire séculaire de réduction des inégalités qui l'a affectée[1].

Parmi les conséquences de cette situation factuelle, il faut retenir la crise contemporaine de l'emploi, qui s'avère d'une telle envergure qu'elle suscite des réflexions du genre : « allons-nous vers une société sans emploi ? », « nous dirigeons-nous vers une crise économique semblable à celle de 1929 ? »

Dans quelle mesure le renversement de cette tendance vers la réduction des inégalités est-il causé par des politiques qui puisent leur inspiration dans les principes issus de la théorie néo-libérale ? Y a-t-il un rapport de cause à effet entre l'abandon des mesures étatiques préconisées par Keynes, le retrait progressif de l'État des programmes sociaux, et l'avènement de la crise actuelle ? En somme, le retour graduel à un État minimal, tel qu'il s'effectue à l'heure actuelle, selon la logique défendue par les ténors du néo-libéralisme, Robert Nozick et Frédéric Hayek, est-il responsable de l'accentuation des inégalités ?

Le droit de propriété privée : son contenu, ses effets

Le droit de propriété privée, qui régit effectivement le secteur privé de la vie sociale, répond à la définition que lui confèrent les libéraux. Il consiste en la liberté de disposer à son gré, et d'une manière exclusive, de ce qui nous appartient en propre, sans autre limite que l'égal droit de propriété des autres.

---

1. Alain Bihr et Roland Pfefferkon. *Déchiffrer les inégalités*, Paris, Éditions Syros, 1995, p. 13-14.

Tel qu'il a déjà été souligné dans le chapitre précédent, à propos de Nozick, d'un point de vue sémantique, cette définition soulève de nombreux points d'interrogation, parmi lesquels il importe de retenir : l'identité posée entre la liberté et le droit, la réduction de l'appartenance selon l'être à celle de l'avoir, et enfin la mise sur un pied d'égalité du travail et de l'échange comme fondements de la propriété privée.

Cette opération, qui rassemble des réalités distinctes sous un même concept, n'est pas innocente. En réduisant le droit à la liberté pure et simple, puisque cette dernière est une donnée naturelle, le droit est désormais inné. D'autre part, en conférant une même signification à l'appartenance selon l'être et à celle selon l'avoir, on étend la portée du droit de propriété à toutes les possessions de l'être humain, quelles que soient leurs caractéristiques : corps, membres, organes, réputation, biens matériels et spirituels, etc. Par ce subterfuge, le droit de propriété privée rassemble sous son aile une foule d'autres droits que le langage courant reconnaît comme distincts (le droit à la vie, à l'intégrité, par exemple) et ainsi se présente comme le seul et unique droit.

Cependant, l'être et l'avoir présentent des caractéristiques distinctes dont il ne faut pas minimiser la portée. L'être est une donnée naturelle, susceptible d'améliorations produites par son possesseur, tandis que l'avoir, qui implique un rapport au monde extérieur, est toujours un acquis. Sous cet aspect, la propriété de son être est irréductible à celle de son avoir. L'enfant qui, dès sa naissance, reçoit une fortune en héritage ne tient pas ses richesses de sa nature mais de son milieu externe, en l'occurrence de ses parents. Un héritage est un acquis. En outre, ce qui appartient à un individu en vertu de son être s'avère indétachable, alors qu'il en va tout autrement pour l'avoir dont il est le détenteur. Pour éviter toute équivoque, il importe de noter que tout avoir est un acquis mais que tout acquis n'est pas un avoir. En effet, il est des perfections de l'être qui sont acquises comme le savoir et les habiletés.

La propriété de son être est une donnée naturelle, première et innée, mais il n'en est pas ainsi pour la propriété privée de son avoir. Cette dernière est acquise à travers un processus complexe qui intègre l'intervention humaine à titre de composante. Tout d'abord, elle est toujours prélevée sur le fonds d'une propriété commune ou d'une propriété privée antérieure. En effet, dès l'aube de leur histoire, les humains regroupés en clans, tribus ou sociétés primitives de diverses sortes se sont appropriés des territoires définis dont ils ont revendiqué la propriété commune à l'exclusion des autres groupes. En vertu d'un accord de réciprocité entre les divers regroupements, la terre fut divisée en territoires distincts gérés chacun par une société particulière. Par la pêche, la chasse ou l'agriculture, les membres de cette société pouvaient, en vue d'assurer leur subsistance, s'approprier privément une portion des richesses territoriales. Par contre, il leur était interdit de pêcher ou de chasser sur le territoire d'une autre communauté ; s'ils passaient outre, ils étaient considérés et traités comme des voleurs. De même, si quelqu'un possède un lot du territoire à titre privé, il est évident qu'il est le propriétaire privé des fruits qu'il retire de la culture de son lot.

En tant qu'être terrestre, l'être humain est naturellement dépendant de la nature externe. Ce rapport, il doit l'aménager. Les propriétés commune et privée s'avèrent deux formes d'aménagement de ce lien en regard des revendications concurrentes. La propriété, quelle qu'elle soit, n'a de sens que par rapport à autrui. Toute propriété selon l'avoir postule un comportement social en vertu duquel chacun est autorisé à gérer ce qui lui appartient en propre sans être ennuyé par autrui. La propriété est, d'une part, un rapport au monde extérieur, d'autre part, un rapport à autrui.

Les modalités d'acquisition de la propriété

La propriété commune d'un territoire s'acquiert par l'occupation suivie d'un acte de reconnaissance par autrui, soit un pacte par lequel les sociétés s'attribuent réciproquement une juridiction exclusive sur un territoire circonscrit. En quoi l'occupation est-elle un titre d'acquisition ? En tant qu'êtres terrestres, les humains ne peuvent vivre qu'en habitant un lieu d'où ils tirent les ressources nécessaires à l'entretien de leur vie biologique. Habiter un lieu ne signifie pas simplement être là ; c'est le plier à sa volonté, c'est l'inscrire dans ses projets. Pour un peuple, occuper un territoire veut dire en faire son corps externe, l'intégrer dans son devenir, bref, en revendiquer la propriété.

En ce qui concerne la propriété privée, elle est toujours prélevée sur une propriété antérieure, commune ou privée. Le mode premier et élémentaire d'un tel prélèvement est le travail. Ce dernier consiste en une dépense d'énergie humaine ; selon cette signification élémentaire, on le retrouve dans les expressions « travail intellectuel » et « travail manuel ». En effet, comme dépense d'énergie, il se retrouve aussi bien dans la recherche de la vérité que dans la transformation de la matière extérieure. Toutefois, dans le contexte du devenir humain auquel toutes les activités volontaires sont ordonnées, le travail, outre sa finalité interne, qui consiste en l'actualisation du potentiel cognitif et volitif de l'être humain, est investi d'un autre dessein, soit l'appropriation des biens matériels nécessaires pour subsister. Cette dernière est une condition *sine qua non* du devenir humain ; pour assurer sa vie biologique, l'être humain a besoin de nourriture, de vêtements, et de logement. En tant que responsable de sa vie biologique, il n'a d'autre choix que de travailler pour vivre.

En ajustant, par le travail, une matière extérieure à ses besoins, l'individu intègre cette matière dans son projet de vivre et lui confère une finalité. Comme Hegel l'a déjà souligné avec pertinence, il introduit sa volonté dans une matière et la fait sienne. Une propriété privée, dans ce contexte, n'est autre qu'une matière assujettie à la volonté de son possesseur en vertu de la transformation que ce dernier lui a fait subir[2].

Comment cette transformation conduit-elle à la propriété privée ? Vu sa dépendance naturelle aux ressources de la terre, l'être humain est autorisé à se les approprier dans le cadre de ses projets légitimes, en l'occurrence, assurer sa subsistance. Par le travail, il effectue cette appropriation. La propriété ainsi acquise est de soi indépendante du consentement des autres. La récolte, produit de mon travail sur une terre qui m'appartient, est sans contredit mienne.

Il va de soi qu'étant donné la condition humaine, le travail, pourvu qu'il s'exerce sur une matière que je possède déjà, à un titre commun ou privé, me rend propriétaire privé du produit dans lequel il s'achève. Cependant, la restriction, évoquée par le « pourvu que » n'est pas sans importance. Elle démontre que le travail, pur et simple,

---

2. G.W.F. Hegel. *Principes de la philosophie du droit*, traduction par Robert Derathé, Paris, Vrin, 1975, p. 103.

pris isolément, n'est pas le seul en cause dans la détermination de la propriété privée. Aussi faut-il apporter des réserves au raisonnement de Locke suivant lequel le travail est l'unique source de la propriété privée parce qu'il résulte exclusivement de la mise en œuvre de capacités subjectives qui appartiennent en propre au travailleur.

Le travail, sous sa forme élémentaire, consiste en l'ajustement d'une matière à la satisfaction d'un besoin particulier. Le travail producteur de valeurs d'usage s'inscrit dans un projet qui a pour finalité la satisfaction d'une attente ou d'un besoin. À l'intérieur de ce projet, la valeur d'usage produite ne figure que comme moyen. Par voie de conséquence, la propriété, acquise dans le cadre de ce projet primitif, étant donné son contenu, n'est pas une fin mais un moyen.

Pour bien comprendre la notion de propriété privée, à l'instar de toute notion attachée à la liberté, d'ailleurs, il faut la situer dans le cadre du projet où elle s'inscrit. En l'occurrence, elle tire sa signification primitive du profil de projet suivant : attente (besoin à satisfaire) ; travail producteur de valeurs d'usage ; propriété privée ; satisfaction des besoins. Dans la perspective de ce schème, la propriété privée apparaît comme la liberté de disposer à son gré et d'une manière exclusive, à titre de moyen, des valeurs d'usage acquises par son travail en vue de satisfaire ses besoins.

L'échange[3]

Outre le travail, la propriété privée est aussi acquise par la voie de l'échange. Ce dernier consiste en un rapport de réciprocité où chacun cède à autrui la propriété d'un bien qui lui appartient et acquiert en retour la propriété d'un bien détenu par autrui. Cette opération, en apparence des plus simples, se révèle néanmoins complexe. Jusqu'à ce jour, l'analyse la plus juste et la plus complète de la notion d'échange nous a été livrée par Marx. Aussi les lignes suivantes sont-elles largement inspirées de sa pensée.

L'examen de l'échange sous sa forme la plus simple, le troc, où deux valeurs d'usage distinctes sont mises en rapport l'une avec

---

3. Karl Marx. *Le Capital*, Livre I, Paris, Champs Flammarion, 1985, p. 41-68.

l'autre, livre les dessous les plus significatifs d'une telle opération. Dès la mise en place de la division du travail issue du fait que les individus ont jugé plus efficace de n'exercer qu'un seul métier, et par la suite de pratiquer l'échange, a surgi la difficulté suivante. Combien un habit vaut-il de paires de chaussures, ou de kilos de blé, ou de pierres taillées ? L'expression « combien vaut » se réduit à la signification suivante : « quelle est la valeur d'échange de », dans quelle proportion telle marchandise est-elle échangeable contre telle ou telle autre marchandise ?

Sous cette question point une intention : établir une égalité entre les marchandises de façon à ce que chacun reçoive l'équivalent de ce dont il se départit. Mais cette égalité, dans l'état actuel des connaissances, est impossible à déterminer, car il n'est point de dénominateur commun qui puisse servir d'étalon de mesure entre deux marchandises d'espèce différente. Les propriétés respectives du tissu, du bois, du blé, de la pierre, etc., ainsi que celles des divers travaux concrets qui les produisent (le tissage, la coupe et le polissage, l'agriculture, la taille, etc.), sont irréductibles à un dénominateur commun.

Marx a cru trouver un tel dénominateur commun dans le travail socialement nécessaire à la production d'une marchandise, soit une quantité moyenne de temps qu'un ouvrier d'habileté moyenne, avec les instruments de travail couramment utilisés, prendrait pour produire une marchandise donnée. Or, un tel dénominateur, de l'aveu même de Marx, vu la complexité des calculs qu'il exige, ne figure pas d'une manière explicite dans la détermination de la valeur d'échange. D'où l'interrogation : en l'absence de tout critère objectif universel et disponible, comment détermine-t-on la valeur d'échange des marchandises ?

Pour Marx, dans les transactions courantes, cette valeur est déterminée par les échangistes eux-mêmes, d'un commun accord, au moment même où l'échange s'effectue. Lorsque deux individus acceptent de transiger un habit pour deux paires de bottes, ils affirment par le fait même qu'un habit vaut deux paires de bottes et que les marchandises en question sont échangeables selon cette proportion. Il s'ensuit que la valeur d'échange est déterminée par le consensus de ceux qui effectuent la transaction. Certes, l'accord se noue à partir de considérations sur les propriétés respectives des valeurs d'usage et sur l'état de la conjoncture (abondance ou rareté), mais en dernière analyse le montant de leur valeur d'échange est fixé par un consensus.

La proportion, qui s'avère le trait caractéristique de la valeur d'échange, puisqu'elle est posée par un accord entre au moins deux volontés, n'est pas une réalité physique mais sociale. En d'autres mots, cette proportion n'est pas un rapport ontologique entre deux valeurs d'usage mais elle tire son entité et son existence de la manière selon laquelle les échangistes la considèrent et la traitent. Elle n'existe et n'est telle que pour les échangistes. Aussi Castoriadis avait-il raison d'affirmer que la marchandise en tant que telle est une réalité sociale.

Un autre trait important à noter est que la valeur d'échange d'une marchandise donnée ne se manifeste et n'est visible qu'à travers les propriétés de la valeur d'usage d'une autre marchandise. Ainsi, la valeur d'échange de l'habit n'est pas saisissable par l'examen du tissu dont il est confectionné et de sa coupe mais sous les propriétés visibles des souliers ou de toute autre valeur d'usage contre lesquelles il est échangeable. Dire qu'un habit vaut deux paires de souliers, c'est dans la même foulée affirmer que la valeur d'échange de l'habit s'exprime et se présente sous la forme visible de deux paires de souliers.

Aujourd'hui, la valeur d'échange s'exprime dans la monnaie, un équivalent universel, une chose, or, argent, ou papier, dont la valeur d'usage est précisément d'être échangeable contre n'importe quelle marchandise. Dire qu'une chemise vaut 50 dollars signifie que sa valeur d'échange est représentée par le pouvoir d'achat que procurent 50 dollars. Ainsi, les observations du paragraphe précédent ne sont en aucune façon infirmées par le fait que la monnaie est devenue l'expression même de la valeur d'échange de n'importe quelle marchandise.

L'adoption de la monnaie comme équivalent universel s'avère l'un des traits marquants de l'histoire de l'humanité ; c'est le point de départ de l'économie moderne. Cependant, pour bien saisir le sens de cet événement, il faut explorer les éléments constitutifs de la monnaie à titre d'équivalent universel. En effet, tout équivalent universel, quel qu'il soit, n'est et ne sera jamais qu'une réalité sociale. Ce n'est pas en vertu de ses propriétés physiques qu'une chose s'impose comme équivalent universel, mais parce qu'elle est considérée et traitée comme telle par les humains. La monnaie est devenue un équivalent universel à travers les pratiques sociales quotidiennes adoptées par les humains. L'usage de la monnaie comme moyen de circulation des marchandises s'est généralisé parce qu'il facilitait les échanges.

La propriété privée acquise par l'échange ne repose pas sur des données purement ontologiques, sur un rapport immédiat comme celui qui s'établit entre le travailleur et la nature externe qu'il transforme, mais sur un rapport médiatisé par une double réalité sociale, soit la valeur d'échange, posée par les échangistes, et l'équivalent universel qui sert d'expression à cette valeur d'échange.

Certes, toute propriété suppose la reconnaissance sociale, mais être reconnu comme propriétaire privé d'une chose parce qu'on en est l'auteur et être reconnu comme tel parce qu'on s'est conformé à un processus issu des comportements sociaux sont deux choses différentes. Le premier titre est pour ainsi dire naturel, ontologique, tandis que le second est historique et contingent. Les pratiques sociales se rangent sous cette dernière catégorie. L'échange est une pratique sociale, un processus complexe de circulation des marchandises, assujetti à l'éthique en vertu de son impact sur la liberté de toutes les parties concernées. S'il a pour effet d'accroître la propriété privée des uns au détriment de celle des autres, il est inacceptable.

À défaut de tout critère objectif qui permette d'établir un rapport d'égalité indéniable entre les valeurs respectives des marchandises, la justice de l'échange repose sur la qualité du consensus à l'instar de toute entente contractuelle. Un consensus est dit de qualité lorsqu'il s'appuie sur les connaissances disponibles relatives aux effets prévisibles de l'accord et sur un acquiescement sans contrainte. Il va de soi que le consensus est susceptible de varier selon l'état des connaissances et la mise à jour de contraintes auparavant inconscientes. Quelle est la légitimité des fortunes acquises à travers des publicités trompeuses et des monopoles ?

Parmi les titres à la propriété privée, l'être, le travail, et l'échange, ce dernier est le seul, vu sa complexité, soit le nombre et la diversité des éléments qui figurent en lui, dont la légitimité doit être démontrée et qui par le fait même doit présenter ses lettres de créance. En d'autres mots, les fortunes acquises à travers les transactions commerciales ne peuvent revendiquer le titre de propriété privée que si les nombreux échanges dont elles sont le résultat ont été effectués dans le respect de la liberté de toutes les parties concernées. Aussi, parmi les multiples empires financiers contemporains, si l'on considère les conclusions des nombreuses études sur leur histoire et leur origine, en est-il peu dont les titres de propriété privée ne soient marqués d'un doute fondé.

La liberté, pour chacun, de disposer de ce qui lui appartient en propre n'est pas une liberté distincte des autres libertés de base ; elle s'avère un élément constitutif de chacune d'elles. La liberté n'est autre que le pouvoir de s'autodéterminer, c'est-à-dire d'acquérir par ses propres ressources les déterminations constitutives de son devenir. Il est donc évident que toute forme de liberté inclut le pouvoir et l'autorisation de disposer de ses propres ressources, aptitudes, connaissances, habiletés, avoirs, en vue de réaliser les projets spécifiques dont elle est l'instigatrice. La liberté personnelle, qui consiste en le pouvoir de choisir et de réaliser sa destinée individuelle, inclut la liberté de gérer les ressources variées que l'on possède à titre de propriété, en fonction de ce projet déterminé. De même, la liberté d'appropriation des biens matériels s'actualise à travers l'utilisation de son savoir-faire et des instruments que l'on possède.

En résumé, prise dans sa totalité, toute forme de liberté comprend deux pouvoirs distincts : celui de choisir et de réaliser un projet particulier ; celui de disposer, dans le cadre du projet visé, de ses propres ressources. Ces deux pouvoirs ne sont pas détachables l'un de l'autre, car la conception et l'exécution d'un projet dépendent des ressources disponibles. De cette analyse ressort le trait suivant : à l'intérieur de la notion globale de liberté le pouvoir de disposer de ses propres ressources figure à titre de moyen en regard du pouvoir de décider. En tant que moyen, le pouvoir de disposer reçoit son sens et sa portée du projet dans lequel il s'intègre ; il tire sa légitimité de ce dernier. Il est inacceptable d'utiliser ses propres ressources à l'intérieur d'un projet qui va à l'encontre des intérêts légitimes d'autrui. Vendre des armes à des individus qui poursuivent une fin évidemment injuste constitue une injustice.

Encastrée à l'intérieur de chacune des libertés de base, la liberté de disposer de ses biens propres n'est qu'une partie d'un tout, qu'un moyen, non une fin. Contrairement aux autres libertés de base dont l'actualisation est la finalité d'un projet, son actualisation n'est pas recherchée pour elle-même. Lorsqu'elle accède au statut de droit, elle conserve les mêmes caractéristiques.

Aujourd'hui, selon une interprétation largement répandue bien que controversée, le droit de propriété privée est considéré et traité non seulement comme une totalité mais aussi comme une règle absolue, à la manière d'un impératif catégorique. À travers une opinion qui s'est formée au cours de l'histoire, il est apparu comme le droit premier qui préside à l'ensemble des activités économiques. Détaché des autres droits fondamentaux dont il est pourtant un élément, le droit de propriété privée se présente désormais comme le droit de gérer à sa guise ses biens propres sans autre limite que l'égal droit de propriété privée des autres. Certes, dans la mesure où ce droit m'enjoint de ne pas violer la propriété des autres, il respecte indirectement leurs droits à la vie, à l'appropriation, dans la mesure où ces derniers s'exercent par la médiation de la propriété privée. Mais il peut arriver que des droits fondamentaux, tels ceux mentionnés, ne soient pas protégés par le bouclier de la propriété privée nécessaire à leur exercice. Dans un tel cas, ces droits fondamentaux ne sont pas un rempart contre l'exercice du droit de propriété privée des autres. Lorsque des entrepreneurs, pour des raisons de rentabilité pure et simple, congédient 1 000 ouvriers et ainsi affectent gravement ces derniers en ce qui concerne leur liberté d'appropriation des biens nécessaires à la subsistance, ils ne sont pas tenus responsables, en vertu de leur droit de propriété privée, du tort qu'ils causent aux ouvriers. En effet, les emplois n'appartiennent pas à ces derniers mais aux entrepreneurs, les ouvriers n'en étant que les occupants.

Dans cette perspective consolidée par les pratiques économiques courantes, le droit de propriété privée, tel que conçu par les néo-libéraux, jouit d'une priorité sur les autres droits fondamentaux, en ce sens que même s'il exerce un impact dévastateur sur l'exercice de ces derniers, il plaide non coupable.

Ce plaidoyer de non-culpabilité, entériné par les pratiques économiques contemporaines, suscite néanmoins une problématique importante : comment la société en est-elle venue à reconnaître officiellement, à travers ses lois, que le droit de propriété privée des uns l'emporte sur le droit à la subsistance des autres ? La réponse ne se situe pas à un point de vue théorique où par une argumentation rationnelle on essaie de définir l'équilibre à établir entre les droits respectifs des individus, mais sur le plan de l'histoire des sociétés à travers laquelle ces dernières se sont progressivement acheminées jusqu'à leur état actuel. L'une des principales étapes de ce déroulement réside dans l'institution du salariat.

La reconnaissance du salariat, par lequel des individus s'engageaient à travailler pour d'autres moyennant une somme de monnaie, parce que, dans la conjoncture, c'était la seule façon d'assurer leur subsistance, consacrait une nouvelle forme de domination. En effet, désormais, le droit à la subsistance des uns dépendait du droit de propriété privée des autres qui, détenteurs des emplois, pouvaient les octroyer à qui ils voulaient. Cette pratique sociale s'est généralisée sans concertation sous la poussée des circonstances et s'est implantée à un point tel qu'aujourd'hui, pour la majorité des gens, travailler signifie occuper un emploi.

Devenue un élément de la structure sociale, cette pratique, qui, sur le plan concret, ne présente quasi aucune issuee, tombe sous la responsabilité de l'État, chargé de veiller à résoudre les conflits juridiques, du moins à en atténuer les effets les plus dévastateurs. Nombre d'États contemporains, en adoptant des lois sur les conventions collectives et sur l'assurance-chômage, ont démontré qu'ils s'estimaient autorisés à intervenir dans ce domaine.

Sur quoi se fonde cette autorisation invoquée par les États ? Le mandat des gouvernements est d'établir un milieu externe qui protège et promeut les choix fondamentaux issus des libertés de base. Si, au lieu de répondre à cette finalité, le milieu externe la contrecarre, les gouvernements sont autorisés à intervenir. Lorsque les néo-libéraux affirment que le droit de propriété privée n'a d'autre limite que l'égal droit de propriété privée des autres, ils lui attribuent une note définissante qui, d'une part, tire son origine d'une pratique sociale historique, le salariat, et qui, d'autre part, est incompatible avec l'équilibre requis entre les droits fondamentaux en vertu duquel aucun droit ne peut se développer au détriment des autres. Dans la mesure où la juridiction des gouvernements s'étend à toutes les pratiques sociales ayant un impact sur l'exercice des droits fondamentaux, rien n'empêche les États soit de les supprimer, soit de les modifier de manière à ce que leur impact avantage tous ceux qu'elles concernent. Certes, dans la présente conjoncture, la pratique du salariat est incontournable, mais il ne s'ensuit pas que la forme de domination incluse en elle ne puisse être affaiblie par des initiatives étatiques.

Tel qu'en vigueur actuellement, le droit de propriété privée comporte les traits suivants :

1) il isole et ne retient qu'un aspect de la liberté, soit le pouvoir d'utiliser ses propres moyens sans mentionner que ce pouvoir s'inscrit à titre de moyen dans un processus finalisé par l'acquisition de déterminations constitutives du devenir de l'être humain ;

2) il assume et intègre dans son contenu une donnée purement historique, manifeste dans la pratique du salariat, à savoir que le droit de propriété privée des uns n'a d'autre limite que l'égal droit de propriété privée des autres ;

3) il soustrait à la responsabilité éthique une portion substantielle des effets prévisibles nocifs causés par l'exercice du droit de propriété privée, soit tous ceux qui affectent les droits autres que celui de propriété privée.

Il s'ensuit que le droit de propriété privée, tel qu'en vigueur actuellement à travers ses ramifications dans les codes civil et criminel, devient sujet à révision. Certes, le noyau du droit de propriété privée est une donnée naturelle ; aussi sa reconnaissance est-elle indiscutable. En effet, une part importante du projet de vie de l'être humain ne peut se réaliser que par les moyens dont il dispose en propre ; l'autre relève des projets collectifs. Quant aux données historiques greffées sur ce noyau naturel au fil du temps, il appartient aux sociétés de les évaluer et de les modifier s'il y a lieu. En outre, en ce qui concerne les faits, le droit de propriété privée n'est pas le seul qui revendique la prérogative de disposer de l'être et de l'avoir des individus ; en effet, ces derniers, sous un certain angle, dans le cadre d'un projet sociétal, sont aussi gérés par ce que l'on convient d'appeler « le droit de propriété commune ».

Le droit de propriété commune

Fondements

Liberté collective ou politique

Tel que déjà démontré, la liberté, pour chacun, de disposer de ce qui lui appartient en propre n'est pas une liberté spécifique mais un élément commun à toutes les formes de liberté individuelle. S'autodéterminer veut dire acquérir des déterminations en utilisant ses propres ressources. L'autodétermination collective n'échappe pas à cette donnée. Les ressources propres à une communauté en tant que telle sont dites « propriété commune ». La libre disposition de cette propriété commune est une note définissante de la liberté collective ou politique. Toutes les formes de liberté, sans exception, ne s'actualisent que par l'utilisation de ressources disponibles en tant que propriété.

La propriété commune, existence

Que l'existence d'une propriété commune soit universellement reconnue est un fait indéniable. Tous les peuples se reconnaissent mutuellement la propriété d'un territoire circonscrit avec ses richesses naturelles. Les citoyens d'une même contrée considèrent et traitent les institutions gouvernementales, le parlement, l'armée, les organismes judiciaires, les services palliatifs, etc., comme leur appartenant en tant que collectivité. Mais comment les ressources humaines et matérielles, incluses dans un bien commun, accèdent-elles au statut de propriété commune ? Qui dit être social dit être appartenant à une société. Participer à, être membre de, c'est appartenir à un tout et donc être un élément constitutif de ce tout par la fonction qu'on y exerce, l'avoir qu'on lui apporte, et les avantages qu'on en retire. Il n'est pas vrai que mes connaissances, mes habiletés, mes richesses matérielles n'appartiennent qu'à moi seul. Dans le cadre et la mesure des engagements par lesquels je m'intègre à la société, elles appartiennent aussi à cette dernière. Devenir citoyen d'un pays signifie accepter de participer aux projets collectifs qui constituent ce dernier. En quoi consiste cette participation si ce n'est, dans le cadre des exigences issues des projets collectifs en cours dans cette société et selon les termes de l'entente qui s'est achevée dans mon adhésion, de mettre, à la disposition de ceux qui sont chargés, au nom de tous, de veiller à la mise sur pied de ces projets, une portion de mes ressources ? La propriété commune, attachée aux institutions gouvernementales, s'alimente aux ressources déjà possédées par les individus et sous cet aspect présuppose la propriété privée. Il n'en est pas ainsi pour la propriété territoriale.

Les différences et les ressemblances entre les propriétés privée et commune s'expriment dans le parallèle suivant. La propriété individuelle est double : d'un côté, elle embrasse tout ce qui appartient aux humains en raison de leur liberté et de leur corporéité ; de l'autre, elle comprend tout ce qui est légitimement acquis sous forme d'avoir. De même, la propriété commune est double : d'une part, elle réfère aux conditions externes qui font partie de l'être biologique, terrestre, des humains, soit l'ensemble des ressources environnementales indispensables à la vie, l'air, l'eau, la terre, etc. ; d'autre part, elle comprend les institutions mises sur pied par la collectivité elle-même, tels les biens communs, l'armée, l'appareil judiciaire, les infrastructures matérielles, etc.

Gestion de la propriété commune

Élément de soi inscrit dans la liberté politique ou collective, la gestion de la propriété commune est une responsabilité qui incombe à la collectivité prise comme un tout. Elle entre en jeu dans la mise sur pied des projets collectifs. En ce qui a trait aux faits, elle est exercée par les représentants autorisés de la volonté commune, à l'intérieur d'une authentique démocratie. Dans cette perspective, les membres d'une société sont, d'une part, gestionnaires des biens communs en tant que propriétaires ; d'autre part, ils sont assujettis à leur propre gestion en tant qu'éléments de cette propriété commune.

Droit et liberté de gestion

Il ne faut pas confondre droit et liberté ; le droit est une liberté dont l'exercice est protégé par la force de l'État. La liberté de gestion, privée ou collective, n'accède au statut de droit que si l'État assume la responsabilité d'en couvrir l'exercice par l'utilisation de la force même de la société. Les droits de gestion, relatifs aux propriétés privée et commune, sont aujourd'hui explicitement reconnus par la presque totalité des États. Le droit de propriété privée se ramifie à travers les codes civil et criminel et régit l'ensemble des activités regroupées dans le secteur privé. Quant au droit de propriété commune, il se manifeste surtout par les sanctions attachées, entre autres, aux législations relatives aux impôts et aux prestations de services assurées aux citoyens par l'État.

Controverses à propos de ces droits de propriété

Le droit de propriété commune, bien qu'il soit effectivement reconnu et utilisé par la presque totalité des États, est néanmoins, sur la scène du monde contemporain, l'objet de controverses à la fois théoriques et pratiques dont il importe au plus haut point de cerner l'enjeu.

Les libéraux rejettent carrément l'existence d'un véritable droit de propriété commune ; pour eux, il n'existe que des droits individuels qui, en dernière analyse, se rassemblent sous le droit de propriété privée. Ils ne reconnaissent pas la liberté politique ou collective comme une note définissante de l'être humain au même titre que la liberté personnelle. Ils préconisent une vision étriquée de la dimension sociale de l'être humain ; ils réduisent celle-ci à la nécessité des échanges en mettant de côté toute forme d'association fondée sur la solidarité et administrée par une volonté commune.

Il est évident que la vision libérale du monde est la contrepartie de la conception présentée dans la première partie de cet ouvrage. Je n'ai pas l'intention de confronter point par point ces argumentations opposées, mais plutôt de les mettre en présence l'une de l'autre sur le terrain des conséquences factuelles ou prévisibles résultant respectivement de chacune d'elles sur le devenir de l'individu et de la société.

Selon les libéraux, les rapports qui tissent la vie sociale sont tous réductibles à des échanges. Sans doute, ils sont contraints d'admettre que, dans la conjoncture actuelle, les rapports entre les

États et leurs sujets ne se laissent pas circonscrire par la seule notion d'échange. Pour eux, il s'agit là d'une anomalie. Dans son ouvrage *Anarchy, State and Utopia*, Robert Nozick tente de démontrer la possibilité d'un État qui serait fondé sur les seules normes de l'échange. Le scénario qu'il imagine met en présence les acteurs suivants : d'un côté, les compagnies privées qui offrent des services de protection des droits individuels, de l'autre, les clients éventuels. Les agences de protection des droits seraient assimilables aux compagnies d'assurances contre les incendies. Ce scénario, en vertu du jeu de la concurrence, conduirait au monopole absolu de l'agence de protection la plus performante. L'État ne serait rien d'autre que cette agence de protection et n'aurait d'autre mandat que de protéger les droits individuels.

Si cette hypothèse se concrétisait, qu'arriverait-il ? Ayant le statut de compagnie privée, l'État se comporterait vis-à-vis de ses sujets comme un vendeur vis-à-vis de ses clients. Le droit au service de protection de l'État s'obtiendrait par un paiement ; c'est pourquoi, à la rigueur, selon la logique libérale, les individus trop pauvres pour s'acquitter de la facture n'auraient pas droit à la protection de l'État, tout comme les individus incapables de payer leur prime d'assurance contre les incendies ne jouissent d'aucune protection en cas de sinistre. Dans la foulée de ce raisonnement, Hayek affirme que les riches qui, en vertu des lois fiscales, paient des impôts plus élevés, ont droit à une protection plus étendue de la part de l'État.

En outre, si l'État lui-même revêt le statut de compagnie privée, à plus forte raison, les services d'éducation et de santé sont voués à fonctionner comme des entreprises privées. Il s'ensuit que tous les biens, sans exception, nécessaires ou contingents, ne peuvent être acquis autrement que par des échanges qui sont effectués au prorata du pouvoir d'achat de chacun. En dernière analyse, ce qui donne droit à un service de protection nécessaire, quel qu'il soit, c'est l'achat. Dès lors, ceux qui sont dépourvus de tout pouvoir d'achat, et ils sont aujourd'hui en nombre croissant, ne jouissent d'aucun droit de protection.

Pour respecter la susceptibilité des libéraux, qui confondent droit et liberté, au mot droit, ponctuellement, nous substituerons l'expression « titre à ». Puisque les libertés de base ne peuvent s'actualiser que moyennant un service de protection, tous ceux qui ne disposent pas du pouvoir d'achat requis pour détenir un titre à la protection sont par le fait même condamnés à laisser leur pouvoir d'autodétermination en friche. En outre, les services de protection, s'ils ne sont accessibles que par l'échange, ne seront jamais à la disposition de tout un chacun et donc n'atteindront jamais l'universalité que postulent les attentes légitimes des citoyens vis-à-vis de leur société.

La faiblesse majeure d'une société fondée exclusivement sur l'échange est qu'elle réduit toute l'organisation sociale et ses multiples ramifications au statut de marchandise. Par le fait même, le noyau autour duquel s'articulent les rapports sociaux est la valeur d'échange ; les transactions n'ont lieu que s'il y a entente sur le prix. Désormais, la réalité incontournable qui conditionne tous les rapports sociaux, dont dépend le devenir de l'individu et celui de la société est la valeur d'échange monnayable. C'est pourquoi l'État purement libéral, à l'instar de toutes les compagnies privées, ne mettra sur pied que les services de protection qui correspondent au prix que les clients solvables sont prêts à verser. En d'autres mots, le facteur décisif de la mise sur pied des services de protection, ce ne sont pas les attentes légitimes et fondamentales des individus mais le prix que ces derniers sont prêts à payer pour implanter un milieu externe qui leur permette de les réaliser.

Dans cette optique, la valeur d'échange jouit effectivement d'un statut privilégié en ce sens qu'elle conditionne inéluctablement la prise de possession de tous les moyens utiles ou nécessaires à la réalisation de soi dont l'acquisition n'est possible que par la voie de l'échange. La satisfaction des besoins fondamentaux devient dépendante du pouvoir d'achat qui, du point de vue des faits, s'avère le seul moyen d'accès aux biens même nécessaires. En somme, la société libérale, au lieu d'ajuster l'organisation sociale à la satisfaction des besoins fondamentaux, assujettit ces derniers à un tissu social dont les échanges s'avèrent l'élément exclusif et immuable. En consacrant l'échange comme le seul moyen de transfert des propriétés, la société libérale se condamne, du moins dans l'état des connaissances actuelles, à ne jamais satisfaire les besoins fondamentaux de tout un chacun. En effet, pour atteindre cette universalité, il faudrait que tous les membres d'une société donnée disposent du pouvoir d'achat requis pour se procurer les biens nécessaires que requiert la satisfaction des besoins fondamentaux. En d'autres mots, il faudrait éliminer la pauvreté.

Une société fondée exclusivement sur les échanges peut-elle éliminer la pauvreté ? Pour échanger, il faut d'abord disposer d'un pouvoir d'achat minimal. Tout au long de l'histoire, y compris la conjoncture actuelle, et dans tous les pays, une portion notable de la population s'est vue privée, en partie ou en totalité, de l'accès à un pouvoir d'achat minimal. Cet état de fait est attribuable à un certain nombre de contingences qui se répètent dans le temps et l'espace. Parmi ces contingences, il faut citer, entre autres, les déficiences physiques et mentales, l'appartenance à une famille pauvre et donc à la classe des démunis, vivre dans un pays où il existe peu de ressources naturelles. Or, l'acquisition du premier pouvoir d'achat s'effectue soit par la donation, si on est issu d'une famille riche, soit par le travail, si on dispose des habiletés requises. En ce qui concerne le travail, il arrive souvent que son exercice, en raison de facteurs internes, comme les infirmités, ou externes, comme une organisation sociale déficiente, soit si fortement entravé qu'il ne puisse constituer un moyen efficace d'acquérir un pouvoir d'achat minimal. Il s'ensuit qu'une société purement échangiste, dans l'état actuel du monde, ne peut en aucune façon assurer à tous l'accès à un revenu minimum décent. En vertu même de sa structure, dans le cadre du monde contemporain, elle exclut tous les individus dépourvus de pouvoir d'achat.

Voie de l'échange et voie de la solidarité

Heureusement, il n'existe pas, du moins pas encore, de société fondée exclusivement sur les échanges dont la seule règle réside dans le droit de propriété privée, tel que défini par les libéraux. Tous les pays, outre un secteur privé, comportent un secteur public dont le tissu ne consiste pas en des échanges, mais en des rapports fondés sur la solidarité et régis par les normes de la justice distributive attachées au droit de propriété commune. Les principes « à chacun selon ses moyens », « à chacun selon ses besoins » expriment les modalités de gestion qui conviennent à la propriété commune.

Dans le présent contexte, l'expression « rapports fondés sur la solidarité » désigne les rapports qui se nouent entre les individus à travers un accord de réciprocité où les individus s'engagent à se fondre dans un vouloir commun, à unir leurs efforts en vue de mettre sur pied un intérêt commun, une institution, et à gérer ce bien ensemble selon les modalités qui s'imposent.

Selon Dworkin, ce sont les rapports fondés sur la solidarité, et non les rapports d'échange, qui sont les éléments constitutifs du véritable tissu social ; c'est pourquoi, selon lui, une société fondée uniquement sur les échanges ne remplit pas les conditions d'une vraie société[4].

Néanmoins, malgré les faits cités et leur corroboration par un courant de pensée dont l'autorité s'impose de plus en plus, il importe de considérer les présentes revendications du mouvement néo-libéral à l'intérieur d'un débat contemporain où les tenants de cette opinion tentent d'apporter une solution de leur crû, non sans quelque succès.

Que les sociétés contemporaines intègrent un secteur privé et un secteur public est un fait. Le problème qui se pose, en l'occurrence, est la détermination de leurs frontières respectives en ce qui regarde certains intérêts qui, jusqu'à l'avènement de l'État-providence, tombaient sous la juridiction du secteur privé. Ces biens, dont personne ne peut se passer, vu qu'ils sont l'objet de l'un ou l'autre des choix fondamentaux, figurent sous les genres suivants : soins de santé, allocations de chômage, biens de subsistance en cas d'invalidité. Certes, en tant que premier responsable de son propre devenir, il revient à l'individu de se procurer ces biens par ses propres ressources. Mais si, pour une raison ou pour une autre, des individus défavorisés ne parviennent pas à s'approprier les biens nécessaires à leur survie, qu'arrive-t-il ? Personne, en tant qu'individu, n'est obligé de subvenir aux besoins des autres, si ce n'est dans des cas tout à fait ponctuels et exceptionnels. Par exemple, lorsque survient un accident grave, il est évident que les personnes présentes sur les lieux sont tenues de porter secours aux blessés. Dans une conjoncture aussi circonscrite, l'obligation repose sur le lien naturel de dépendance qui existe entre tous les humains. En l'occurrence, dans

---

4. Ronald Dworkin. *Law's Empire*, p. 199-201.

la mesure où le sort des blessés repose entre les seules mains des personnes présentes, ces dernières n'ont d'autre choix que d'intervenir. Ici, ce qui tend les ressorts du lien de dépendance, ce sont les circonstances qui font remonter à la surface la responsabilité qu'entraîne la dépendance. L'entraide qui se déploie entre les individus lors d'un sinistre, d'une inondation, d'un tremblement de terre, etc., est une autre manifestation de ce lien de dépendance.

Cependant, la façon la plus usuelle de tendre les ressorts du lien naturel de dépendance suppose les accords de réciprocité issus de la liberté politique ou collective par lesquels les individus s'engagent à une forme définie d'entraide. Selon Dworkin, de tels accords de réciprocité sont autorisés dans la mesure où ils respectent les choix fondamentaux de tout un chacun, à plus forte raison s'il s'agit de rendre universelle la satisfaction d'un besoin premier.

Les libéraux refusent ce principe, car pour eux la propriété commune, nécessaire à la réalisation des projets collectifs, s'alimente à la propriété privée et donc postule le consentement des propriétaires privés. Mais que faut-il entendre par consentement dans le cadre d'un projet collectif ? Aucune démocratie ne serait viable si elle devait reposer sur l'unanimité. Adhérer à une démocratie signifie adhérer aux décisions de la majorité. Les insatisfaits n'ont d'autre choix que d'émigrer dans un autre pays.

Par rapport à cet argument, les libéraux font appel, en affirmant que le droit de propriété privée jouit d'une priorité absolue sur le droit de propriété commune, et donc qu'aucun transfert de fonds ne peut être effectué sans le consentement explicite et ponctuel de chacun des individus concernés, comme cela se produit dans les échanges. Tout d'abord, un tel argument, dans le cadre des constitutions étatiques existantes, conduit à un désordre inqualifiable : le gouvernement devrait négocier le taux de l'impôt avec chacun de ses sujets en désaccord avec lui. Ensuite, la priorité du droit de propriété privée, loin d'être démontrée, va à l'encontre du lien de dépendance réciproque existant entre les diverses libertés de base, surtout entre les libertés personnelle et collective, qui ne peuvent s'exercer l'une sans l'autre. En effet, les projets individuels ne peuvent être menés à terme sans la protection et l'aide fournies par les projets collectifs et ces derniers puisent leurs ressources à même l'avoir acquis par les projets privés. Les libertés personnelle et collective sont aussi nécessaires l'une que l'autre.

Mais comment les libéraux en viennent-ils à établir la priorité du droit de propriété privée ? Pour eux, la liberté ne suppose pas le pouvoir de se donner des déterminations par ses propres forces, mais simplement le pouvoir d'utiliser à son gré les forces dont on dispose. Au lieu de considérer la liberté d'abord et avant tout comme le pouvoir de choisir et d'acquérir des déterminations, ils la font consister principalement en un pouvoir de disposer de ses propres forces. La définition complète de la liberté implique trois pouvoirs : choisir, acquérir et disposer. Le pouvoir de disposer de ses ressources propres tire son sens et sa finalité des choix ou projets à réaliser. Les libéraux rejettent ces derniers propos. Selon eux, la liberté de disposer de ses propres ressources est une fin en soi, non un moyen ; elle est recherchée pour elle-même et non en fonction du devenir de l'être humain.

Ainsi affublée du titre de fin, elle est considérée et traitée par les libéraux comme une valeur en soi, comme une règle absolue, sans autre limite que l'égale liberté des autres. Repliée sur elle-même, la liberté de disposer de ses biens propres devient le trait distinctif de l'être humain : être libre veut dire pouvoir faire ce qu'on veut avec ce qu'on possède, sans interférence de la part d'autrui. Dans cette perspective, la liberté de disposer est indifférente au contenu et aux effets des projets dans lesquels elle est engagée, pourvu qu'ils soient légitimes. C'est pourquoi le droit de propriété privée est dit formel en ce sens qu'il réside principalement dans une autorisation qui ouvre un espace à une multitude de projets en tenant compte uniquement de l'égal droit de propriété privée des autres. Ce droit est insensible au contenu, aux effets, et à la qualité des projets qu'il autorise.

En isolant la liberté de disposer du donné naturel dont elle n'est qu'un élément, soit la liberté personnelle qui consiste en un élan vers le devenir de son choix, en lui conférant une certaine indépendance et un statut privilégié, les libéraux font d'elle une condition *sine qua non* qui trouve sa justification en elle-même et non dans les projets issus des choix fondamentaux.

Dès lors, le droit de propriété privée, qui protège la liberté de disposer de ses biens propres, tire sa priorité non d'une donnée naturelle mais d'une opération abstractive dont le produit revêt le statut de réalité purement sociale. En effet, l'indépendance et la priorité accordées au droit de propriété privée n'ont d'autre réalité que celle que lui confèrent la considération et le traitement d'une majorité d'individus.

Pour autant qu'elle soit posée et maintenue dans l'être par une pratique sociale, la priorité accordée au droit de propriété privée est contingente et non immuable. Elle est susceptible d'être battue en brèche par d'autres pratiques sociales. Ainsi, la pratique de l'impôt progressif s'avère une dénégation factuelle de la priorité accordée au droit de propriété privée par les libéraux. Au fond, resitué dans son contexte naturel, le droit de propriété privée ne confère pas un pouvoir absolu sur les choses que l'on possède en propre, mais un pouvoir tributaire de la légitimité des projets autorisés par les libertés de base.

Son sens et sa portée véritables, le droit de propriété privée les tire de son impact global sur le devenir de l'individu et celui de la société. La mise en œuvre des ressources dont on dispose figure parmi les étapes incontournables de tout projet, quel qu'il soit, privé ou collectif. Les ressources propres à un individu, lorsqu'elles s'intègrent à un projet collectif, deviennent propriété commune au prorata des exigences de ce dernier. En général, dans le monde contemporain, ce transfert s'opère par la voie de l'impôt. En dernière analyse, la justification de l'impôt repose sur le lien dialectique entre le devenir de l'individu et celui de la société, tel qu'esquissé par Marx, explicité par Habermas et corroboré par les faits. La propriété des biens est privée ou commune selon les postulats de la dialectique effective entre le devenir de l'individu et celui de la société. Cette perspective, où la propriété est replacée dans son véritable contexte, efface toutes les objections relatives à la perception des impôts.

Cependant, le jeu dialectique entre le devenir de l'individu et celui de la société obéit à un double facteur : celui de la nécessité, inscrite dans tout rapport de causalité, et celui de la contingence, soit l'intervention des décisions humaines. Il appartient à ces dernières, d'après leur connaissance de l'état conjoncturel de la dynamique entre ces deux formes de devenir, de donner le coup de barre qui confère à ce jeu les modalités les plus avantageuses pour tous les individus concernés.

Il va de soi que cette tâche incombe à la liberté politique, car elle seule possède tous les atouts, connaissances, pouvoir, ressources, nécessaires pour imprimer au processus une orientation consciente. Il s'ensuit que seul le pouvoir politique est en mesure de décider si oui ou non les soins de santé, par exemple, doivent relever du secteur privé ou public. Si une collectivité inscrit l'universalité des soins de santé, postulés par un choix fondamental, dans son projet de société, elle ne contrevient à aucune règle de justice, car il s'agit là d'un véritable intérêt commun.

Nozick ne partage pas cet avis. La raison de son refus réside dans le fait qu'il conçoit les rapports entre l'État et ses sujets comme de purs échanges sous l'égide du droit de propriété privée. Sa farouche opposition à l'impôt progressif sourd de cette opinion. En effet, il ne voit pas comment l'État vendeur pourrait exiger de ses clients un prix différent pour un même service. Il ne peut se résoudre à reconnaître que les sociétés, depuis l'aube de l'histoire, se sont formées non par la voie des échanges, mais par celle de la solidarité qui se caractérise par le droit de propriété commune et les normes de la justice distributive.

Le fonctionnement actuel des sociétés avec leurs secteurs privé et public et la reconnaissance des vérités de base relatives aux dimensions sociale et politique de la liberté humaine autorisent, sans l'ombre d'un doute, les représentants de la volonté commune à décider, surtout lorsqu'il s'agit d'un véritable intérêt commun comme l'universalisation de l'accès aux soins de santé, à mettre sur pied les projets collectifs nécessaires à la réalisation de cet objectif.

Cependant, il y a lieu de se demander quelles sont les racines de la responsabilité qui incombe à l'État dans un tel cas. Le Canada s'est doté d'un régime universel d'assurance-maladie alors que les États-Unis s'y refusent. De même que la liberté personnelle s'actualise à travers les projets de vie individuels privilégiés, la liberté politique s'exprime à travers les projets de société. Dans un régime démocratique, c'est la volonté générale qui détermine le genre de société à mettre sur pied. Les Américains ont préféré se donner l'armée la plus sophistiquée au monde et se priver d'un régime universel de santé. Les Canadiens ont opté pour ce dernier. Il est évident que ces divers choix de société sont légitimes dans la mesure où ils ne vont pas à l'encontre des choix fondamentaux. À l'intérieur du cadre tracé par les choix fondamentaux, il y a place pour une pléthore de projets individuels ou collectifs ; le choix de l'un ou de l'autre relève de la liberté concernée. La responsabilité de l'État, en l'occurrence, est déterminée par le mandat que lui confie la volonté générale. Assurer l'universalité des soins de santé est une priorité pour les Canadiens ; pas pour les Américains.

La nécessité de la société est une donnée de la nature, mais la structure de cette société est toujours une construction humaine collective. Dès lors, d'un côté, il n'est aucune donnée naturelle ou volonté extérieure qui oblige une société à garantir à ses sujets l'universalité d'accès aux soins de santé ; mais, d'un autre côté, rien n'empêche une société d'assumer, par la voie de la solidarité, la responsabilité d'une telle garantie. En tant que collectivité, nous sommes les maîtres de la structure sociale dans laquelle nous voulons vivre.

En résumé, lorsque certains biens nécessaires, susceptibles d'être acquis indifféremment par la voie de l'échange ou celle de la solidarité, ne peuvent être assurés à tous que par un projet collectif, il revient à la collectivité de décider quelle voie il faut emprunter dans les circonstances. En d'autres mots, dans un tel cas, il appartient à la liberté politique de trancher le débat et de déterminer si l'acquisition de ces biens relève du secteur privé ou du secteur public, ou encore d'un régime mixte.

Cependant, l'analyse précédente, pour mieux cerner la complexité du monde contemporain, doit être affinée par un examen approfondi de la forme particulière que revêt le droit de propriété privée dans un univers capitaliste à l'étape de la mondialisation des marchés.

CHAPITRE 2

LE DROIT DE PROPRIÉTÉ PRIVÉE ET LE CAPITAL

Parmi les nombreux choix qu'autorise le droit de propriété privée, tel que défini par les libéraux, il en est un dont l'impact est aujourd'hui si considérable qu'il imprime à la société actuelle ses traits dominants : la transformation de l'argent en capital. Lorsque la liberté de disposer de son argent se fixe dans la décision d'investir, elle entraîne des conséquences dont la portée doit être soigneusement mesurée.

Investir signifie acheter un procès de production en vue d'accroître son pouvoir d'achat, c'est-à-dire en vue d'augmenter son avoir monétaire, les sommes d'argent dont on est le propriétaire attitré. Celui qui investit 100 000 $ dans une entreprise le fait pour en retirer 110 000 $.

Un procès de production consiste en la mise en œuvre d'un certain nombre de valeurs d'usage à titre de moyens de production, de matières premières, d'outils, de machines, de force de travail, d'ateliers, en vue de produire de nouvelles valeurs d'usage. Cependant, le procès de production, axé sur la valeur d'usage, n'est qu'un moment du cycle du capital qui, lui, est axé sur la valeur d'échange.

Le capital est un mouvement, un ensemble d'opérations : achat des moyens de production, production de valeurs d'usage, vente des nouveaux produits à un prix total supérieur au montant des investissements. En dernière analyse, ce sont les échanges qui constituent ses moments déterminants ; la phase de production n'est qu'un tremplin grâce auquel l'argent investi acquiert la puissance de s'accroître. En effet, les nouvelles valeurs d'usage produites sont susceptibles d'être vendues à un prix global qui dépasse la somme d'argent investie. Puisque l'argent est l'alpha et l'oméga du cycle du capital, il s'ensuit que ce dernier est principalement axé sur la valeur d'échange. C'est pourquoi le cycle du capital est désigné comme un procès de valorisation, un mouvement au cours duquel la valeur d'échange s'accroît[1].

Comment la valeur d'échange s'accroît-elle au cours du cycle du capital ? Tel qu'il a déjà été démontré, la valeur d'échange est toujours déterminée par les échangistes eux-mêmes au moment de la transaction. Or, la transformation des matières premières effectuée au cours du procès de travail s'achève dans une nouvelle valeur d'usage. Cette dernière, soumise aux aléas de l'offre et de la demande, est susceptible d'être évaluée à un prix qui dépasse son coût de production.

Ce dernier énoncé s'éloigne de la position de Marx. En effet, pour ce dernier, la valeur d'échange d'une marchandise est fixée par le nombre d'heures de travail socialement nécessaires pour sa fabrication. Cette solution est inacceptable pour plusieurs raisons. Tout d'abord, elle ne tient compte que d'un seul des nombreux facteurs pris en considération par les échangistes lorsque d'un commun accord ils déterminent le montant de la valeur d'échange d'une marchandise. Outre le travail, les échangistes prennent aussi en considération les qualités naturelles des matières premières, leur utilité, leur rareté, etc. En second lieu, le nombre d'heures de travail incorporées dans une marchandises est pratiquement impossible à calculer. Enfin, la loi de la valeur-travail, qui infléchirait le jugement des échangistes à la manière d'un poids invisible, est indémontrable et ne résiste pas à l'analyse. D'un autre côté, la loi de l'offre et de la demande, en tant que modalité présidant à la fixation des prix au moment de l'échange, jouit d'une visibilité reconnue tant par les économistes que par les échangistes eux-mêmes.

Ainsi, l'accroissement de la valeur d'échange au cours du cycle du capital est attribuable à deux facteurs conjugués : la production de nouvelles valeurs d'usage et la loi de l'offre et de la demande.

---

1. Karl Marx. *Le Capital*, p. 115-121.

Dans la perspective exposée ci-dessus, le capital se définit comme une valeur d'échange qui, incorporée dans un procès particulier, possède la propriété de s'accroître. Sous la forme d'un investissement, l'argent acquiert la propriété d'augmenter son volume. À l'heure actuelle, le cycle du capital entraîne dans son mouvement la presque totalité des activités économiques : production, transactions commerciales, bancaires, et boursières. Il s'ensuit que le système économique en vigueur, par sa structure même, à travers ses nombreuses ramifications, n'a d'autre finalité que l'enrichissement des investisseurs. Suivant l'opinion populaire, l'argent mène le monde. Cet énoncé appelle des précisions. L'argent exerce cette hégémonie non pas en tant que moyen de circulation mais en tant que capital, comme moyen d'enrichissement.

Il importe maintenant d'examiner plus en détail le trait saillant du cycle du capital ainsi que les particularités de chacune de ses principales phases.

La valeur d'échange sous la forme de capital

La valeur d'échange apparaît d'abord comme une réalité sociale qui rend une chose échangeable. Cependant, tout en conservant cette caractéristique fondamentale, sous l'impact d'un nouveau comportement social, différent de celui qui l'a posée dans l'être, elle revêt une nouvelle dimension, elle devient un investissement. Un investissement est une valeur d'échange, une somme d'argent qui, intégrée dans un processus d'échange et de production, acquiert la propriété de s'accroître. La valeur d'échange reçoit cette dernière dimension d'un comportement social spécifique, qualifié de capitaliste. Un individu est dit capitaliste dans la mesure où il prend l'initiative d'inscrire une somme d'argent dans un projet qui est destiné à lui rapporter des profits. La poursuite d'un tel projet nécessite un comportement social particulier où il y a lieu de discerner plusieurs moments.

Au point de départ, tout capitaliste, quel qu'il soit, n'a d'autre volonté que d'accroître son avoir. Au fil des expériences multipliées s'est dégagé un processus, un projet-cadre dont l'efficacité en regard de l'objectif visé s'impose aujourd'hui au monde entier. Dès lors, pour augmenter leur avoir, les entrepreneurs n'ont d'autre choix que d'assumer ce projet cadre. En quoi consiste ce projet cadre ?

La rentabilité

À titre de projet, toute entreprise capitaliste reçoit sa finalité du vouloir de ses supports, en l'occurrence ses promoteurs. Or, ces derniers n'ont d'autre objectif que d'accroître leur fortune personnelle. Il s'ensuit que le projet capitaliste, tout au long de son parcours, se déroule sous la pression de la recherche du profit, c'est-à-dire de la rentabilité. Tout d'abord, à l'intérieur des grandes entreprises, toutes les transactions ponctuelles, comme l'achat de la force de travail et des matières premières ainsi que la vente du produit final, subissent la loi de la rentabilité : la première, pour autant qu'elle figure dans les coûts de production qui, à cause de la concurrence, doivent être réduits au minimum ; la seconde, en tant que phase déterminant, en dernière analyse, la quantité de surplus. Dès lors, tous ceux qui, à un titre ou à un autre, investisseurs, travailleurs, fournisseurs, clients, sont intégrés à une entreprise capitaliste sont engagés dans un processus global finalisé par la rentabilité. Puisque les entreprises capitalistes, petites, moyennes et grandes couvrent la presque totalité de la production des biens et services, il s'ensuit que l'ensemble de l'économie est assujetti aux lois du profit.

Les grandes phases du projet

Selon un lieu commun, tel qu'il se présente à nos yeux, une fois rassemblées les sommes d'argent nécessaires à son amorce, le projet capitaliste se déroule en trois phases identifiables : 1) l'achat des locaux, des instruments, des matières premières et de la force de travail ; 2) la production d'une nouvelle marchandise par le travail ; 3) la vente des objets fabriqués. Les phases 1 et 3, en tant que simples échanges, portent sur la valeur d'échange qui toutefois, vu son intégration dans un processus capitaliste, sera déterminée principalement sous l'angle de sa participation à la rentabilité visée.

Certes, la valeur d'échange sera fixée selon le jeu de l'offre et de la demande, mais ce dernier, à l'intérieur du projet en question, est toujours dominé par la volonté de s'enrichir propre aux investisseurs. En effet, ces derniers rejetteront toute transaction qui aurait pour effet ultime, selon leurs prévisions, d'annuler leur marge de profit, comme des salaires trop élevés ou un prix de vente trop bas. Quant à la phase 2, elle concerne la valeur d'usage, mais dans la mesure où cette dernière, par sa quantité et sa qualité, est susceptible de susciter une demande solvable qui aurait pour effet de rentabiliser l'investissement initial. Bref, tout le processus n'obéit qu'à une finalité : accroître les valeurs d'échange investies ; la satisfaction des besoins est reléguée au second plan.

À l'intérieur de la phase 1, il importe d'examiner les répercussions sur la vie de l'ouvrier du contrat qui relie ce dernier à son employeur. Ici l'employeur est le représentant du capital et à ce titre il est la volonté de ce dernier ; aussi toutes ses initiatives sont-elles tendues vers un seul but, maximiser les profits. Par contre, avec son emploi, le salarié est principalement motivé par la recherche de sa subsistance et de son bien-être propres. Il s'ensuit une contradiction entre les intérêts poursuivis par l'un et par l'autre. En effet, les salaires font partie des coûts de production et la maximisation des profits postule la plus grande réduction possible des coûts de production. Dans cet affrontement, le capital est en position de force. En effet, il n'engage des ouvriers que dans la mesure où la participation de ces derniers est rentable, et cette condition est déterminante. Selon la logique capitaliste aujourd'hui prévalente, la rentabilité n'est pas un simple prétexte, elle est une donnée incontournable ; aussi est-il fréquent qu'elle entraîne des congédiements massifs et des déménagements d'un lieu de fabrication à un autre, et ce malgré la détérioration du niveau de vie des victimes affectées par ces décisions.

Au fond, dans la foulée de la logique capitaliste, le salarié est effectivement réduit à l'état de marchandise. Son pouvoir de négociation est proportionnel à sa rentabilité. S'il ne répond plus aux attentes du capital, il est écarté au même titre qu'une machine devenue désuète. Certes, dans son mouvement, le capital crée de nouveaux emplois, mais les titulaires de ces derniers sont embauchés pour des raisons identiques à celles qui président au renouvellement de l'outillage : leur rentabilité. Aussi, dans cette perspective, les nouveaux postes, la plupart du temps, ne sont-ils pas occupés par les ouvriers congédiés, car ces derniers ne détiennent pas la compétence requise, la valeur marchande pour les exercer correctement. Au cours du mouvement qui constitue son essence même, le capital produit à la fois et inévitablement du chômage et de nouveaux emplois ; il est d'une manière inexorable contraint de se débarrasser des huiles usées et de les remplacer par de nouvelles. Le chômage est un boulet dont il ne peut se détacher.

Le fait qu'à l'intérieur de l'économie capitaliste le salarié soit réduit à l'état de simple marchandise n'est pas une figure de style mais une dure réalité, au même titre que l'esclavage et le servage.

Comment s'opère cette réduction ?

Un être humain n'est pas esclave en vertu d'une détermination naturelle, mais parce qu'il est considéré et traité comme tel par la société. Cet attribut qui lui est conféré par un comportement social l'affecte profondément dans l'exercice de sa liberté et dans la poursuite de ses projets, à tel point qu'il le réduit à l'état de chose et le prive des droits généralement reconnus aux êtres humains. Comme élément intégré au capital par la voie du salariat, sous l'impact du comportement social qui soutient l'économie capitaliste, tel qu'on l'a déjà démontré, l'ouvrier est considéré et traité comme une simple marchandise.

Le comportement social produit ses propres réalités, comme Castoriadis le prouve d'une manière rigoureuse dans son ouvrage *L'imaginaire social*. Toutefois, la configuration de ces réalités est tracée par la volonté commune et la force qui sous-tendent le comportement social dominant. Or, ces dernières sont d'une portée variable. Ainsi, l'esclavage n'est possible que dans un contexte où une catégorie d'individus disposent de la force requise pour imposer à une autre catégorie d'individus un mode de vie, un état de sujétion tel qu'il prive ces derniers de l'exercice de leur liberté. Comme le note Hegel avec justesse, le comportement des uns qui rend les autres esclaves s'appuie sur la force des armes et la menace de mort[2].

La forme de domination qui réduit les salariés à l'état de marchandise est plus subtile et moins radicale, mais son efficacité est indéniable. Tout d'abord, il importe de noter que le système capitaliste, avec les lois qui le régissent, n'est pas issu d'un plan conçu par les humains ; il consiste, selon une formule empruntée à Hayek, en un ordre spontané et non en un ordre organisationnel. Il s'est dégagé d'un ensemble de pratiques individuelles que favorisait la conjoncture historique née de la désintégration du Moyen Âge, soit la mise sur pied d'entreprises qui, pour maximiser les profits, produisaient à grande échelle et par le fait même embauchaient de nombreux salariés. La généralisation de ces pratiques s'est traduite par un comportement social favorable à la nouvelle économie qui s'implantait, bien que les capitalistes et les salariés y aient adhéré pour des raisons différentes : les premiers, parce qu'elle leur permettait d'accroître leur avoir, les seconds, parce que la location de leur force de travail, en l'occurrence, s'avérait le seul moyen de gagner leur vie. Ce système économique se caractérise par une forme de domination où la force de travail est assujettie au mouvement de croissance du capital. Par conséquent, le sort de ceux qui n'ont d'autre ressource que leur force de travail est entièrement à la merci des soubresauts du capital : la conservation ou la perte de leur emploi, la rémunération qui y est attachée, dépendent de l'évolution du capital. Il en est ainsi parce que le comportement social qui soutient le système capitaliste, dans sa foulée, considère et traite les détenteurs de la force de travail comme de simples marchandises, sans se préoccuper de leur véritable nature en tant qu'êtres humains.

De ces remarques, il s'ensuit, entre l'esclavage et le salariat, une différence notoire attribuable à la diversité de la forme de domination à laquelle chacune de ces réalités sociales est attachée. Un humain devient esclave contre son gré, par la volonté d'un maître guerrier qui lui impose ce statut par la force des armes. L'ouvrier est devenu marchandise, non en vertu de sa sujétion à un ou plusieurs individus qui lui imposent leur domination, mais par la nécessité relative, pour gagner sa vie, d'adhérer au système de production

---

2. Jean Hippolyte. *Genèse et structure...*, p. 159-164.

dominant, le capitalisme. Ce mode de production, dans son processus, n'intègre la main-d'œuvre qu'à titre de marchandise utile en regard de ses desseins, le profit.

Conséquences de cette réduction

Le statut de marchandise, collé à l'ouvrier par la structure même du système économique, joue un rôle de premier plan dans les négociations qui s'établissent entre les capitalistes et la main-d'œuvre. Il autorise le capitaliste à soumettre le coût de la force de travail au crible de la loi de l'offre et de la demande. Aussi, puisque dans la plupart des cas la demande, en ce qui concerne les emplois, est supérieure à l'offre, s'ensuit-il que l'application de cette loi favorise largement les capitalistes. Avec la mondialisation des marchés, sous l'impulsion de cette loi, il arrive fréquemment que des entrepreneurs déménagent leur usine dans les pays sous-développés où la main-d'œuvre est plus abondante et donc évaluée à un prix qui couvre à peine les frais de subsistance des travailleurs. Certes, la rigidité et l'intransigeance de cette loi peuvent être atténuées par les conventions collectives, où les ouvriers font valoir leurs intérêts par la médiation d'un syndicat, mais tout considéré, en dernière analyse, la loi de l'offre et de la demande est un atout majeur dont les employeurs ne se départissent jamais et qui leur permet d'avoir le dernier mot.

Statut de marchandise et chômage

Parmi les conséquences les plus déplorables découlant du statut de marchandise conféré à la force de travail, il faut citer le chômage. Tel qu'on l'a déjà mentionné, dans un climat de libre concurrence qui impose une croissance ininterrompue de la productivité, les emplois se perdent au même rythme que le rejet des machines usées. Sans emploi, l'ouvrier et le cadre sont privés du salaire qui s'avérait leur seul moyen de vivre. Dans le sillage d'une division du travail qui s'accroît de jour en jour, l'échange est aujourd'hui la seule voie d'accès aux biens et services nécessaires à la vie et au bien-être. Cependant, chacun ne participe aux bienfaits de l'échange qu'au prorata des biens convoités par autrui dont il dispose à titre de propriétaire : richesses matérielles, compétence, travail. Dans cette perspective, la puissance qui constitue la porte d'accès aux immenses possibilités qu'offre le marché réside dans la quantité de valeurs d'échange possédées. Réduits au chômage, pour une raison ou pour une autre, obsolescence de leur métier ou profession, surabondance des candidats disponibles, dépouillés de tout moyen d'échange, ces malheureux sont désormais exclus de la sphère économique dont leur vie et leur liberté dépendent. En quoi réside la liberté du chômeur ?

Au fil des ans, le capital, en tant que processus, s'est imposé à titre d'une quasi nature qui assujettit les humains à ses lois ; toutefois, il en est qui échappent à son emprise immédiate. Aussi le statut de marchandise ne colle-t-il à la main-d'œuvre que dans la mesure où elle est aspirée comme telle par le capital. Il demeure possible qu'un ouvrier soit un simple artisan à son compte ou devienne un capitaliste à son tour. De même, il est de nombreux indépendants qui, en tant que fournisseurs de services spécialisés, comme les médecins, les avocats, les agences de publicité, ne se rangent ni parmi les capitalistes ni parmi les salariés au service d'un capital défini. Il est donc possible, pour un certain nombre d'individus, d'échapper à la domination du capital, du moins partiellement. Cependant, il est une portion notable de la population dont le sort est entièrement lié au mouvement du capital.

L'examen de la phase 3

Capital et mondialisation des marchés

Cette dernière phase est décisive et c'est sur elle que repose tout le succès de l'entreprise capitaliste. En effet, la création et l'acquisition de nouvelles valeurs d'échange ont lieu à ce moment. La phase 2 se caractérise par la production de nouvelles valeurs d'usage ; mais la valeur d'échange de ces dernières n'est posée et déterminée qu'au moment de leur vente, selon la loi de l'offre et de la demande, conjuguée à la libre concurrence. Dès lors, au gré des caprices du marché, il peut arriver que la valeur d'échange d'un nouveau produit soit inférieure à ses coûts de production ou même nulle. Au cours des dernières décennies, combien de nouveaux produits ne sont jamais sortis des entrepôts parce qu'ils ne trouvaient aucun preneur et donc ne se sont pas vus attribués une valeur d'échange ? Il ne faut jamais oublier que la valeur d'échange est une réalité purement sociale.

La quantité et la qualité des nouveaux produits déterminent l'état de l'offre, mais l'offre n'est que l'un des pôles à partir desquels la valeur d'échange se fixe dans un prix défini. L'autre pôle, et de loin le plus important, est la demande solvable. Les producteurs n'ont d'autre objectif que de réaliser des profits ; il s'ensuit que les acheteurs éventuels, à qui ils s'adressent et avec qui ils sont prêts à négocier, se recrutent parmi les individus qui ont les moyens de payer un prix qui répond à leurs attentes de rentabilité. Ainsi, le lieu où les investissements deviennent rentables est lors de la demande solvable. Plus cette dernière est étendue, plus s'accroissent les possibilités de profit.

Aussi, le capital, en vertu de son insatiable avidité, cherche-t-il à débusquer cette demande solvable dans tous les coins de la planète où elle se tapit. Tel est l'objectif visé par la mondialisation des marchés. En quoi consiste ce mouvement ? Il tend à lever toutes les barrières qui entravent l'accès à la demande solvable, quel que soit l'endroit où elle se trouve. L'esprit qui anime ce mouvement n'est pas tant la satisfaction des besoins que la rentabilité du capital dans le cadre exclusif du droit de propriété privée. Il tend à exclure tout ce qui est susceptible de nuire au libre jeu des forces économiques dans un climat de libre concurrence. Les forces économiques résident dans les biens possédés privément, à titre de valeurs d'échange, comme la compétence, la technique, les installations et les machines, l'argent liquide, par l'utilisation desquels chacun cherche à se frayer un chemin parmi les nombreux concurrents qui tentent eux aussi de s'approprier la demande solvable.

Selon la perspective du capital, le monde apparaît comme un espace illimité, sans frontières, une vaste arène où les multiples forces économiques s'affrontent pour se répartir la demande solvable, dans une lutte sans merci dont la seule règle est formelle et réside dans le droit de propriété privée.

Mondialisation des marchés et politique

À travers la mondialisation des marchés, le projet capitaliste tend à devenir le projet dominant de toute société et par là à instituer le droit de propriété privée, tel que conçu par les néo-libéraux, comme la norme ultime et sans appel de tous les conflits sociaux. Le principal obstacle à cette domination reste les attentes légitimes des citoyens qui, sans renier l'importance de l'argent, assignent néanmoins à leur regroupement en société, à titre de fonction principale et prioritaire, la défense et la promotion de leurs libertés de base, soit leur pouvoir de décider de leur devenir, de s'approprier par le travail les biens nécessaires à la vie, de savoir, de participer à la vie politique. Cette dimension qu'ils confèrent à leur société est dite politique, par opposition à la dimension purement économique, axée sur la valeur d'échange et l'entreprise privée. À l'heure actuelle, dans la plupart des pays, la sphère économique ne jouit que d'une autonomie relative vis-à-vis de la politique. Au nom des libertés de base, les États, par le biais des mesures fiscales et protectionnistes ainsi que par l'adoption des programmes sociaux, opèrent une certaine redistribution des richesses jugée comme une violation du droit de propriété privée par les tenants du néo-libéralisme et leurs agents, les promoteurs de la mondialisation des marchés. Ces politiques, estimées nécessaires pour la protection des libertés de base de tout un chacun, sont considérées par les néo-libéraux comme autant d'entraves à la mondialisation des marchés et donc à la croissance du capital. Ainsi, les lois qui imposent un salaire minimum, les mesures fiscales qui affectent les profits, les taxes sur les produits étrangers, les subventions aux entreprises internes, qui visent à protéger et à promouvoir les libertés de base de l'ensemble des citoyens, sont aujourd'hui battues en brèche par les ténors du néo-libéralisme.

À l'heure actuelle, le politique et l'économique sont engagés dans une lutte pour la suprématie. Ils cherchent l'un et l'autre à imposer leurs visions respectives et opposées sur la justice et le droit. L'argumentation qui perce derrière l'offensive des néo-libéraux est la suivante : la défense et la promotion des libertés de base comportent des coûts monétaires qui ne peuvent être puisés que dans les richesses produites par la libre entreprise capitaliste qui jusqu'à ce jour s'est avérée la plus efficace qui soit ; dès lors, il importe au plus haut point de laisser à ce mode de production toute la latitude requise et de ne pas interférer dans son processus. Toute intervention externe au processus de production, quelle que soit sa finalité, comme les intrusions massives de l'État-providence par le truchement de l'impôt progressif ou des mesures protectionnistes, ralentissent la marche de l'économie et nuisent à la prospérité matérielle. En d'autres mots, puisque l'exercice des libertés de base et la qualité de vie des individus dépendent des richesses produites, il est nécessaire de respecter l'autonomie de la sphère économique et de ne pas adopter de politiques qui aient un impact négatif sur cette dernière. La politique, principalement ordonnée à la protection des libertés de base, doit être assujettie à l'économie, axée sur la production des richesses matérielles.

Dans cette lutte pour la suprématie, favorisée par une donnée conjoncturelle, soit l'envergure de l'endettement national, l'économie a marqué des points au cours de la dernière décennie. Elle a contraint les États, sous peine de faillite, à réduire substantiellement leurs dépenses surtout en matière de programmes sociaux, destinés à protéger les libertés de base des défavorisés. Puisque ces emprunts ont été contractés envers des entrepreneurs privés, selon les clauses propres aux échanges de ce genre, y compris entre autres celle qui prévoit le versement d'intérêts périodiques, il s'ensuit que les États sont devenus les débiteurs de certains individus fortunés. À titre de créanciers, ces derniers sont investis du droit d'exiger de l'État qu'il paie ses dettes et, pour ce faire, qu'il réduise ses dépenses.

Ces pratiques ont entraîné des conséquences déplorables dans la mesure où elles ont contribué à soumettre les politiques de l'État, du moins en partie, aux lois de l'économie capitaliste. Puisque le paiement des intérêts s'effectue à même les impôts perçus, il s'ensuit que tous les citoyens contribuent à l'accroissement de certaines fortunes privées. En outre, lorsque les créanciers sont des étrangers, elle précipite les États, à titre d'emprunteurs, dans le courant de la mondialisation des marchés, qui préconise la libre circulation des capitaux.

La mainmise de l'économie capitaliste sur la politique resserre son étau de jour en jour, et ce, au détriment des libertés de base d'une portion notable de la population. Il importe, et c'est urgent, de modifier les règles du jeu en exploitant à fond les immenses ressources que comporte la voie de la solidarité.

Le droit de propriété privée, tel que défini par les libéraux, en autorisant les investissements, cautionne par le fait même les impacts négatifs, qui découlent du mode de production capitaliste, sur le devenir de l'individu et de la société, comme le chômage et l'assujettissement du politique à l'économique. En effet, le droit de propriété privée des uns n'a d'autre limite que l'égal droit de propriété privée des autres. Dans cette optique, le salarié, en cas de congédiement, ne jouit d'aucun recours vis-à-vis de son employeur. En effet, les emplois s'avèrent la propriété privée des investisseurs, qui sont autorisés à en disposer comme ils l'entendent. Les salariés occupent un emploi, ils ne le possèdent pas. Dans la même foulée, la poursuite de la demande solvable, telle qu'inscrite dans la dynamique du capital, ne tolère d'autre limite que le consensus des acheteurs. L'État ne peut s'appuyer sur aucun droit pour justifier ses interventions, comme l'imposition d'une taxe d'accise.

Dans le cadre d'une société dominée par le capital, où le droit de propriété privée jouit du statut de norme quasi absolue, la répartition des richesses s'effectue selon les aléas de la loi de l'offre et de la demande. Aussi, pour bien cerner le fonctionnement du monde contemporain, est-il indispensable d'explorer avec la plus grande rigueur possible, d'un point de vue éthique et non seulement économique, le contenu et les effets de cette loi sur le devenir de l'individu et celui de la société.

La loi de l'offre et de la demande

Les présupposés

L'expression « loi de l'offre et de la demande » désigne un processus par lequel les échangistes parviennent, d'un commun accord, à établir le prix (valeur d'échange) qui rend acceptable la transaction en cours. Offrir et demander sont des actes de volonté. En l'occurrence, dans le cadre de cette loi, l'offre et la demande se rejoignent lorsque, au prix convenu, l'un accepte de vendre et l'autre, d'acheter. L'échange, selon les néo-libéraux, est un moyen d'appropriation privée à un titre égal à celui du travail. Pourtant, ce sont des moyens fort distincts l'un de l'autre. Le travail, en tant qu'il transforme une matière donnée, établit un lien ontologique d'appartenance entre le travailleur et son produit : « cet ouvrage est mien car j'en suis l'auteur ». Nul ne peut mettre en doute une telle assertion.

L'échange, au contraire, est un rapport social fondé sur un accord mutuel. Tout au long de l'histoire, les échangistes ont tenté sans succès d'étayer leur consentement sur un critère purement objectif ; soit l'égalité de valeur des objets échangés. Aristote fondait cette égalité sur le prix ; Marx, sur la valeur-travail. Devant l'impossibilité de saisir une telle égalité, les échangistes ont appuyé leur consentement sur des données subjectives. Bien que tout échangiste veuille en avoir pour son argent, sa décision de conclure une transaction sera largement tributaire des avantages qu'il escompte en retirer à partir de considérations personnelles. La valeur en soi des objets, dans la mesure où elle est saisissable, ne motive qu'en partie le consensus ; ce dernier est souvent entraîné par les préférences de chacun des échangistes ainsi que par leur estimation de la conjoncture. Par exemple, plutôt que de tout perdre, un vendeur laissera aller sa marchandise à un prix inférieur au coût de production.

Or, les considérations subjectives sont contingentes en ce sens qu'elles se rapportent à un schème de pensée et de perception propre à un individu. Toutefois, ce schème, unique parce qu'il est lié à l'histoire de l'individu, rend compte du jugement interprétatif que ce dernier porte sur l'échange en voie de négociation. La plupart du temps, c'est à partir des jugements interprétatifs respectifs des échangistes que s'établit le consensus.

L'offre et la demande surviennent au terme d'un raisonnement où figurent à la fois des données objectives, comme les propriétés physiques des valeurs d'usage, et des données subjectives, comme les besoins et les préférences, mais l'évaluation des unes et des autres de ces données consiste toujours en une opinion et non en l'énoncé d'une vérité. La valeur d'échange n'exprime pas la valeur en soi des marchandises, mais leur valeur selon et pour les échangistes. Le prix établi à la suite d'un accord entre les vendeurs et les clients n'est que l'expression d'une opinion que partagent les uns et les autres en ce qui concerne la valeur d'échange d'une marchandise. La valeur d'échange est une réalité ponctuelle, sur le plan de l'« ici et maintenant », susceptible de fluctuer au gré des offres et des demandes qui, elles, varient selon l'évolution de la conjoncture, telle qu'interprétée par les échangistes. Le marché de l'immobilier fournit une parfaite illustration de cet énoncé. Ainsi, à Montréal, dans certains quartiers, une maison dont le prix s'élevait à 70 000 $ en 1975 était estimée à 280 000 $ en 1985.

L'offre et la demande dans une économie dominée par le capitalisme

À l'intérieur d'une telle économie, l'offre et la demande présentent des contours respectifs bien définis ; en tant qu'actes décisionnels, elles tirent leurs caractères spécifiques de la volonté de leurs auteurs.

D'un côté, les supports de l'offre, au sein de l'économie capitaliste sont les investisseurs. Ces derniers se portent acquéreurs d'un procès de production en vue de s'enrichir par la maximisation des profits. L'offre est déterminée en fonction d'une tendance qui lui est indissociable, la recherche du profit. Lorsqu'ils se présentent sur le marché, les vendeurs n'ont qu'une idée en tête : fixer le prix au niveau le plus élevé possible en regard des coûts de production. D'un autre côté, les supports de la demande sont les acheteurs éventuels, dont la visée immédiate n'est que de satisfaire leurs besoins selon les modalités souhaitées par leurs goûts et leurs préférences. Dans cette dernière optique, les clients ont tout intérêt à négocier les prix les plus bas possibles. Ici, il ne faut pas oublier qu'à travers les transactions commerciales, chacun ne recherche que son intérêt égoïste. Ainsi, les buts poursuivis par les vendeurs et les clients sont divergents et opposés en ce sens que les profits postulent les prix les plus élevés, tandis que les intérêts des consommateurs convergent vers les prix les plus bas.

À cette phase de l'argumentation quelques remarques s'imposent. Tout d'abord, l'offre ne s'adresse qu'à la demande solvable. Les considérations humanitaires, les besoins urgents à satisfaire, la situation désavantageuse du client, entre autres, n'entrent pas en ligne de compte et s'effacent devant l'incapacité de payer. Seul le pouvoir d'achat fait d'un individu un client éventuel. Ensuite, le processus qui s'engage sous le signe de la loi de l'offre et de la demande fait partie de l'activité stratégique. En effet, chacun des participants tend, par tous les moyens en son pouvoir, à obtenir sur le prix le consensus qui réponde le mieux à ses intérêts égoïstes. Il s'agit donc d'un rapport de force. Enfin, ce rapport de force comporte les particularités suivantes. Bien que cela puisse paraître paradoxal, les vendeurs tirent la grandeur de leur force non pas tant de la qualité de leurs produits que du nombre et de la richesse de leurs clients éventuels. Par contre, la demande puise sa force non pas tant de la grandeur de son pouvoir d'achat que de la quantité des produits qui lui sont offerts. C'est pourquoi la loi se traduit par un constat reconnu : lorsque la demande est plus grande que l'offre, les prix montent ; dans le cas inverse, ils baissent.

Au fond, la clé de tout le processus réside dans la demande solvable ; sans elle, point de production. L'établissement d'une nouvelle industrie s'appuie toujours sur une étude de l'état du marché éventuel et les écoles d'administration comportent maintenant un département de marketing. En quoi consiste au juste la demande solvable ? Certes, elle présuppose un pouvoir d'achat. Cependant, la transformation de ce pouvoir d'achat en demande est déterminée à la fois par la volonté de satisfaire ses besoins premiers mais aussi par celle de répondre à ses préférences subjectives. Ces dernières, individuelles et contingentes, s'étendent dans toutes les directions, des diverses modalités de satisfaire les besoins premiers à l'utilisation des objets les plus sophistiqués et à la jouissance des services culturels de toute sorte (spectacles artistiques et sportifs, voyages, etc.). Bref, supportées par un pouvoir d'achat correspondant, les préférences subjectives, lorsqu'elles se concentrent en un courant d'envergure, s'avèrent le lieu privilégié d'où surgissent les offres et les investissements. Les préférences subjectives sont les principales composantes de l'axe autour duquel gravite toute la vie économique. Cependant, ici, il importe d'examiner comment, dans un contexte capitaliste, l'offre et la demande s'articulent.

Dans une économie capitaliste, le contrat, régi par la loi de l'offre et de la demande, se conforme au modèle restrictif suivant. Les investisseurs n'est pas un commandement

Richesse principale → argent → puissance

n'ont d'autre but en tête que d'obtenir, pour la marchandise en vente, un prix qui soit le plus élevé possible au-dessus de son coût de production. Ils veulent, par ce contrat, entrer en possession d'une somme d'argent plus grande que celle qu'ils ont investie, accroître leur avoir de valeurs d'échange. Ici l'argent n'est pas utilisé comme simple moyen de circulation, mais comme moyen d'enrichissement, de détention d'un plus grand pouvoir d'achat. Leur offre se confine dans cet objectif. Par contre, les consommateurs ne recherchent qu'une valeur d'usage, et l'argent, en l'occurrence, n'est pour eux qu'un moyen de circulation. L'un des effets immédiats d'une transaction de ce genre, lorsqu'elle est consentie, est l'accroissement du pouvoir d'achat des vendeurs et une diminution de celui des consommateurs.

À première vue, cette opération paraît anodine, et pourtant ses conséquences pèsent lourd sur la répartition du pouvoir d'achat entre les individus. Aujourd'hui, l'accès aux biens et services essentiels, à quelques exceptions près, dépend du pouvoir d'achat dont chacun dispose. Or, le pouvoir d'achat global réparti entre les membres d'une société donnée est en quantité limitée, donc si les uns en accumulent une grande part, il en reste moins pour les autres.

Or, le jeu de l'offre et de la demande est tel qu'il a pour effet inévitable d'accroître sans cesse la part du pouvoir d'achat global qui revient aux investisseurs et de diminuer celle qui revient aux consommateurs. En effet, si chaque transaction commerciale permet aux investisseurs d'aller chercher une marge de profit et de diminuer d'autant le pouvoir d'achat du consommateur, il est facile de déduire que, si un seul et même investisseur effectue des millions de ventes, il s'approprie une portion substantielle du pouvoir d'achat global. *$/ = $/ 000 000*

Il s'ensuit que la loi de l'offre et de la demande, vu la position rigide des investisseurs, qui consiste à n'accepter d'autre prix que celui qui leur accorde une marge de profit, et vu l'importance de l'argent devenu l'élément substantiel de la richesse qui ouvre à ses détenteurs l'accès à tous les biens, tourne sans cesse, si l'on prend en considération l'ensemble de ses effets, à l'avantage des investisseurs. Dans la foulée de ce raisonnement, une autre conclusion se dégage : la mise en application de cette loi se traduit par une redistribution du pouvoir d'achat et par son accumulation entre les mains des investisseurs les plus performants. L'écart croissant entre les riches et les pauvres est un effet inévitable de cette loi en ce sens qu'elle fonctionne selon les modalités que lui imprime le capital. *← loi*

← La loi de l'offre et la demande →

enrichir les plus riches

→ La mondialisation est nécessaire pour la fin du capitaliste

Mais dans l'économie actuelle, cette loi, avec la redistribution qu'elle entraîne, ne s'applique pas seulement aux rapports entre les investisseurs et leurs clients ; elle s'étend à l'ensemble des transactions financières. Ainsi, lorsqu'un individu effectue un emprunt auprès d'une banque, il s'engage à remettre la totalité du prêt plus un intérêt dont le taux est fixé selon la loi de l'offre et de la demande. Pour tous les 100 $ versés, le banquier reçoit, selon la durée du prêt et le taux d'intérêt, disons 108 $ par année. Les 8 dollars payés à titre d'intérêt constituent un prélèvement sur le pouvoir d'achat de l'emprunteur dont le banquier bénéficie. Dès lors, lorsqu'un seul et même banquier prête à des milliers d'individus, il accroît considérablement sa portion du pouvoir d'achat global de la société.

Les transactions bancaires, où la marchandise n'est autre que l'argent, illustrent d'une manière évidente comment la loi de l'offre et de la demande effectue une redistribution des richesses monétaires. Lorsque les banques, pour démontrer leur performance, étalent dans les médias des profits qui se chiffrent par milliards, il faut lire l'envers de ce message. En effet, cette accumulation entre les mains des banquiers se traduit par une diminution des sommes d'argent que se partagent les autres membres de la société.

Quels sont les effets des transactions commerciales et bancaires sur le pouvoir d'achat des salariés, qui constituent la majorité de la population ? Le salaire se traduit par un pouvoir d'achat limité acquis par l'occupation d'un emploi. Comment, dans les grandes lignes, ce pouvoir d'achat se répartit-il ? À titre d'exemple, prenons le cas d'un salarié qui se porte acquéreur d'une maison au prix de 100 000 $. Comme il ne possède pas la totalité de cette somme, il va devoir, dans la plupart des cas, effectuer un emprunt de 80 000 $ auprès d'une banque. Tout d'abord, il faut noter que sur ces 100 000 $ le vendeur perçoit un profit de 10 000 $. En outre, selon les clauses du contrat d'emprunt, l'acheteur devra rembourser à la banque la totalité de l'emprunt, soit 80 000 $, plus les intérêts convenus. Le montant de ces derniers est proportionnel à la durée du contrat avec la banque. Si ce dernier s'étale sur 20 ans, le montant des intérêts à payer pourra facilement atteindre 60 000 $. Compte tenu de ces données présumées, pour une transaction ponctuelle comme cette dernière, les vendeurs, soit les investisseurs et les banquiers, vont s'approprier, sous forme de profits ou d'intérêts, une portion importante du pouvoir d'achat de leur client et vont donc le diminuer d'autant. Selon le raisonnement déjà invoqué, si un seul et même vendeur effectue des milliers de transactions de ce genre, il ne peut que s'enrichir.

Dans cette optique, il faut voir que l'enrichissement résulte quasi exclusivement de l'accumulation des profits et donc n'est accessible qu'aux vendeurs. En effet, le salarié, dans la mesure où il est toujours client dans un système économique où les profits sont puisés à même les revenus des acheteurs, loin de s'enrichir, est assimilable à un gisement minier d'où l'or est extrait.

Pour résumer les remarques précédentes, mentionnons que la loi de l'offre et de la demande, dans un contexte capitaliste, est minée par une contradiction entre sa visée première, soit assurer une répartition des richesses qui réponde aux besoins de tous, et son mode d'opération, qui privilégie les intérêts individuels des investisseurs au détriment de ceux des consommateurs. Sous prétexte de faciliter l'accès aux valeurs d'usage, elle couvre une opération dont l'effet principal est d'assurer la croissance du capital. Son mode d'opération se définit comme une activité stratégique où les supports respectifs de l'offre et de la demande ne recherchent que leurs intérêts égoïstes sans tenir compte de ceux des autres. Au fond, la forme de négociation qui la caractérise consiste en un rapport de force où les tenants de l'offre, étant donné la conjoncture actuelle, jouissent, dans la plupart des cas, d'une position privilégiée en regard des supports de la demande.

Justice et loi de l'offre et de la demande

Cette loi confère-t-elle un juste titre à la propriété privée acquise selon sa régulation ? La propriété privée tire sa justice de son mode d'acquisition. Le travail, en autant qu'il réside dans la transformation d'une matière déjà possédée à titre de propriété commune ou privée, rend incontestablement son support propriétaire privé de son produit. Aujourd'hui, personne ne remet en question le droit d'auteur de chacun sur le produit de son travail. Le travail est un titre quasi ontologique de propriété.

Il en va tout autrement pour l'échange, qui repose sur un consensus. La justice de la propriété acquise par ce moyen dépend de la qualité du consensus. Si aucune contrainte indue ne pèse sur le consensus, l'acquisition est légitime. En ce qui concerne la loi de l'offre et de la demande, dans la mesure où son mode d'opération autorise l'activité stratégique, qui au fond consiste en un rapport de force, il y a lieu de s'interroger sur la légitimité des contraintes inévitables exercées par l'un ou l'autre des participants sur son interlocuteur. Lorsque des forces inégales sont en présence, il va de soi que la supériorité de l'une constitue en soi une contrainte pour l'autre. Néanmoins, cette contrainte n'est pas en soi illégitime ; elle est acceptée dès que les joueurs décident de négocier selon la loi de l'offre et de la demande. C'est pourquoi, si aucun moyen injuste n'est utilisé − tricheries, menaces − dans une conjoncture où l'échange, vu l'absence de tout critère objectif absolu, ne peut établir l'égalité des marchandises, la loi de l'offre et de la demande constitue une procédure acceptable. Du moins, en ce qui concerne les transactions prises ponctuellement, une à une.

Par contre, en ce qui concerne ses effets sur la répartition globale du pouvoir d'achat, en autant qu'elle favorise les investisseurs au détriment des acheteurs et provoque inévitablement une concentration de l'argent entre les mains de ceux qu'elle privilégie, elle soulève des doutes sur sa justice. En effet, puisque le pouvoir d'achat constitue un moyen universel indispensable à la réalisation des choix fondamentaux, si les sommes d'argent que se partagent les consommateurs formant plus de 90 % de la population représentent une portion de plus en plus faible de la richesse totale, il s'ensuit un appauvrissement de ces derniers. Dès lors, dans la mesure où les possibilités de réalisation de soi dépendent du pouvoir d'achat de chacun, il en résulte que l'espace ouvert à l'exercice de la liberté personnelle se rétrécit pour ceux qui sont principalement des consommateurs, alors qu'il s'élargit pour les investisseurs.

En somme, existe-t-il un moyen de rétablir l'équilibre, brisé par la loi de l'offre et de la demande, entre les revendications des investisseurs, qui visent à maximiser leurs profits et celles des autres membres de la société, qui ne poursuivent d'autre intérêt que de répondre à leurs attentes fondamentales ?

D'un côté, cette loi est si bien implantée dans la structure de l'économie actuelle qu'elle ne laisse place à aucune issue. Néanmoins, comme cela s'est produit en ce qui concerne les processus naturels ou sociaux qui génèrent ou accentuent les inégalités, il est possible d'en atténuer les effets négatifs par l'adoption de mesures palliatives, du genre de celles qui sont à l'origine des droits sociaux qui s'exercent sous forme d'assurances universelles obligatoires afin de procurer à tous le minimum vital.

Le maillon faible de la loi de l'offre et de la demande ne réside pas tant dans le consensus, bien que celui-ci puisse être vicié, que dans ses effets, l'accumulation qui a pour corrélat une diminution du pouvoir d'achat des consommateurs avec les conséquences déplorables qu'il entraîne.

La totalité des profits revient-elle de droit à ceux qui les réalisent ? Dans une joute dont les règles autorisent une répartition des enjeux au prorata de la performance des forces en présence, si inégales soient-elles, il va de soi que les mieux outillés, les plus habiles, les plus tenaces et parfois les plus chanceux s'approprient une plus grande part des enjeux. Cependant, l'enjeu de la loi de l'offre et de la demande n'est pas un bien quelconque, mais un bien nécessaire, indispensable à la réalisation de tous les projets, soit l'argent ou le pouvoir d'achat. En un sens, dans l'état actuel des choses, ce bien est comparable à la santé. Dès lors, si un processus de répartition, comme la loi sous examen, a pour effet inévitable d'enrichir les uns au détriment des autres, il affecte négativement la liberté externe des plus faibles et ne répond pas à la notion de justice, équilibre adéquat entre les revendications concurrentes. En effet, l'équilibre dans la répartition de l'ensemble des ressources financières d'un pays postule une distribution qui mette chacun en possession du pouvoir d'achat nécessaire à la réalisation des projets constitutifs de son devenir. Les néo-libéraux rejettent cette dernière conclusion en affirmant que l'unique critère de justice mesurant la loi de l'offre et de la demande est le consensus issu des préférences subjectives ; le déséquilibre qui s'ensuit serait non pertinent. Pour eux, la loi de l'offre et de la demande est l'un des éléments de l'ordre spontané et ainsi échappe au contrôle de la volonté politique.

Ordre spontané et ordre organisé

L'ordre issu des préférences subjectives, qui imposent leur domination sur l'ensemble des activités économiques, est dit spontané, par opposition à un ordre organisé, comme l'État, dont la mise sur pied repose sur les efforts concertés et planifiés de ses membres. Cet ordre, dit spontané, résulte de la convergence et de la condensation d'une multitude d'activités mesurées chacune par un intérêt propre et individuel, produites indépendamment les unes des autres, et dont le regroupement en une force unifiée s'effectue à l'insu de tous les agents. L'ordre économique libéral répond adéquatement à cette notion. La généralisation de la pratique de l'échange, en vertu du recoupement de ses modalités à travers les multiples transactions individuelles, a donné naissance à la loi de l'offre et de la demande. Contrairement aux lois promulguées, la loi de l'offre et de la demande est pour ainsi dire le résultat d'une génération spontanée.

Aujourd'hui encore, elle fonctionne selon les modalités sous lesquelles elle est apparue. L'essor exponentiel du marché de l'informatique en révèle tous les rouages. Une expansion quasi illimitée de la demande solvable pour ces outils de travail confère aux supports de l'offre une puissance financière inégalée jusqu'à ce jour. Il ne s'agit pas d'une demande concertée mais subjective et préférentielle. Ce phénomène contemporain illustre à merveille les effets de cette loi sur la répartition globale des richesses ; des milliards s'accumulent dans ce secteur du marché et en particulier dans les mains des investisseurs. Il s'ensuit une nouvelle répartition des richesses ; les uns s'enrichissent alors que d'autres s'appauvrissent, les industries productives de dactylographes, par exemple. Certes, grâce au système bancaire, par le jeu des emprunts et des dépôts, de nouvelles valeurs d'échange sont mises sur le marché, mais les investisseurs du secteur de l'informatique ne puisent pas seulement dans les nouvelles valeurs créées ; en effet, la demande solvable est aussi composée d'anciennes valeurs.

L'objection des néo-libéraux s'efface devant la reconnaissance justifiée et efficace, par l'ensemble des pays, de la responsabilité du pouvoir politique vis-à-vis de l'ensemble des pratiques sociales, qu'elles soient d'origine spontanée ou législative.

Il importe maintenant de revenir à la problématique initiale : la totalité des profits est-elle en toute justice la propriété privée des investisseurs ? Si le consensus des échangistes, lors d'une transaction ponctuelle, s'avérait le seul titre de propriété, il faudrait répondre oui. Cependant, l'échange est une pratique sociale généralisée et sous cet angle il doit, à l'instar de toutes les pratiques sociales, être jugé à l'aune des attentes fondamentales. Dès lors, puisque cette loi a pour effet de répartir les richesses d'une façon si inégale qu'elle se traduit par un appauvrissement d'une portion notable de la population, allant ainsi à l'encontre des attentes fondamentales et universelles, il s'ensuit qu'elle soit qualifiée d'injuste à moins qu'on lui apporte des correctifs. Ces derniers ne peuvent avoir d'autre objectif que de rétablir un certain équilibre dans la répartition des richesses telle qu'effectuée par la loi. Cet équilibre ne peut être rétabli que par une ponction dans les profits, lieu de l'accumulation, qui devra être utilisée pour financer des services qui répondent aux attentes fondamentales et universelles.

L'accumulation n'est une injustice que dans la mesure où elle a pour effet concomitant une diminution du pouvoir d'achat d'un grand nombre d'individus, à un point tel que ces derniers ne puissent se procurer les moyens nécessaires à la réalisation de leurs choix fondamentaux. En d'autres mots, une juste répartition des richesses demeure compatible avec les inégalités de revenus, d'ailleurs inévitables, pourvu que tous jouissent du minimum vital.

Ici surgit la question cruciale : l'État, comme représentant de la collectivité en tout ce qui a trait à l'établissement d'un milieu externe qui permette à tout un chacun d'assurer son devenir légitime, est-il autorisé à effectuer des ponctions dans les profits pour les transformer en propriété commune et par là en disposer pour mieux ajuster le tissu social aux intérêts communs ?

La liberté politique, dans la conjoncture actuelle, confère au groupe majoritaire des citoyens le pouvoir et l'autorisation de concevoir et de mettre sur pied tout projet collectif qui ne va pas à l'encontre des choix fondamentaux, à plus forte raison s'il est nécessaire pour que leur réalisation soit accessible à tout un chacun. Une telle décision, dans la presque totalité des cas, signifie que les membres de la majorité acceptent volontairement de transformer une portion de ce qui leur appartient en propriété commune selon les normes de la justice distributive. Cet accord de réciprocité entre les membres de la majorité s'étend à la minorité récalcitrante ; autrement aucune société ne serait viable.

En outre, l'une des principales responsabilités assignées à l'État par les attentes fondamentales est d'aménager les inégalités, quels qu'en soient la provenance, la nature, la structure économique, les accidents de parcours, de façon à ce qu'elles ne constituent pas une entrave à la poursuite des choix fondamentaux. Le rôle de l'État est d'établir un ordre qui soit juste, un milieu externe où les inégalités soient dans un état d'équilibre de façon à ce que chacun y trouve son compte. Il faut désormais se départir de la notion de justice centrée depuis des siècles sur le concept d'égalité ; il est préférable de la définir comme un équilibre acceptable entre les inégalités. La loi de l'offre et de la demande, selon ses effets à long terme, est dite injuste en ce sens qu'elle accentue les inégalités au lieu de les équilibrer. Aussi, puisque la conjoncture actuelle ne se prête pas à une réforme en profondeur de ses modalités de répartition, ne reste-t-il d'autre choix à l'État que d'en atténuer les effets négatifs en prélevant sur les profits les montants nécessaires au rétablissement de l'équilibre brisé.

En régissant d'une façon quasi absolue le réseau des transactions qui constituent le milieu des affaires, la loi de l'offre et de la demande confère à ce milieu une autonomie qui tend à s'affirmer face au secteur public. C'est ainsi que le monde des affaires, en ce qui a trait aux faits, s'affranchit de plus en plus de la tutelle de l'État et de la mission propre à ce dernier, soit répondre aux attentes fondamentales des citoyens.

Les consensus ponctuels par lesquels cette loi s'exerce n'ont d'autre limite que le droit de propriété privée, qui autorise chacun à disposer de ses biens comme il l'entend, sans tenir compte de l'impact, à brève ou longue échéance, qui est produit sur la liberté des autres, la diminution sensible du pouvoir d'achat, la mise au chômage, et dans les cas de faillite, la réduction à l'état de pauvreté. Bref, les conséquences du transfert de propriété ne sont aucunement prises en considération.

La subjectivité, qui entre en jeu dans l'application de cette loi tant du côté de l'offre que de celui de la demande, n'a d'autre motif que les intérêts purement égoïstes de chacun. Pour Adam Smith, cette recherche de l'intérêt égoïste, grâce à une main invisible, conduit à la prospérité et à une juste répartition des biens. Il faut bien avouer que la poursuite des intérêts individuels augmente la richesse globale, mais la distribue d'une façon si inégale que la misère et la pauvreté sévissent encore de nos jours. On ne voit pas comment la logique du système en cours serait susceptible de produire d'autres résultats.

Nationalisation et privatisation

Au lendemain de la guerre de 1939-1945, maints pays, entre autres, l'Angleterre, la France et les pays scandinaves, ont procédé à une multitude de nationalisations, c'est-à-dire ont soustrait à la juridiction du secteur privé, pour les intégrer au secteur public, une foule d'industries, en invoquant l'intérêt commun. Au cours des dernières décennies, ce mouvement s'est inversé ; ces mêmes pays ont entrepris de reprivatiser les industries qu'ils avaient autrefois nationalisées. Que faut-il penser de ce va et vient ?

Les secteurs privé et public se distinguent à un triple point de vue : par le principe qui les régit, la spécificité des activités qui les constituent et le caractère des projets auxquels leurs activités s'intègrent. Le secteur privé se déroule sous l'empire du droit de propriété privée, et se condense en un réseau d'échanges ponctuels attachés à des projets individuels. Par contre, le secteur public tire son origine et sa finalité des attentes fondamentales des citoyens et réside dans un ensemble d'activités concertées, complémentaires et solidaires, dans le cadre d'un projet collectif.

Tel qu'il a déjà été mentionné, ces deux secteurs sont indispensables en regard du devenir de l'être humain ; toutefois, ils ont tendance à empiéter l'un sur l'autre. Aussi importe-t-il d'examiner leurs lettres de créances respectives.

Il existe entre l'être humain et la terre un lien naturel de dépendance qu'il appartient aux humains d'aménager. Tout au long de l'histoire, les peuples, par l'occupation, se sont approprié un territoire avec ses richesses, sa faune, ses forêts, ses mines, ses cours d'eau, etc. En faisant de ce territoire leur propriété commune, ils en assumaient collectivement la gestion. En effet, puisqu'il s'agit de ressources que la nature met à la disposition de tous et qui sont indispensables à la vie de chacun, pour que cette disponibilité demeure universelle, il est nécessaire que ces ressources soient gérées par la communauté en tant que telle. Une propriété commune postule une gestion commune de façon à ce que les intérêts de tout un chacun soient préservés. Toutes les sociétés, des plus primitives aux plus sophistiquées, disposent d'un territoire et de ressources qu'elles gèrent au nom et dans l'intérêt de la communauté. La propriété commune d'un territoire et de ses ressources constitue la base du secteur public ; elle est la première forme d'aménagement du lien naturel entre les humains et la terre. Être membre à part entière d'une société signifie, solidairement avec les autres membres de la communauté, être propriétaire des ressources que possède et gère un gouvernement comme mandataire de la collectivité. Si l'on met entre parenthèses un état primitif, qui pour nous est imaginaire, où la planète tout entière appartient à tous ses habitants, c'est de prime abord par la médiation de la société dont ils sont membres que les individus définissent et façonnent leur rapport avec le monde externe matériel dont ils dépendent pour vivre.

Au fur et à mesure qu'ils ont pris conscience de la force de la solidarité et de la nécessité de certains biens dits communs, comme la défense du territoire et la paix intérieure, les membres des collectivités ont regroupé une partie de leurs ressources, tant humaines que matérielles, de telle sorte qu'elles deviennent une propriété commune. C'est ainsi que le secteur public s'est développé.

Quant au secteur privé, tout en ayant une fonction propre et nécessaire, il est toujours adossé au secteur public. Dans la mesure où la planète tout entière est répartie en de multiples territoires appartenant chacun à une société particulière, la propriété privée est toujours, en dernière analyse, prélevée sur une propriété commune. Sous sa forme élémentaire et première, la propriété privée naît du travail par lequel un individu transforme une portion du patrimoine commun, un lopin de terre, une mine, une forêt, et l'ajuste à ses besoins individuels. La propriété privée est consécutive à une activité par laquelle un individu se prévaut de son titre de participant à une propriété commune pour s'en approprier une partie en vue de satisfaire ses besoins en tant qu'individu. L'appropriation privée d'une portion des ressources d'une collectivité est réservée aux membres de cette dernière. Les étrangers, à moins d'une entente avec la société qui possède ce territoire, ne sont autorisés ni à chasser, ni à pêcher, ni à cultiver le sol, ni à extraire du minerai. Il s'ensuit que la propriété commune est présupposée à la propriété privée.

Le secteur privé est aussi le lieu où la propriété privée circule à travers les échanges selon les directives de la loi de l'offre et de la demande et la protection de l'État, qui élève au statut de droit la liberté dévolue à chacun de disposer de ce qui lui appartient en propre.

À ce bref rappel descriptif des secteurs public et privé il importe d'ajouter que la propriété, qu'elle soit commune ou privée, n'est pas une fin en elle-même ; aussi tire-t-elle son sens et sa justification non seulement de la liberté de base dans laquelle elle s'enracine mais aussi du projet dans lequel elle s'inscrit. Si ce dernier va à l'encontre des choix fondamentaux, le droit de propriété perd sa validité. En ce qui concerne la propriété privée, l'un des pionniers du libéralisme, John Locke, contrairement aux néo-libéraux, Hayek et Nozick, entre autres, reconnaissait qu'on pouvait accumuler autant de richesses qu'on le désire, pourvu qu'il en reste assez pour les autres. Bien que le « proviso » soit une réserve plutôt timide au caractère absolu de la propriété privée, telle que conçue par les capitalistes de tous les temps, il n'en constitue pas moins une brèche dans la position néo-libérale, car il prend en considération les conséquences d'une accumulation outrancière. En l'occurrence, que signifie « assez », si ce n'est une quantité suffisante pour que tous les individus concernés disposent des ressources minimales requises pour la réalisation des choix fondamentaux ? Cet « assez » revêt aujourd'hui une importance considérable en ce sens qu'il pointe le constat de l'inégalité sans cesse croissante entre les riches et les pauvres.

La nationalisation consiste en la transformation, consécutive à une décision de l'État, d'une propriété privée en propriété commune, tandis que la privatisation réside dans une opération inverse, elle aussi à la suite d'une décision de l'État. D'où la question : l'État est-il autorisé à opérer de telles transformations ?

En ce qui a trait aux faits, la plupart des États ont effectué des privatisations : entre autres, ils ont conféré à des individus, pour une raison ou pour une autre, la propriété privée de certaines ressources territoriales comme des espaces boisés et des terres cultivables. De même, ils ont accordé à des individus ou des groupes restreints l'autorisation d'exploiter d'une manière exclusive des richesses territoriales, soit des mines, des forêts, des terrains pétrolifères, etc. Au cours du XXe siècle, des pays avancés comme l'Angleterre et la France ont procédé à la nationalisation de maintes industries, entre autres celles qui exploitaient les sources d'énergie naturelles, comme le charbon et l'électricité.

Quelles sont les normes susceptibles de justifier de telles opérations ? Selon la teneur du mandat qui lui est confié par ses ressortissants, l'État est autorisé à intervenir dans tous les cas où un véritable intérêt commun est en jeu. Or, il est de l'intérêt commun que l'État institue un secteur protégé, où, dans le cadre du droit de propriété privée, les projets individuels, issus de la liberté personnelle, puissent se réaliser les uns par les autres, tant par la voie des échanges que par celle de la collaboration. Dans la même foulée, il incombe à la responsabilité de l'État, lorsque le cas est litigieux, de déterminer, toujours en regard de l'intérêt commun, si l'exploitation de telle ressource relève de la liberté personnelle ou collective.

En l'occurrence, que faut-il entendre par intérêt commun ? Ce dernier désigne un milieu externe, un réseau de rapports économiques et sociaux dont les modalités sont telles qu'elles permettent à tout un chacun, par son initiative, son travail, et sa participation aux biens communs, de réaliser le projet de vie qu'il a choisi. L'exploitation des ressources, tant humaines que matérielles, est susceptible de s'effectuer selon la norme du droit de propriété privée ou celle du droit de propriété commune. Le principe justificateur du choix d'une norme de préférence à l'autre réside dans les exigences de l'intérêt commun. Si telle norme est plus avantageuse en regard des attentes fondamentales et universelles, il va de soi que son choix s'impose.

Ainsi, le milieu externe est dit conforme à l'intérêt commun s'il remplit les conditions suivantes : 1) s'il est organisé de telle sorte que tout individu puisse, par son travail personnel et les échanges, dans le cadre du droit de propriété privée, entrer en possession des ressources, d'une part, susceptibles d'être acquises par ses efforts personnels et, d'autre part, nécessaires pour la réalisation de son projet de vie ; 2) s'il est structuré de façon à mettre à la disposition de tous des biens nécessaires mais accessibles seulement par la voie de l'aménagement de la solidarité, dans le cadre du droit de propriété commune.

La privatisation est une avenue acceptable et conforme à l'intérêt commun lorsque la gestion de certaines ressources par l'État en vertu du droit de propriété commune est moins avantageuse pour l'ensemble des citoyens que l'administration de ces mêmes biens selon les modalités du droit de propriété privée. Ainsi, il est reconnu que l'exploitation agricole des terres est plus efficace sous un régime de propriété privée. Ce dernier est ajusté immédiatement à l'intérêt égoïste, qui s'avère l'enclencheur le plus puissant de toutes les entreprises humaines. Par contre, il arrive que l'exploitation égoïste de certaines ressources dont tous ont besoin tourne au détriment des intérêts légitimes des autres. Dans ce cas, une forme de nationalisation s'impose de façon à ce que tous aient accès à cette ressource nécessaire. Aujourd'hui, dans la plupart des pays, l'électricité est une source d'énergie indispensable à la vie. C'est pourquoi, dans la mesure où elle n'est accessible à tous que si l'État intervient dans sa distribution, il importe qu'en dernière analyse, sous une modalité ou sous une autre, elle soit gérée à l'instar d'une propriété commune.

Avant de procéder à l'analyse de certaines ressources particulières en vue de déterminer si l'intérêt commun postule leur privatisation ou leur nationalisation, aux énoncés de principe précédents il faut ajouter les constats suivants. La nationalisation s'enracine dans une donnée naturelle : le pouvoir d'autodétermination collective. Esquissée selon ses grandes lignes, elle consiste en la prise en charge par la société de la production de certains biens ou de la prestation de certains services, à l'exclusion des individus ou de groupes particuliers, en vue de réaliser un objectif commun. Sa légitimité est indéniable lorsqu'il s'agit de biens et services nécessaires qui en soi ne peuvent être obtenus que par la voie de la solidarité comme la paix et la sécurité, ou dont l'accès ne peut être assuré à tous que par cette même voie, comme l'éducation et les soins de santé.

La privatisation prend aussi sa source dans une donnée naturelle, soit le pouvoir d'autodétermination personnelle. Elle consiste en la prise en charge par un individu ou un groupe restreint d'individus de la production de certains biens et services en vue de la réalisation d'un objectif privé : la satisfaction de ses propres besoins ou un profit. Dans le contexte d'une économie capitaliste, cet objectif est le profit. Aujourd'hui, privatiser signifie produire selon les modalités du système capitaliste et, par conséquent, répartir selon le jeu de l'offre et de la demande.

Enfin, il faut retenir que le processus opératoire propre aux institutions étatiques respecte beaucoup plus le schème naturel travail-propriété-satisfaction des besoins que le mode de production capitaliste. En effet, ce dernier coupe le lien entre le travail et la propriété ; le salarié n'est pas le propriétaire du produit de son travail. Une autre particularité est que la satisfaction des besoins est assujettie aux profits ; elle ne constitue plus la finalité première de la production. En ce qui concerne les institutions étatiques, elles se plient rigoureusement au schème initial : participation solidaire (travail ou impôts)-propriété commune du produit-satisfaction des besoins selon le mode de répartition propre aux biens communs.

L'argent

L'argent figure au premier rang parmi les ressources susceptibles d'être privatisées ou nationalisées. Pourquoi ? Dans l'économie contemporaine, l'argent, en tant que pouvoir d'achat, constitue l'incontournable moyen d'accéder aux autres ressources, humaines et matérielles, dont l'individu doit se pourvoir afin d'assurer son devenir. Privé de tout pouvoir d'achat, l'individu erre comme un handicapé incapable de contrôler sa vie. En effet, le pouvoir d'autodétermination s'exerce par la mise en œuvre des forces dont on dispose à titre de propriété. Parmi ces dernières, certaines sont de l'ordre de l'être, d'autres, de celui de l'avoir. Dans le présent contexte économique, les forces relatives à l'avoir se réduisent toutes à leur valeur d'échange monétaire, car seule cette dernière ouvre la porte d'accès aux autres valeurs d'usage, non encore possédées, mais devant être acquises pour la réalisation des projets légitimes en cours.

Un agriculteur, déjà propriétaire d'une terre et de bâtiments, est aussi susceptible, pour développer son entreprise, d'avoir besoin d'un certain nombre d'instruments aratoires qu'il ne possède pas. Comment les acquérir si ce n'est en effectuant un emprunt à la banque ? Or, cet emprunt ne sera accordé que sous forme d'hypothèque dont le montant sera proportionnel à la valeur d'échange attribuée aux valeurs d'usage déjà possédées. La valeur d'échange préside à toutes les transactions économiques. Toutefois, la répartition de la somme d'argent en circulation à travers le monde s'effectue selon la loi de l'offre et de la demande. Il s'avère que cette loi, dont la rigueur est aveugle et implacable, redistribue les richesses d'une façon inégale sans égard aux besoins légitimes des individus. Il s'ensuit qu'à la limite elle a pour effet de dépouiller nombre d'individus de tout pouvoir d'achat et ainsi de compromettre leur devenir.

Dans l'ordre économique actuel, l'argent s'avère une ressource fondamentale dont les humains ne peuvent se passer. Or, il est démontré que la répartition du pouvoir d'achat, effectuée selon la loi de l'offre et de la demande, ne répond pas aux attentes universelles légitimes. Dès lors, rien n'empêche les individus, d'un commun accord, d'adopter des mesures qui soient des palliatifs aux insuffisances de la loi de l'offre et de la demande, comme garantir à tous un revenu minimum.

Parmi les entreprises capitalistes, il en est une qui se démarque des autres en ce sens qu'elle se donne pour fonction exclusive de faire circuler l'argent ; ce sont les banques. Dépositaires de l'argent de certains individus à qui elles versent un très faible intérêt, elles prêtent ces sommes à d'autres clients moyennant un intérêt beaucoup plus élevé. Elles constituent le canal privilégié par lequel la marchandise-argent devient accessible aux désirs de la demande solvable. Cependant, en ce qui concerne les faits, la circulation de l'argent, à travers le réseau des banques, n'est pas régie par la seule loi de l'offre et de la demande. La Federal Reserve Bank, aux États-Unis, et la Banque du Canada, en fixant le taux d'escompte, déterminent aussi le taux d'intérêt exigible par le système bancaire. En réalité, la fixation du taux d'escompte par les instances mentionnées dissimule une intervention de l'État dans la circulation de l'argent. L'État justifie les correctifs ainsi apportés au nom de l'intérêt commun.

Mais de quel intérêt commun s'agit-il ? En l'occurrence, ce que les États nommés définissent comme étant un bien commun est le bon fonctionnement du système capitaliste. Ils appuient leur raisonnement sur le faux paradigme que le capitalisme est le seul moyen de parvenir à la satisfaction universelle des besoins fondamentaux. Par là, ils soutiennent, consciemment ou non, que la réalisation des choix fondamentaux doit nécessairement passer par le filtre des profits des investisseurs. Le capitalisme ne fonctionne que s'il génère des profits et, donc, par sa structure même, assujettit les intérêts de tous à ceux des investisseurs. Au moment où j'écris ces lignes, le gouvernement japonais, selon les médias, s'apprête à injecter 700 milliards, en dollars américains, dans le système bancaire japonais, afin de sauver ce dernier de la faillite. Une telle intervention n'est acceptable que si elle se traduit par une nationalisation des banques. Un prélèvement aussi massif de fonds publics pour maintenir une entreprise purement privée susciterait l'indignation.

Ces diverses interventions, dans le cours de la monnaie, exercées par les États libéraux, autorisent plusieurs constats. Tout d'abord, la circulation de l'argent ne s'effectue pas seulement selon la loi du marché ; elle dépend aussi des décisions gouvernementales. Le barème auquel ces dernières doivent se conformer est le véritable intérêt commun étayé sur les droits fondamentaux eux-mêmes ordonnés à la satisfaction des besoins universels. En ce qui a trait au véritable intérêt commun, dans les sociétés contemporaines, le système économique ne figure que comme un moyen en vue d'une fin. À ce titre, il doit être ajusté aux exigences des droits fondamentaux, et non l'inverse. Dès lors, dans la mesure où l'argent est une donnée indispensable dont la circulation, en dernière analyse, même dans les pays d'allégeance capitaliste, est confiée à la responsabilité de l'État, ce dernier doit, selon les données de la conjoncture, adopter la ligne de conduite qui sert le mieux les intérêts de la communauté et donc nationaliser le système bancaire si les circonstances l'exigent. Rien n'oblige l'État à régulariser le cours de l'argent en le faisant passer à travers le crible du profit de certains investisseurs. Les entreprises nationalisées, telles qu'elles existent aujourd'hui, sous le nom de sociétés d'État, présentent des structures mixtes. Leur fonctionnement comporte des transactions qui obéissent à la recherche du profit, mais la répartition de ce dernier, au lieu de s'amonceler entre les mains de quelques propriétaires privés, suit le canal du trésor public, dont la gestion s'effectue selon les normes de la justice distributive ; en l'occurrence, à chacun selon ses besoins.

En résumé, les États contemporains, à l'encontre de l'aile libérale radicale (Hayek et Nozick, entre autres), se reconnaissent le droit d'apporter des correctifs à la loi de l'offre et de la demande en ce qui a trait au cours de l'argent. Par là, ils admettent au moins d'une manière implicite, sinon explicite, que pour répondre aux besoins de l'économie, la circulation de l'argent nécessite leur intervention. D'ailleurs, ces pratiques gouvernementales se logent dans le sillage de la théorie de Keynes, qui visait à déterminer le rôle de l'État en ce qui concerne la bonne marche de l'économie. Selon cet auteur, en période d'inflation, le gouvernement doit réduire la taille de la masse monétaire en circulation par une hausse des taux d'intérêt, une augmentation des impôts, et une réduction des dépenses gouvernementales ; par contre, en période de récession, il doit adopter des mesures directement inverses. Certes, aujourd'hui, comme il est devenu quasi impossible de définir avec exactitude quels sont les caractères respectifs de l'inflation et de la récession, les écrits de Keynes sont sujets à controverse. Néanmoins, ils témoignent que la tradition libérale, jusqu'à l'avènement du néo-libéralisme, a toujours reconnu la nécessité de l'intervention de l'État pour que l'argent, le sang de l'organisme économique, circule sans entrave à travers tout le système.

Ces pratiques d'intervention gouvernementales, largement répandues dans les pays capitalistes, reçoivent l'assentiment des gens, sauf celui des libéraux radicaux, lorsqu'elles sont jugées nécessaires pour que l'économie se porte bien. Pourtant, la responsabilité de l'État, en vertu des attentes qui président à sa mise en place, non seulement englobe la sphère économique, mais couvre tout l'espace externe postulé par les choix fondamentaux. Bien plus, les interventions de l'État dans l'ordre économique reçoivent leur justification ultime non pas de l'ordre économique, mais des droits fondamentaux auxquels la sphère économique est assujettie. C'est pourquoi, si l'État est autorisé à intervenir pour redresser l'ordre économique, c'est principalement dans la mesure où le bon fonctionnement de ce dernier produit un impact sur la réalisation des choix fondamentaux.

Ces dernières remarques tirent leur pertinence de la position commune à tous les libéraux, à savoir que les interventions de l'État n'ont d'autre limite que les exigences de l'ordre économique. Or, à l'heure actuelle, la sphère économique capitaliste n'a pas la même extension que la société elle-même. En effet, tous ceux qui, pour une raison ou pour une autre, se retrouvent sans ressources financières et sans travail sont par le fait même exclus de la sphère économique, car ils n'y participent en aucune façon, ni à titre d'investisseurs, ni de clients, ni de salariés. Néanmoins, ils demeurent des citoyens porteurs de droits fondamentaux et, à ce dernier titre, tombent sous la responsabilité de l'État.

Dès lors, puisque la sphère économique, en tant que partie intégrante de la société, est en dernière analyse ordonnée à la satisfaction des besoins premiers de tout un chacun, il appartient à l'État de suppléer aux insuffisances de l'ordre économique. Mais comment ? En ce qui concerne les institutions dont la mission spécifique est d'assurer une meilleure circulation de l'argent, comme les banques, le moyen le plus indiqué est de faire des ponctions sur les profits accumulés par ces mêmes institutions de telle façon que le cours de l'argent s'étende aux régions les plus asséchées où vivent les défavorisés.

Cette redistribution consciente de l'argent n'a d'autre effet que de rétablir l'équilibre brisé par les transactions effectuées selon la procédure tracée par la loi de l'offre et de la demande.

Les ressources territoriales

Par l'expression « ressources territoriales », il faut entendre toutes les ressources attachées à un territoire déterminé : l'eau potable, le sol arable, les forêts, la faune, les mines, les sources d'énergie, comme les cours d'eau et les nappes pétrolifères. Au point de départ, ces ressources appartiennent en commun à ceux qui se sont approprié un territoire par voie d'occupation. Le lien naturel entre les humains et le monde externe tire sa première forme d'aménagement de l'acquisition d'une propriété commune gérée par les représentants de la collectivité. C'est en tant que membres de la collectivité, en vertu du droit de propriété commune, que les individus s'appropriaient privément les biens nécessaires à la vie. Dès ce moment de leur histoire, les collectivités se sont octroyé un droit de propriété territoriale. En effet, toutes les conditions requises pour l'existence d'un droit se trouvent ici réunies : force sociale et gestion requise pour l'actualisation d'un choix fondamental, soit bénéficier d'un espace terrestre protégé où il soit possible de vivre. Une société, et l'être humain est un être social, ne peut survivre sans un territoire qui lui appartienne en propre. Du point de vue des faits et de l'histoire, la reconnaissance effective du droit de propriété commune a de longtemps précédé celle du droit de propriété privée tel que défini par les tenants du libéralisme. Cependant, tout au long de leur histoire, les humains, toujours en quête d'une amélioration de leur sort, sous la pression de l'évolution de la conjoncture, se sont livrés à des pratiques qui ont conduit à une répartition des ressources territoriales qui privilégiait de plus en plus l'appropriation privée de ces dernières. Que faut-il penser de ce mouvement qui est aujourd'hui la cause du malaise social aigu durement ressenti par toutes les sociétés contemporaines ?

Intérêt commun et ressources territoriales

En ce qui concerne les ressources territoriales, il convient de distinguer les cas où l'intérêt commun leur assigne un statut de propriété commune de ceux où il leur confère plutôt celui de propriété privée.

Pour réaliser leur devenir, les humains doivent utiliser les ressources de la terre à titre de forces productives en vue d'en tirer leur subsistance. C'est à la liberté personnelle de chacun qu'incombe en premier lieu la responsabilité du devenir de l'individu. Or, pour s'acquitter de cette responsabilité et mener à terme son projet de vie, l'individu doit disposer à la fois de ce qui lui appartient en propre et des ressources que lui offre la société.

Parmi les ressources territoriales, il en est que tous les projets de vie requièrent et il en est d'autres qui ne figurent que dans certains projets spécifiques. Il est évident que ces dernières seront mieux intégrées aux projets particuliers si elles sont gérées, à titre de propriété privée, par ceux qui auront choisi de s'engager dans de tels projets. En effet, la réussite d'un projet de vie repose en grande partie sur l'étendue de la marge de manœuvre dont chacun dispose, en ce qui regarde les moyens requis. Si une ressource matérielle fait partie de mon avoir propre, elle tombe sous ma seule volonté, donc je peux l'ajuster plus facilement aux projets que je poursuis.

La division du travail est certes l'un des facteurs qui ont le plus contribué à la différenciation des projets poursuivis par les uns et les autres. Dès lors, dans la mesure où certaines ressources territoriales ne sont nécessaires que pour ceux qui ont choisi d'exercer telle profession ou tel métier particulier, il est de l'intérêt commun, c'est-à-dire plus avantageux pour tous les membres de la société, que chacun gère, à titre privé, les forces productives dont l'utilité n'est pas universelle mais relative à l'exercice de son travail spécialisé. Ainsi, il n'est pas nécessaire que tous les citoyens possèdent un lopin de terre fertile, un gisement de minerai de fer ou un boisé, mais le cultivateur contrôle mieux son entreprise s'il est le propriétaire privé de sa terre ; il en va de même pour l'exploiteur minier en ce qui concerne les gisements de minerai et pour l'entrepreneur forestier en ce qui regarde les boisés. D'ailleurs, tout au long de l'histoire, la plupart des pays ont, à bon escient, privatisé des portions de leurs ressources territoriales, terres, mines, forêts, et en ont confié la gestion exclusive à des individus qui les ont par la suite intégrées, à titre de forces productives, dans leur projet de vie particulier.

Sans la propriété privée des forces productives tirées des ressources territoriales et nécessaires pour la mise sur pied de certaines entreprises susceptibles de faire partie de l'éventail des formes possibles de réalisation de soi, la liberté personnelle de nombre d'individus serait largement entravée, car, à toutes fins pratiques, elle n'aurait plus le contrôle sur les moyens indispensables à l'intégration de l'une ou l'autre de ces entreprises dans son projet de vie individuel.

Toutefois la répartition des richesses territoriales par la voie de la privatisation doit tenir compte des exigences de l'intérêt commun selon les données caractéristiques de la conjoncture. En principe, la privatisation des forces productives, dont la destination n'est pas universelle mais particulière, c'est-à-dire attachée à la diversité spécifique des projets légitimes librement choisis par des individus ou des groupes restreints, doit être effectuée de manière à préserver l'équilibre entre les revendications concurrentes justifiées. Cet équilibre est lié à la conjoncture, surtout à l'état des forces productives, soit à leur diversité ainsi qu'à leur rareté ou à leur abondance. Dans un pays où la principale force productive réside dans la fertilité de la terre, comme au Salvador, en Amérique du Sud, il est injuste que la quasi totalité des terres soit la propriété privée de quelques familles seulement. Déjà Locke, l'un des pères du libéralisme, par son « proviso », assignait des limites à l'accumulation privée des richesses. Chacun pouvait par son travail et son ingéniosité étendre sa propriété privée autant qu'il le voulait pourvu qu'il en restât assez pour les autres.

Par contre, en ce qui concerne les matières premières dont tous ont besoin pour assurer leur devenir, comme l'eau, et, dans la conjoncture actuelle, les sources principales d'énergie, soit l'électricité, le pétrole, le gaz, le charbon, il est préférable qu'elles demeurent propriété commune et qu'ainsi, en dernière analyse du moins, elles soient gérées par l'État. Pourquoi ?

Aujourd'hui privatiser signifie transformer une propriété commune en propriété privée capitaliste. Dès lors, lorsque des ressources territoriales dont tous ont besoin, comme l'eau et les sources d'énergie (électricité, pétrole, charbon) sont privatisées et intégrées dans un procès de travail capitaliste, elles sont désormais gérées d'abord et avant tout en fonction des profits auxquels la satisfaction des besoins devient subordonnée. La propriété privée capitaliste se distingue de la propriété privée élémentaire qui découle d'un prélèvement, accessible à tous par le travail, d'une portion des ressources territoriales, en vue de la satisfaction immédiate des besoins. La propriété privée élémentaire n'est qu'une modalité par laquelle la propriété commune réalise sa destination propre, soit satisfaire les besoins de tout un chacun. Il n'en est pas ainsi pour la propriété privée capitaliste ; elle est principalement ordonnée à l'enrichissement des investisseurs. Par le fait même, elle introduit un mécanisme médiateur, régulateur et discriminatoire, soit un procès de production axé sur le profit, dans le lien naturel entre l'être humain et les ressources d'où il tire sa subsistance. Lorsque la production est filtrée par le profit, elle n'atteint que la demande solvable et donc ne parvient pas à satisfaire les besoins de tout un chacun.

Le pétrole

Parmi les ressources territoriales, en raison du progrès technique contemporain, le pétrole et ses dérivés occupent un si grand espace qu'ils sont désormais indispensables au maintien et à l'essor de la vie des gens. Dans les pays où la production du pétrole s'avère la principale source de revenu de leurs habitants, il est de l'intérêt commun que la gestion de cette production soit assumée par les individus concernés qui, en l'occurrence, forment l'ensemble de la communauté. C'est la seule façon de répartir à l'ensemble des citoyens les avantages issus de l'exploitation de la ressource mentionnée ; en effet, la gestion privée, pour autant qu'elle soit axée sur le profit, a pour effet inévitable d'exclure certains individus du cercle où les retombées sont confinées. Cette conclusion autorise un jugement encore plus sévère sur les pays où certains roitelets aux pouvoirs tyranniques octroient à des capitaux étrangers la mainmise sur la principale richesse de leur contrée.

Dans les pays non producteurs, le pétrole demeure une denrée essentielle. En raison de cette donnée, au nom de l'intérêt commun, les États détiennent le pouvoir et l'autorisation d'appliquer des correctifs à l'application débridée de la loi de l'offre et de la demande. La pratique courante des pétrolières, à l'échelle mondiale, d'imposer des hausses de prix au jour le jour, pour des raisons de rentabilité, sans s'inquiéter des réactions de la clientèle, témoigne d'une arrogance inacceptable de la part de ces compagnies et de l'envergure des excès auxquels donne lieu le jeu de l'offre et de la demande lorsque cette dernière est si élevée qu'elle est complètement à la merci de l'offre. L'automobiliste qui fait le plein pour se rendre à son travail ne jouit d'aucune marge de manœuvre : il doit accepter le prix, sans possibilité de discussion, ou subir les inconvénients importants attachés à un refus. Ces hausses de prix, vu le nombre des automobilistes, ont pour effet, en l'espace d'une journée, d'engouffrer des milliards de dollars dans les coffres des compagnies et de diminuer d'autant la masse d'argent disponible pour le reste de la population. En outre, lorsqu'il s'agit de compagnies internationales, si une partie des ponctions effectuées se retrouve sous forme d'investissement dans un autre pays, elle ne circule plus en aucune façon dans la contrée où elle a été prélevée. Ainsi, la nationalisation des pétrolières, du moins sous la forme d'un contrôle exercé par l'État sur les prix et les profits, s'impose à plus d'un titre.

La plupart des nationalisations effectuées aujourd'hui se traduisent par des entreprises mixtes, où la production et la livraison des marchandises se conforment aux lois du capitalisme, tout en étant assujetties à une double restriction. D'abord, si certains individus sont incapables de payer, ils ont néanmoins accès à la ressource nécessaire : la société Hydro-Québec distribue l'électricité dans les coins les plus reculés de la province, même là où elle ne couvre pas ses coûts de production. En outre, cette société d'État verse une partie de ses profits dans les coffres de la communauté.

Les idées matérialisées

Il est des biens non indispensables à la vie dont la composante principale n'est pas fournie par la nature mais par l'ingéniosité et l'esprit inventif des humains, tels les ordinateurs, les téléviseurs, les automobiles, les avions, le téléphone, etc. L'eau embouteillée et le pétrole raffiné sont très différents des biens énumérés dans l'énoncé précédent : les premiers consistent en une richesse naturelle ajustée aux besoins ; les seconds, en un produit de l'esprit humain revêtu d'une enveloppe matérielle. Les idées matérialisées ne font pas partie des ressources naturelles qui originalement tombaient sous la propriété commune ; elles sont en soi la propriété privée de leur auteur. En principe, la gestion de ces biens revient aux individus. Néanmoins, dans la mesure où leur production et leur circulation obéissent aux lois du capitalisme et donc se traduisent, à longue échéance, par une répartition si inégale du pouvoir d'achat global qu'elle entraîne une diminution notable des revenus à partager entre les classes moyennes et celle des défavorisés, l'intérêt commun autorise l'État à rétablir l'équilibre par des correctifs appropriés.

La fabrication des armes

En tout temps et en tout lieu, l'armée s'avère l'un des bras de l'État ; à ce titre, elle est un bien commun dont l'institution et l'usage relèvent de la justice distributive. Toutefois, dans la plupart des pays, la gestion de cette propriété commune recèle une anomalie étonnante. En effet, alors que les soldats risquent leur vie, que l'ensemble des citoyens contribuent par leurs impôts à l'entretien de cette force sociale, bref, que chacun participe selon les principes de la justice distributive, le secteur de la fabrication des armes ne s'intègre à ce tout qu'indirectement, en subordonnant sa participation à la recherche du profit et donc à l'enrichissement des investisseurs. Il s'agit là d'une pratique qui va à l'encontre de l'équité la plus élémentaire et que l'État se doit de corriger. En effet, le secteur de la fabrication des armes, dans la mesure où il est ordonné à la création d'une force sociale et où il est financé à même les impôts des citoyens, relève en soi de la responsabilité collective et, par conséquent, doit être géré par l'État, à l'instar de tout bien commun ; il est donc impérieux de le nationaliser. En outre, les innombrables maux qui découlent du trafic déréglé des armes pourraient être endigués, du moins en partie, si l'État assumait le contrôle de leur production et de leur circulation.

CHAPITRE 3

CONFLIT INSTITUTIONNALISÉ ENTRE LE CAPITAL ET LES ÉTATS QU'IL TRAVERSE

Il faut prendre au sérieux les pensées de Karl Marx et de Jürgen Habermas, devenues quasi un lieu commun, sur le lien dialectique entre les humains et leur société. Il existe un lien de dépendance réciproque entre le devenir de l'individu et celui de la société ; la dialectique entre ces deux devenirs distincts est telle que les dimensions individuelle et sociale de l'être humain ne se développent que l'une par l'autre. D'une part, les individus s'alimentent aux ressources intellectuelles, artistiques, techniques et matérielles dont la société est dépositaire ; d'autre part, les sociétés accroissent sans cesse la quantité, la qualité et la diversité de leurs ressources en puisant dans les acquis des individus. La puissance et la richesse des sociétés dépendent de la puissance et de la richesse de leurs membres. Lorsque les individus décident de se regrouper en société, ils s'engagent par le fait même à mettre à la disposition de celle-ci une portion de ce qui leur appartient selon leur être et selon leur avoir.

Ce lien naturel de mutuelle dépendance entre l'individu et la société doit néanmoins être aménagé par les humains eux-mêmes de telle sorte qu'il ne tourne pas au détriment des choix fondamentaux de tout un chacun mais soit plutôt favorable à leur réalisation. Dès lors, il importe de maintenir un équilibre entre ce qu'un individu retient à titre de propriété privée et cette partie de son être et de son avoir qui tombe sous la propriété commune. Un trop grand accroissement de la propriété commune entrave l'essor de la liberté personnelle, comme l'a démontré l'expérience communiste, tandis qu'une trop grande expansion de la propriété privée compromet l'exercice légitime de la liberté politique.

C'est dans la perspective des énoncés de principe du paragraphe précédent qu'il importe d'examiner les frontières respectives des secteurs privé et public. Cependant, pour bien cerner la conjoncture du débat actuel, aux traits distinctifs de ces deux secteurs, déjà mentionnés dans la première partie de cet ouvrage, il faut ajouter d'autres caractéristiques différencielles. Le secteur privé désigne l'espace réservé par une collectivité déterminée à l'essor de la liberté personnelle et du capital. Or, en soi, le capital est sans frontières propres, il est apatride, le mouvement d'expansion qui le définit ne tolère d'autre règle que le droit formel garanti par la force des États qu'il traverse. Toutefois, il arrive que certains États, invoquant l'intérêt commun, réglementent les activités propres à leur secteur privé en ajoutant au droit formel des mesures interventionnistes qui freinent l'expansion du capital. Telles sont, entre autres, les lois qui taxent les importations de marchandises et celles qui restreignent à la fois les importations et les exportations des investissements capitalistes. La tendance mondiale à l'universalisation des marchés se manifeste à travers le mouvement qui vise à la suppression de toutes les barrières non incluses dans le droit formel.

En ce qui concerne le secteur public, dont la configuration est tracée par la volonté collective ou politique, il présente le trait caractéristique suivant : ses composantes, l'État et ses diverses institutions, ses lois et ses droits n'affectent que les citoyens d'un pays aux frontières délimitées. La juridiction de l'État canadien ne s'étend qu'à ses propres ressortissants ; seuls ces derniers ont l'obligation de contribuer au maintien des biens communs et jouissent des droits de bénéficier des privilèges attachés à ces institutions. La solidarité sur laquelle il se fonde ne s'établit qu'entre les membres d'une collectivité attachée à un territoire aux contours démarqués.

Le secteur public, par la médiation du droit formel dont il est le garant, enveloppe le secteur privé et lui fournit le milieu externe nécessaire au déploiement de la liberté personnelle et du capital. Il est aussi autorisé, en tant que responsable de l'intérêt commun, à intervenir d'une manière positive dans le mouvement du capital lorsque ce dernier tourne au détriment des droits fondamentaux de ses citoyens. Mais le capital n'accepte pas que son cours soit troublé par l'intrusion des États qu'il traverse. À l'aube de l'an 2000, le capital est engagé dans une offensive qui vise à restreindre le pouvoir des États et à infléchir leurs politiques de telle sorte que la sphère économique puisse jouir d'une plus grande autonomie. Cette lutte, plus ou moins latente au temps de la guerre froide, s'est manifestée au grand jour lorsque l'expérience communiste, amorcée depuis 1917, s'est soldée par un échec indéniable avec le démantèlement de l'Empire soviétique et la volonté politique de revenir à un État de droit clairement exprimée par Gorbatchev.

C'est par le cheval de Troie des emprunts de l'État aux investisseurs privés que le capital s'est infiltré dans les rouages de l'organisation politique et en a subrepticement faussé le mécanisme. Les emprunts de l'État auprès des particuliers ont été effectués selon les normes ayant cours dans le secteur privé, soit la loi de l'offre et de la demande, et non selon celles de la justice distributive. Au lieu de prélever les sommes d'argent voulues sur l'avoir des individus par la voie des impôts, les États ont préféré les acquérir en s'assujettissant aux clauses des emprunts, entre autres, celle qui enjoint de rembourser la totalité de la somme empruntée plus le montant des intérêts convenu. Au fond, il s'agit d'une forme d'hypothèque dont la société prise comme un tout constitue le répondant.

Au fil des ans, les milliards ainsi empruntés entraînent des intérêts considérables. Pour payer ces intérêts dont l'échéance est incontournable, si les revenus de l'État s'avèrent insuffisants, deux solutions se présentent : hausser les impôts ou réduire les dépenses. Parfois, comme dans la présente crise mondiale, les deux solutions doivent être appliquées en même temps. Quelle que soit la solution adoptée, les intérêts sont toujours prélevés sur les sommes perçues sous forme d'impôts. Par cette opération, une portion du patrimoine commun entre dans le cycle du capital et par le fait même accroît l'avoir des investisseurs et diminue d'autant les ressources financières à la disposition de l'État. Dans la mesure où les prêteurs deviennent les créanciers de l'État, ils jouissent des droits propres à tout prêteur et sont autorisés à exiger le paiement intégral des intérêts sans tenir compte des considérations humanitaires que comporte l'intérêt commun. L'échange n'a d'autre norme qu'une entente sur le prix et met de côté tous les autres mobiles susceptibles d'intervenir, quelle que soit leur nécessité et leur pertinence, comme la satisfaction des besoins fondamentaux.

Cette indifférence attachée à toute forme d'échange affecte aussi le rapport entre l'État et ses créanciers et lui confère une rigidité susceptible d'affaiblir l'État et de compromettre son rôle pourtant indispensable. À l'heure actuelle, les États qui ont contracté des dettes envers des particuliers sont obligés, pour s'acquitter des intérêts, de restreindre leurs dépenses et donc de réduire leurs prestations injectées dans les services essentiels, comme les soins de santé.

Aux yeux de ses créanciers, l'État n'est qu'un débiteur comme les autres. De même que le devenir de l'individu n'entre aucunement en ligne de compte dans les échanges entre les individus, ainsi le devenir de la société n'est d'aucun poids dans le rapport entre l'État et ses créanciers. Ces derniers ne voient dans l'État qu'un demandeur solvable.

Dans la présente conjoncture, les créanciers de l'État constituent une force externe, dont la seule loi est le droit de propriété privée capitaliste et qui exige de tout débiteur qu'il s'acquitte rigoureusement des intérêts qu'il doit, quelles que soient les conséquences sur des projets collectifs nécessaires, comme le maintien des programmes sociaux. Forts des privilèges attachés à leurs créances, ils imposent à l'État l'obligation d'ajuster ses politiques au paiement de la dette. Au Canada et dans une foule d'autres pays, au cours de la dernière décennie, les États claironnaient bien haut que leur objectif premier résidait dans une réduction de leur déficit à zéro.

Mais l'offensive des investisseurs, dont l'objectif avoué est de réduire la taille de l'État et donc l'espace du secteur public, ne s'arrête pas là. Mus par leurs désirs d'étendre leurs sources de profits aussi loin que possible, sous prétexte de diminuer les dépenses de l'État, ils préconisent la privatisation de ressources territoriales et de services nécessaires, même si cette dernière va à l'encontre de l'intérêt commun. En France, les ressources d'eau potable, malgré les protestations de la portion majoritaire de la population, sont désormais gérées par le secteur privé. Au fond, le cycle du capital, en vertu de sa propre dynamique qui le rend insensible à l'intérêt commun, tend à intégrer toutes les activités susceptibles d'être rentables.

Du point de vue des faits, le capital, bien qu'il ne puisse se passer de la protection de l'État, entre nécessairement en conflit avec le secteur public dans la mesure où ce dernier trace des limites à l'expansion illimitée des marchés postulée par le capital. À l'instar de deux forces contraires, le capital et le secteur public sont engagés dans une lutte dont l'enjeu n'est autre que la domination.

À l'heure actuelle, surtout depuis les deux dernières décennies, le capital a marqué plusieurs points. D'abord, par le truchement des prêts consentis aux États, il s'est glissé, tel un ver rongeur, à l'intérieur même de l'organisation étatique, de façon à s'alimenter aux impôts versés par les citoyens ; en effet les intérêts de la dette publique sont payés à même le trésor commun entretenu par les impôts et les taxes. En second lieu, grâce aux privatisations de certains services essentiels, comme la distribution de l'eau potable en France, ses sources de profit s'étendent. Enfin, la déréglementation, comme la suppression des taxes douanières et la levée des restrictions imposées à l'exportation et à l'importation des investissements, effectuée dans la foulée du mouvement de mondialisation des marchés, s'avère une victoire du capital, qui tend à éliminer le plus possible les entraves à son expansion.

Au fond, l'enjeu de ce rapport de force entre le capital et les États qu'il traverse sont les ressources financières. Le capital ne poursuit d'autre objectif que l'enrichissement des individus alors que l'État a besoin de sommes considérables d'argent pour implanter et maintenir un milieu externe qui respecte les droits fondamentaux de ses ressortissants. Comme la quantité d'argent disponible est toujours limitée, l'accroissement de la part du capital a pour corollaire une diminution de celle des États, et vice versa. Selon cette perspective, dans la mesure où les projets légitimes, individuels ou collectifs, dont la nécessité est démontrable, ne se réalisent que moyennant certaines ressources financières, il est incontournable que les uns et les autres puissent disposer d'une certaine quantité d'argent. Il s'ensuit que la répartition des sommes d'argent détenues par les citoyens d'un État déterminé, à titre de propriété privée ou commune, doive respecter un certain équilibre entre ces deux formes de propriété.

Le point d'équilibre

Le point d'équilibre sert à démarquer le juste de l'injuste. Où réside ce point ? Tel qu'il a déjà été démontré, le devenir de l'individu et celui de la société sont reliés par un rapport dialectique ; ils ne se réalisent que l'un à travers l'autre. Afin que cette dialectique soit avantageuse pour l'un et l'autre de ces devenirs, il est nécessaire que la liberté personnelle ne se développe pas au détriment de la liberté politique et vice versa. À l'heure actuelle, la problématique suscitée par ce rapport dialectique se pose dans les termes suivants : le capital, projet issu de la liberté personnelle, est ordonné à l'enrichissement illimité de l'individu, alors que l'État, projet collectif, pour remplir correctement sa mission légitime, doit disposer de moyens financiers considérables. Dès lors, à l'intérieur d'un pays, le capital, en soi agressif, tend à s'approprier la plus grande part possible des ressources financières globales, sans tenir compte de la part dont l'État a besoin, sous forme de propriété commune.

Outre cette offensive déclenchée sciemment par les investisseurs, le capital, selon sa logique interne, entre en contradiction avec l'État dans la mesure où il génère des inégalités que l'État, au nom des droits fondamentaux, est appelé à résorber. Le capital, en tant que processus de soi ordonné à l'enrichissement des investisseurs, favorise nécessairement les intérêts individuels de ces derniers au détriment de ceux des salariés et des consommateurs. C'est aujourd'hui un lieu commun, appuyé sur d'innombrables statistiques, que les capitalistes non seulement accroissent leur pouvoir d'achat dans une proportion plus grande que les salariés et les consommateurs, lorsque ces derniers bénéficient d'une amélioration de leur niveau de vie, mais encore, comme c'est souvent le cas à l'heure actuelle, l'augmentent, même si les revenus des individus appartenant à d'autres groupes de la société plafonnent, fléchissent, ou se détériorent. Ainsi, au cours de la dernière décennie, il s'est avéré que le pouvoir d'achat réel des classes dites moyennes a diminué alors que le nombre de pauvres suit une courbe ascendante.

Ces inégalités croissantes dans la répartition des richesses, vu leur impact négatif sur l'exercice des droits fondamentaux d'une portion notable de la population, tombent sous les normes de l'éthique sociale et appellent des correctifs. Tout comportement social, en tant qu'il affecte l'un ou l'autre des choix fondamentaux, s'intègre dans le domaine qui relève de la juridiction de l'État. Dans la mesure où ce dernier assume sa responsabilité, il est autorisé à intervenir de façon à rétablir l'équilibre brisé.

Par son tracé, le processus capitaliste autorise le développement de la liberté personnelle des uns au détriment de celle des autres ; les individus sont engagés les uns vis-à-vis des autres dans un rapport de force où le plus fort l'emporte inévitablement. C'est la version humaine et moderne de la loi de la jungle. Si cette dernière, inscrite dans la diversité des intérêts égoïstes, n'est pas suppressible, elle peut néanmoins être atténuée dans ses effets pervers par une législation appropriée. En somme, dans la conjoncture présente, le capital peut et doit être apprivoisé.

Apprivoiser le capital signifie l'ajuster aux droits fondamentaux en neutralisant, par voie de décrets, parmi ses effets, ceux qui empêchent le milieu externe, soit ses ressources humaines et matérielles, de répondre aux attentes premières des citoyens, comme le chômage et la pauvreté. Cette mission incombe à l'État ; d'abord, parce qu'elle tombe sous sa responsabilité, ensuite, parce qu'il est le seul à disposer de la force requise pour opérer ce redressement.

Cependant, les mesures compensatoires décidées par l'État ne peuvent être appliquées que si ce dernier possède les ressources financières que présuppose la mise en place de tout projet collectif. Où puiser ces ressources supplémentaires si ce n'est dans les énormes réserves accumulées dans les coffres des capitalistes les plus puissants ? La concentration croissante de l'argent entre les mains de quelques individus a pour corollaire la diminution croissante des sommes partagées entre l'État et le reste de la population. Une redistribution s'impose de façon à rétablir un juste équilibre entre les revenus des capitalistes, d'une part, et ceux de l'État et des autres citoyens, d'autre part. D'un point de vue éthique, l'État est-il autorisé à opérer une telle redistribution ? À l'argument, qui enveloppe une grande partie du présent exposé, à savoir que l'État est investi de la responsabilité de modeler le milieu externe de telle sorte qu'il réponde aux attentes fondamentales des citoyens, il faut ajouter les considérations suivantes.

En eux-mêmes, le droit de propriété privée, dans sa teneur néo-libérale actuelle, et la loi de l'offre et de la demande, telle qu'appliquée dans une économie capitaliste, souffrent de plusieurs carences. La liberté représente le pouvoir de choisir les fins, les perfections susceptibles de constituer son devenir et de les réaliser par ses propres forces. Il est évident que la seconde partie de cette définition, soit réaliser ses desseins par ses propres forces, inclut la libre disposition de ses ressources propres. Ainsi, la liberté personnelle est à la fois le lieu du droit au choix de son mode de vie et celui du droit d'utiliser ses propres ressources pour réaliser ce choix. En conformité avec cette notion de liberté, le droit de disposer de ses propres forces est instrumental en regard de la fin ciblée. L'analyse des phases constitutives du projet, qui s'avère l'expression adéquate de la liberté, corrobore ce dernier énoncé ; en effet, tout projet comporte deux phases principales : l'une marquée par le choix d'une fin qui est aussi le fil directeur de la démarche, l'autre, qui consiste en la mise en œuvre des moyens ajustés à la réalisation de cette fin.

Le droit de propriété privée capitaliste, tel que reconnu aujourd'hui, s'écarte considérablement du schème exposé précédemment. Tout d'abord, il s'enracine dans une notion qui ne retient que l'un des éléments de la liberté telle qu'elle se présente comme donnée naturelle. Il est évident que la liberté inclut le pouvoir de disposer comme on l'entend de ce qui nous appartient en propre, mais ce pouvoir, si on le situe en regard de l'ensemble des données qui tracent la configuration de la liberté, n'a pas pour seule restriction l'exercice de cet égal pouvoir par autrui. En octroyant la liberté aux humains, la nature rend ces derniers responsables de leur devenir. Mais en même temps, sous forme d'élans ou de tendances, elle trace les grandes orientations de ce devenir, soit conserver sa vie et son intégrité, déterminer son projet de vie, communiquer avec autrui, s'approprier par le travail les biens nécessaires à la subsistance, vivre en société. Ces tendances représentent les multiples dimensions de la liberté. Par conséquent, les contrecarrer signifie léser la liberté au même titre que violer la propriété privée d'autrui.

Le capital ajoute une nouvelle détermination au droit de propriété privée des libéraux. Ce dernier autorise chacun à disposer de ses biens propres pour atteindre la fin qu'il a choisie. En ce qui concerne les capitalistes, la fin sélectionnée est l'enrichissement. En soi, cet objectif est légitime, pourvu qu'au point de vue pratique il n'ait pas pour effet de compromettre les droits fondamentaux d'autrui.

Cependant, il y a lieu de s'interroger sur plusieurs aspects du capital. En premier lieu, aujourd'hui, sauf de très rares exceptions, la propriété privée capitaliste, qui consiste toujours en une somme considérable d'argent, s'acquiert et se développe par la voie des échanges réglés selon la loi de l'offre et de la demande. Cette loi, tel que déjà démontré, effectue une redistribution des richesses globales qui privilégie les investisseurs. À long terme et à une large échelle, cette redistribution se traduit par l'appauvrissement d'une portion notable de la population.

Or, la pauvreté s'avère un obstacle important à la réalisation des choix fondamentaux. Dans la mesure où l'État a pour mission de lever les empêchements qui entravent l'exercice des droits fondamentaux, il lui revient d'intervenir dans la répartition des richesses. Aussi, dans la présente conjoncture, ses revendications entrent-elles en conflit avec celles du capital. D'où le problème suivant : comment établir l'équilibre entre ces revendications opposées ?

L'équilibre brisé, à la suite de la redistribution opérée par la loi de l'offre et de la demande telle qu'assumée par le capital, ne peut être rétabli que par une nouvelle redistribution effectuée selon les normes de la justice distributive, soit à chacun selon ses moyens, à chacun selon ses besoins.

La pauvreté ne provient pas d'une disette de ressources financières disponibles, car, au cours de l'histoire, la somme totale des richesses étalées sur la planète n'a jamais été aussi élevée, mais d'une mauvaise répartition du pouvoir d'achat. La problématique se ramène à ceci : comment un État peut-il répondre aux attentes fondamentales de ses ressortissants tout en maintenant une économie capitaliste ? En puisant dans les profits qui s'avèrent le lieu de l'accumulation. Rien ne s'oppose à une telle mesure. Les effets négatifs, issus de la loi de l'offre et de la demande, pour autant qu'ils constituent un obstacle à la réalisation des choix fondamentaux, tombent sous le pouvoir et la juridiction de l'État. La loi de l'offre et de la demande n'est pas une loi positive mais une loi quasi naturelle dont les effets influent sur le devenir de l'être humain. Dans la présente conjoncture, il est utopique de la supprimer, mais il est possible d'en conjurer les effets pervers. Il est des bactéries dont la médecine peut enrayer les effets nocifs sans pour autant être capable d'en détruire le noyau.

En soi, la loi de l'offre et de la demande creuse les inégalités dans la répartition du pouvoir d'achat ; sous cet aspect, elle va à l'encontre de la mission de l'État, dont l'une des tâches principales est d'atténuer les inégalités susceptibles de nuire au devenir essentiel de l'être humain. En autant que certains des effets de cette loi contrecarrent les visées légitimes de l'État et que ce dernier jouit du pouvoir et de l'autorisation de les neutraliser, il est normal que les représentants de la volonté commune adoptent des mesures palliatives. Ainsi, rien n'empêche les États de décréter une taxe progressive sur les profits au prorata de leur accumulation entre les mains de quelques individus. Toutes les transactions, commerciales, bancaires, boursières, en tant qu'effectuées selon la loi de l'offre et de la demande à l'intérieur des frontières d'un État, tombent sous la juridiction de ce dernier. Jusqu'à ce jour, pour des raisons inconnues, les profits réalisés à travers les opérations boursières n'ont jamais été taxés à la source, bien qu'ils le soient indirectement en tant que parties des revenus des particuliers ; et pourtant, ces transactions sont le lieu d'une redistribution dont l'inégalité est visible. M. Tobin, Prix Nobel d'économie en 1976, a déjà démontré qu'une taxe de 1 %, si minime soit-elle, prélevée à la source des profits réalisés à la Bourse, fournirait aux États des revenus substantiels susceptibles d'alimenter leurs mesures compensatoires.

Capital et forces productives

Aujourd'hui, la propriété privée capitaliste embrasse une portion si grande de la totalité des forces productives des pays où elle est reconnue qu'elle entraîne dans son cycle la presque totalité des activités économiques propres au secteur privé de ces États. Cette concentration des forces productives entre les mains de quelques individus est compréhensible. La production à grande échelle, devenue la règle incontournable, s'alimente au progrès technique qui génère des outillages de plus en plus sophistiqués, dont les coûts de production sont de plus en plus élevés, et qui par conséquent ne sont susceptibles d'être acquis que par les individus dont les ressources financières sont considérables. Ainsi le rôle d'entrepreneur est réservé à une minorité de privilégiés.

Cet état de fait complique singulièrement le lien ontologique entre les humains et la planète où ils vivent. Pour assurer leur devenir, les humains ont besoin de s'approprier les biens que seule la terre peut leur fournir. Désormais, l'organisation économique capitaliste médiatise leurs rapports avec les ressources terrestres. Si les individus ne disposent pas des forces productives requises, ils n'ont d'autre choix que de s'intégrer dans le cycle du capital à titre de salariés. Cependant, une telle intégration ne va pas de soi. Les emplois appartiennent aux capitalistes qui les créent et en disposent comme ils l'entendent ; les salariés les occupent au gré du bon vouloir des investisseurs qui, lui, n'obéit qu'à un seul mobile, la rentabilité.

Les travailleurs se répartissent en deux catégories principales : d'une part, les travailleurs indépendants, comme les cultivateurs, les avocats, les médecins, et tous ceux qui gèrent leur entreprise au gré de leur propre volonté ; d'autre part, les salariés, qui occupent un emploi et donc travaillent sous l'autorité d'un autre. Dans la première catégorie, figurent en tête les capitalistes qui, par l'envergure de leur entreprise, couvrent la plus grande partie de la production des marchandises et de la prestation des services à l'intérieur du secteur privé. Quant aux salariés, dont le regroupement constitue une forte majorité de la population des pays industrialisés, ils présentent le trait caractéristique suivant : ce sont des individus dont la compétence ne peut s'exercer que s'ils disposent de moyens de production qu'ils ne peuvent acquérir, faute de ressources financières. Dès lors, pour travailler et gagner leur vie, ils n'ont d'autre choix que d'obtenir un emploi de ceux qui possèdent les moyens de production à titre de propriétaires privés. En l'occurrence, toutes les entreprises capitalistes, petites, moyennes et grandes, recrutent la main-d'œuvre dont ils ont besoin parmi des individus qui, vu la faiblesse de leur pouvoir d'achat, ne peuvent accéder par eux-mêmes aux forces productives que nécessite l'exercice de leur métier ou de leur profession.

En somme, l'appropriation privée des biens de production, vu le prix élevé de ces derniers, n'est accessible qu'aux bien nantis. Être le propriétaire des biens de production signifie, dans la même foulée, être le propriétaire des emplois, et donc tenir à sa merci l'usage des forces de travail de tous ceux qui, pour une raison ou pour une autre, n'ont pas les moyens financiers de mettre sur pied l'entreprise ajustée à leur compétence. Par le fait même, le travail de ces derniers et la satisfaction de leurs besoins fondamentaux deviennent assujettis aux aléas de la rentabilité, qui s'avère le mobile prépondérant de toutes les décisions prises par les propriétaires des forces productives en ce qui concerne l'occupation des emplois dont ils sont les gestionnaires.

Le droit de propriété privée des libéraux, pour autant qu'il porte sur les forces productives et les emplois, confère à ses détenteurs un pouvoir quasi discrétionnaire sur le travail de leurs employés, actuels ou futurs, sans prendre en considération le droit fondamental de ces derniers de s'approprier par leur travail les biens nécessaires à leur subsistance. En effet, c'est la seule rentabilité du capital qui détermine le salaire, l'occupation d'un emploi ou le congédiement. Telle est la règle appliquée à tous les salariés intégrés dans le cycle du capital.

Dès lors, puisque l'appropriation par le travail des biens de subsistance s'avère un choix fondamental, l'État est autorisé à intervenir de façon à ce que chacun puisse répondre à son désir naturel de travailler pour vivre. Jusqu'à ce jour, plusieurs États ont pris l'initiative de remédier à cette situation du travail créée par le développement aveugle du capital. Au Canada, par exemple, le gouvernement facilite à des individus compétents, susceptibles de mettre sur pied leur propre entreprise mais sans moyens financiers suffisants, l'accès aux forces productives en leur accordant certains privilèges, comme un prêt sans intérêt pendant 5 ans, des exemptions de taxes pour la durée du démarrage, ou parfois même de simples subventions. À ces mesures, il faut ajouter une autre pratique subventionnaire de plus en plus répandue : certains gouvernements, à la suite d'une entente ponctuelle avec certaines entreprises, s'engagent à verser à ces dernières des montants qui s'élèvent parfois à 20 000 dollars par emploi créé ou maintenu.

Ces diverses initiatives, certes louables en ce sens qu'elles visent à procurer des emplois, doivent néanmoins être examinées avec circonspection. D'une part, elles puisent dans la propriété commune, alimentée par les impôts des citoyens, des sommes d'argent qui s'intègrent désormais au cycle du capital et donc s'inscrivent dans un mouvement dont l'objectif sacré n'est autre que l'enrichissement des investisseurs. Dès lors, si les emplois ainsi créés ou maintenus s'avèrent, à une échéance plus ou moins longue, insatisfaisants en regard des profits escomptés, ils seront abolis d'une manière ou d'une autre. D'autre part, elles manifestent que l'État, pour s'acquitter de son mandat relatif au choix fondamental d'appropriation par le travail, s'assujettit aux exigences de ceux qui détiennent la propriété privée des forces productives.

En fait, tout se passe comme si l'État n'avait d'autre choix, pour solutionner la crise de l'emploi, que de s'en remettre au bon vouloir du capital. Pourtant, il existe d'autres options. Dans l'intérêt même du capital, pour accroître la demande solvable en période de récession, Keynes recommandait aux États de créer eux-mêmes des emplois en finançant des projets gouvernementaux. Mais l'État n'a pas pour seule mission de protéger l'ordre économique existant, il lui revient aussi d'implanter les droits correspondant aux choix fondamentaux. Pour y parvenir, dans la conjoncture actuelle, il se doit d'améliorer le milieu externe en écartant certains maux qui le minent, comme le crime organisé, la pollution croissante de l'environnement, une économie débridée. Toutes ces tâches exigent de l'État qu'il crée lui-même de nouveaux emplois en vue d'intensifier la lutte au crime organisé, de contrôler les principaux agents de pollution et d'exercer une surveillance plus étroite du déchaînement des forces économiques qui, derrière le bouclier que tente de dresser le néo-libéralisme, se livrent une lutte sans pitié.

D'ailleurs, tout au long de leur histoire, les États se sont toujours prévalu du droit de créer des emplois. Les multiples organismes en lesquels ils se ramifient comprennent une pléthore de fonctionnaires salariés. Cet état de fait est aujourd'hui mis en parenthèse, sinon relégué dans l'ombre, par une opinion que véhicule avec succès le courant néo-libéral et qui s'énonce ainsi : la crise de l'emploi ne peut être résolue que par les investissements intégrés dans le cycle du capital. Cette opinion s'est infiltrée dans les pores des partis politiques à un point tel que tous, malgré leurs divergences, s'entendent sur un point : influer sur le milieu externe de manière à privilégier l'entreprise privée et ainsi créer de nouveaux emplois. Dans le sillage de cette opinion, les néo-libéraux, bien servis par les médias, réclament à grands cris la diminution de la taille de l'État et, par voie de conséquence, la suppression d'une foule d'emplois créés par ce dernier.

Ces prises de position relatives à l'emploi, préconisées par les tenants du néo-libéralisme, s'appuient sur un double refus. En effet, ils ne reconnaissent à l'État ni le droit d'intervenir dans le cours de l'économie, si ce n'est en s'assujettissant aux lois du capital, ni celui de transformer les choix fondamentaux en droits stricts, et par voie de conséquence, ni celui d'instituer un droit à l'appropriation par le travail.

L'examen des pratiques économiques et politiques contemporaines, telles qu'exposées au cours des pages précédentes, autorise le constat suivant : le capital et les États qu'il traverse sont engagés dans un rapport de force où chacun des antagonistes vise à réguler le milieu social de façon à ce qu'il réponde à ses intérêts propres. Or, ces intérêts, bien que, sous un certain angle, ils soient dépendants les uns des autres, n'en sont pas moins opposés et divergents.

L'objectif premier et inconditionnel du capital est l'enrichissement des investisseurs ; la mission de l'État est d'établir un milieu externe qui soit propice à la réalisation des choix fondamentaux de tout un chacun. D'un côté, les règles qui président au mouvement du capital nécessitent la protection de l'État ; d'un autre, il incombe à l'État de protéger l'exercice légitime de la liberté personnelle. En outre, l'État puise dans les richesses produites par le capital les ressources nécessaires pour accomplir la tâche qui lui revient. Cette dépendance mutuelle constitue la première facette du lien dialectique entre l'État et le capital.

Cependant, il ne faut pas oublier que les États et le capital s'affrontent comme deux forces contraires qui, tout en n'existant que l'une par l'autre, s'exposent, vu la diversité de leurs fins respectives et les atouts que possède chacune d'elles, à se traduire par un rapport de domination qui tourne au détriment des objectifs légitimes de l'une d'elles.

À l'heure actuelle, la mondialisation des marchés s'avère le lieu où se condense le rapport de force. À travers ce mouvement dont il est l'agent propulseur, le capital tend à réduire le rôle de l'État à sa plus simple expression ; bref, à instaurer l'hégémonie de l'économique sur le politique. Cette tendance s'inscrit dans la foulée de la dynamique qui lui est propre. En soi, le capital cherche à débusquer la demande solvable partout où elle se trouve ; c'est pourquoi il s'efforce d'éliminer toutes les taxes imposées par l'État sur les exportations et les importations. En outre, puisque son point de départ réside dans la propriété privée des forces productives, son expansion postule un élargissement de l'accès à ces dernières, en intégrant dans son cycle, par voie de privatisation, les moyens de production autrefois contrôlés par l'État. Enfin, puisque l'hégémonie est aujourd'hui conditionnée par l'étendue des ressources financières dont dispose chacun des antagonistes, le capital s'efforce, par tous les moyens accessibles, de s'approprier la plus grande part possible de la totalité des sommes d'argent réparties entre lui et l'État. Aujourd'hui, l'autonomie que convoitent l'une et l'autre des forces en présence est liée à l'étendue des ressources financières que l'une et l'autre contrôlent. En effet, pour réaliser leurs desseins respectifs, le capital et l'État ont besoin d'argent ; ce dernier conditionne toutes leurs initiatives. Le capital n'existe qu'en accroissant la quantité d'argent sous son contrôle alors que l'État, pour répondre aux attentes fondamentales (maintenir les programmes sociaux, par exemple), doit disposer de sommes d'argent considérables. Dès lors, puisque les œufs d'or sont en quantité limitée, ce que le capital acquiert, l'État ne le possède pas, et vice versa. Or, l'appétit du capital est aveugle et illimité ; l'impact humain de sa volonté d'accumuler sans cesse n'entre aucunement dans ses considérations, comme le chômage et l'accroissement de l'écart entre les riches et les pauvres.

Au contraire, l'État, entre autres missions, détient le mandat d'atténuer la portée de ces fléaux dans la mesure où ils constituent un empêchement à l'exercice des droits fondamentaux, postulés ou reconnus. Ainsi, l'antagonisme entre le capital et l'État, au point de vue des faits, se manifeste dans toute son acuité à propos de l'appropriation de l'argent.

La dialectique entre le capital et l'État est des plus complexes. Pour le capital, l'argent est une fin en soi alors que pour l'État il n'est qu'un moyen. En outre, la force du capital réside dans ses ressources financières, tandis que celle de l'État repose sur la volonté de la majorité qui, si elle est consistante, l'autorise, par la voie des taxes et des impôts, à puiser chez les citoyens les revenus dont il a besoin pour accomplir sa mission.

Cette différence de perspective trouve son expression dans les comptes rendus des médias, qui présentent leur version des faits. Les compagnies, les banques, et les institutions boursières, malgré les remous que cela peut causer au sein d'une partie notable de la population dont les revenus plafonnent ou baissent, n'hésitent pas à clamer bien haut leur réussite en publiant la quantité de milliards de dollars qu'ils ont accumulés sous forme de profits pendant une période donnée. Du point de vue du seul capital, il s'agit bel et bien d'une réussite. Mais en même temps, ces mêmes médias affichent une attitude critique et négative vis-à-vis des États, qu'ils rendent responsables du chômage et de la pauvreté, qui pourtant, dans une grande proportion, sont attribuables aux mesures adoptées par le capital en vue de maximiser ses profits.

Cette attitude des médias, en ne retenant que le monde des apparences, contribue à façonner l'opinion publique dans un sens favorable au capital et préjudiciable aux États. Ainsi, dans le sillage de leurs énoncés, on retrouve le corollaire largement répandu que les États, contrairement aux supports du capital, sont de mauvais administrateurs. Par ignorance ou autrement, ils ne mentionnent pas que les projets étatiques sont assujettis à des règles différentes de celles qui président à la mise en place des projets rattachés au capital. Accroître sa fortune personnelle et modeler le milieu externe de telle sorte qu'il réponde aux attentes fondamentales des citoyens constituent des projets distincts qui postulent des gestions fort différentes. On ne peut juger de la gestion des gouvernements à l'aune des mêmes critères que ceux qui régissent celle des capitalistes. Le rôle des États n'est pas de réaliser des profits mais d'instituer des droits.

En résumé, la lutte pour l'hégémonie se révèle à travers l'examen des principales mesures que préconise le capital à l'heure actuelle, de leurs effets sur le mandat dévolu aux États et des motifs invoqués pour leur justification. La privatisation de certaines industries et de certains services essentiels sélectionnés en raison de leur rentabilité a pour effet, d'une part, d'étendre les sources de profit et, d'autre part, d'assujettir aux profits l'accès à des biens nécessaires. Du même coup, l'accès à ces biens n'est plus à la portée de tous et l'État, vu sa responsabilité, est contraint à n'exercer qu'un rôle de suppléance, soit colmater selon ses moyens les brèches effectuées dans l'accessibilité universelle à ces biens. Aux yeux de l'opinion publique, les tenants de la privatisation se justifient en affirmant que par ce transfert de juridiction ces biens et services sont mieux gérés, sans préciser en quoi ni comment. Dans ce cas précis, le critère du seul profit est inapplicable, et, pourtant, c'est la raison d'être de tous les investissements capitalistes.

L'autre mesure dominante, réclamée à grands cris par le capital et ses théoriciens, à le faveur du courant de mondialisation, est la diminution des taxes et des impôts. Les avantages escomptés d'une telle mesure sont importants pour le capital. Tout d'abord, une telle mesure accroît l'autonomie de ce dernier en favorisant la libre circulation des marchandises ; en second lieu, elle augmente la portion des richesses globales relevant du secteur privé et par le fait même rend ces ressources plus accessibles aux investisseurs. En outre, du même coup, elle affaiblit la force de frappe de l'État en soustrayant à son emprise les revenus que les taxes et les impôts auraient pu lui rapporter.

L'ensemble des remarques précédentes autorise une première conclusion : les sociétés actuelles sont secouées par deux courants contraires : l'un, le capital, tend à l'atomisation des humains en réduisant leurs relations à de simples rapports de forces régis par des règles purement formelles ; l'autre, l'État, tend au maintien et à la promotion d'une société vraie, fondée sur la solidarité aménagée selon des accords de réciprocité qui débouchent sur l'institution de droits tant formels que matériels.

Jusqu'ici, nous avons exploré le capital sous ses multiples facettes, ses origines, ses règles, son cycle, ses tendances, ses initiatives ponctuelles liées à la phase de la mondialisation des marchés ainsi que leur impact sur le fonctionnement de l'État. Il reste maintenant à cerner avec plus de circonspection quelles sont les forces dont l'État contemporain dispose pour résister à l'offensive du capital et mieux accomplir sa mission en ce qui regarde la protection et l'institution des droits.

L'État contemporain

Dans l'accomplissement de la tâche qui lui est dévolue, soit transformer les choix fondamentaux en droits stricts, l'État contemporain fait face à deux obstacles importants : le chômage et la pauvreté. Le droit à l'appropriation des biens nécessaires à la subsistance par le travail ou autrement n'existe pas encore, il n'est que postulé. La solution qui se dessine, à première vue, est que l'État lui-même crée des emplois, malgré l'opposition des néo-libéraux qui, à travers les médias, s'est infiltrée dans l'opinion publique. Toutefois, pour créer des emplois, l'État a besoin d'augmenter ses revenus. Or, l'État doit puiser l'accroissement de ses ressources financières là où les richesses s'accumulent à un rythme accéléré, soit dans les profits du capital. D'où les mesures déjà mentionnées, comme les taxes sur les profits des transactions boursières et sur l'exportation des capitaux, des prélèvements sur les profits exorbitants, la nationalisation de certaines industries et de services.

Toutefois, il ne faut pas sous-estimer la force de résistance du capital face à ces mesures. En effet, d'une part, les États particuliers n'ont juridiction que sur les opérations qui se déroulent sur leur territoire, d'autre part, le capital est apatride, sans attache à un État déterminé, et donc susceptible de traverser les frontières au gré de ses intérêts propres. D'ailleurs, jusqu'à ce jour, propulsé par les impératifs de la rentabilité, il ne s'est jamais gêné pour déménager ses installations d'un pays à un autre. Si les forces productives d'un autre pays, main-d'œuvre et matières premières, répondent mieux à la rentabilité, le capital n'hésite pas à y transporter ses pénates. Ces pratiques courantes témoignent de son indépendance vis-à-vis des pays où il exerce ses opérations et de la facilité avec laquelle il se soustrait à l'autorité des pays particuliers.

Le capital tient cette mobilité quasi sans entraves de son indifférence congénitale à l'égard des intérêts communs aux pays qu'il traverse. Sa participation au bien-être d'un pays est toujours conditionnée par ses perspectives de profit ; il n'y réinvestit les surplus accumulés que s'il escompte une rentabilité plus aguichante que celle offerte outre-frontières.

Comment les États, vis-à-vis de cette conjoncture factuelle, peuvent-ils apprivoiser le capital et l'assujettir à leurs intérêts communs respectifs ? Malheureusement, les pays pris isolément, vu la mobilité du capital, ne jouissent que d'une latitude restreinte pour intégrer la phase ponctuelle du capital qui les traverse. Le seul choix qui s'offre à eux est de se rassembler à certains égards sous une même autorité politique, à laquelle chacun participerait selon les modalités de l'activité communicationnelle orientée vers l'intercompréhension. L'union politique européenne, qui regroupe 15 pays, exerce ainsi un certain contrôle sur le marché économique européen et par le fait même neutralise, au moins partiellement, la mobilité du capital. Certes, il ne s'agit que d'une expérience réduite, mais elle marque un pas dans la bonne direction et sa réussite, quoique partielle, est néanmoins suffisante pour ouvrir de nouveaux horizons.

Pour faire échec aux instincts sauvages du capital, il n'y a qu'un moyen : redonner au politique l'hégémonie sur l'économique. Cette tâche, dans la conjoncture actuelle marquée par la mondialisation des marchés, bien qu'elle apparaisse quasi impossible à tous ceux dont l'esprit est obnubilé par les médias et l'idéologie néo-libérale dominante, est néanmoins justifiée et réalisable. Elle est justifiée pour autant que le capital, comme élément structurel du milieu social, tombe sous la juridiction de la volonté politique dans la mesure où son impact affecte la réalisation des choix fondamentaux.

En ce qui concerne sa faisabilité, elle repose sur l'étendue et la force de la volonté politique ou collective. En tant que potentiel, la liberté politique est une donnée naturelle, mais son actualisation est une construction qui dépend de la quantité et de la qualité des efforts collectifs conscients déployés pour l'instaurer. Au cours de l'histoire, cette volonté politique s'est présentée sous divers visages, qui étaient loin d'en exprimer toutes les virtualités.

En certains cas les décisions relatives à l'organisation de la société étaient prises par un seul individu ou un groupe très restreint pour ensuite être acceptées, sous la pression de contraintes dont le registre était très variable, par l'ensemble des membres de la communauté. Cette forme de volonté collective, propre à tous les régimes dictatoriaux, n'est qu'un travesti de la véritable liberté politique, qui comprend, à titre d'élément essentiel, une libre participation aux décisions.

À la différence des dictatures, dans la plupart des démocraties modernes, les citoyens participent aux décisions d'une manière indirecte par une sorte de procuration au contenu malléable accordée aux élus qui les représentent. Cette forme de participation est toutefois si inconsistante qu'elle laisse aux élus le pouvoir de décider en dernière analyse, sans autre responsabilité que de répondre de leurs faits et gestes devant leurs électeurs lorsque vient le temps d'obtenir un nouveau mandat.

Au fond, les démocraties modernes ne réalisent qu'une infime partie des nombreuses virtualités que contient la liberté politique. C'est dans l'activité communicationnelle orientée vers l'intercompréhension, telle que définie et développée par Habermas, que ces dernières trouvent leur esquisse la plus prometteuse.

Aux yeux de plusieurs, l'activité communicationnelle, telle que proposée par Habermas, est irréalisable à l'échelle de la politique. Pourtant, à l'heure actuelle, il est de nombreuses pratiques qui vont dans le sens de la voie tracée par Habermas. À travers les commissions parlementaires et les groupes de pression de toutes sortes, nombre d'intérêts particuliers parviennent à se faire couvrir par l'intérêt commun.

Toutefois, le principal obstacle à la formation d'une véritable volonté politique réside dans l'inertie des volontés individuelles, qui ne fournissent pas l'effort requis pour assumer leur responsabilité collective. Comment orienter les volontés individuelles vers la poursuite d'un intérêt commun ? Il faut d'abord qu'elles prennent conscience de la nécessité, inhérente à leur condition naturelle, de participer activement à la vie politique si elles veulent que la société réponde à leurs attentes fondamentales. Pendant des millénaires, pour des raisons que révèle l'analyse de l'histoire, la plupart liées à la conjoncture, elles se sont déchargées de leur responsabilité vis-à-vis de la société pour confier le soin de cette dernière à quelques individus. Cette attitude, vu l'étendue de sa durée, a eu pour conséquence d'obnubiler une donnée première de la condition humaine, la liberté politique.

Pour réveiller leur conscience endormie, les individus n'ont d'autre choix que d'adopter certaines pratiques à leur portée. Pendant les périodes électorales où divers partis se disputent le pouvoir, la conscience politique d'un grand nombre d'individus sort de sa torpeur. À l'intérieur d'un parti dont ils assument le programme, des milliers de bénévoles se livrent à une activité politique intense. Les partis déploient divers moyens pour faire connaître leur programme : assemblées, porte-à-porte, visites des supermarchés et des foyers pour vieillards, etc. Ce constat révèle la possibilité d'actualiser la liberté politique des gens. Dès lors, rien n'empêche de mettre sur pied des organisations permanentes, des réunions statutaires, par exemple, qui auraient pour objectif de renseigner, de consulter, de déceler les opinions majoritaires, en tout ce qui concerne les législations en voie de construction.

Il importe aussi au plus haut point de développer chez les gens un sens plus aigu de la propriété commune. Il faut que les gens se rendent compte que la propriété commune, tels les divers organismes étatiques, leur appartient en tant que citoyens et qu'ils ont un droit de regard sur leur gestion. De cette manière, face à des citoyens avertis en ce qui concerne leur droit de propriété commune, les élus seront moins enclins à céder aux pressions des groupes de lobbyistes en quête de subventions puisées à même les impôts des individus pour favoriser des intérêts particuliers sans lien réel avec les véritables intérêts communs. À titre d'exemple dont l'évidence saute aux yeux, il faut citer les revendications actuelles du sport professionnel au Canada. Sous prétexte de vouloir être, concurrentiels avec les équipes américaines, les promoteurs de ces sports tentent d'obtenir des gouvernements fédéral et provincial des subsides considérables alors que la moyenne des salaires annuels payés aux joueurs se situe tout près du million en devises américaines et que seuls les bien nantis ont les moyens d'acheter, vu leur prix élevé, des billets pour assister aux parties. Ces organisations sportives répondent à des intérêts particuliers circonscrits et ne peuvent se couvrir sous un intérêt commun. Les retombées économiques et les emplois qu'elles génèrent constituent une caractéristique propre à toutes les entreprises privées et ne les rangent pas pour autant parmi les intérêts communs. Autrement, l'État devrait subventionner toutes les entreprises privées et rien ne distinguerait le secteur privé du secteur public.

Toutefois, les pays, vu la mobilité quasi universelle du capital, ne peuvent reconquérir leur hégémonie sur la sphère économique si ce n'est par la voie de la solidarité ; en effet, seules des politiques communes à plusieurs pays possèdent l'efficacité voulue pour assujettir le mouvement du capital à leurs intérêts communs. Ainsi, l'union politique des pays européens constitue une organisation de base susceptible de s'attribuer des pouvoirs d'une envergure telle qu'ils aient la force suffisante pour apprivoiser le capital. C'est uniquement à l'intérieur d'une telle communauté politique qu'il est possible de prélever des impôts substantiels sur les profits jugés exorbitants, d'adopter des législations qui viennent réglementer les opérations effectuées pour de simples raisons de rentabilité et dont l'impact lèse des droits fondamentaux, comme les congédiements massifs, les déménagements d'un lieu de fabrication à un autre et les fusions, décisions qui sont la plupart du temps incompatibles avec l'intérêt commun.

Pour une société juste

Les remarques précédentes permettent de poser un diagnostic global sur l'état de la plupart des sociétés contemporaines. Elles sont victimes d'une série de contradictions qui les empêchent d'accéder au statut de société qui réponde aux critères de la justice. Une société juste est celle qui se conforme aux attentes premières des citoyens en œuvrant à la protection et à la promotion des droits fondamentaux.

La contradiction principale qui mine les sociétés contemporaines est celle qui oppose la sphère politique à la sphère économique, dominée par le capital. À travers la mondialisation des marchés, ce dernier impose son rythme aux forces politiques et exerce sur ces dernières des contraintes qui ont pour effet d'entraver la mission des États en regard des droits fondamentaux, comme les droits au travail et à la subsistance, soit à un pouvoir d'achat minimal.

La structure même de la sphère économique contemporaine appelle de sérieuses réserves. Les lois qui encadrent les activités économiques, soit le droit de propriété privée et la loi de l'offre et de la demande, pour se plier aux exigences de la justice, nécessitent des ajustements importants.

Le droit de propriété privée, tel que défini par les libéraux, résulte d'une opération abstractive par laquelle la liberté de disposer de ses biens propres est isolée d'une donnée naturelle dont elle est un élément indissociable, soit la liberté de se déterminer soi-même comme être humain. En l'isolant et en dissimulant son caractère instrumental, les libéraux élèvent cette dimension de la liberté au statut de règle ultime, et par le fait même substituent à son caractère naturel de moyen celui de fin en soi. Ainsi, la liberté de disposer de ses biens propres devient la norme justificatrice de tous les projets, pourvu que ces derniers ne lèsent pas l'égale liberté de disposer chez les autres. Dans cette perspective, la spécificité des fins que je poursuis n'a aucune portée normative ; il est indifférent que j'utilise mes ressources propres pour subvenir aux besoins de ma famille ou pour satisfaire mes goûts de luxe. Dès lors, je peux, en toute liberté, utiliser mes ressources propres principalement en vue de m'enrichir le plus possible ; le droit de propriété privée m'y autorise. Tel est le principe justificateur du capitalisme. Les droits à la subsistance, aux soins de santé, au travail, à l'éducation, sont relégués au second plan, sinon ignorés comme chez Nozick.

La loi de l'offre et de la demande, telle qu'elle a été analysée au cours de pages précédentes, a pour effet inévitable, dans un contexte capitaliste, de favoriser les investisseurs au détriment des consommateurs et de générer une concentration excessive du pouvoir d'achat global de la société entre les mains d'un petit groupe privilégié.

Dans la mesure où la sphère économique est structurée selon les règles mentionnées, elle ne répond pas au paradigme de la justice, défini par Rawls, et devenu quasi un lieu commun : équilibre adéquat entre les revendications (légitimes) concurrentes. Elle introduit plutôt un déséquilibre observable dans la répartition effective du pouvoir d'achat global.

En outre, la structure de la sphère économique capitaliste n'est pas conforme à la notion de société. Le regroupement des individus de la planète, à l'ère de la mondialisation des marchés, sous la seule enseigne de leurs relations commerciales, bancaires et boursières, n'établit pas entre eux un lien sociétal véritable. Ce dernier n'a d'autre fondement que la solidarité aménagée par des accords de réciprocité relatifs à la poursuite d'un intérêt commun, soit d'une institution à laquelle tous participent selon les normes de la justice distributrice.

Les liens qui se nouent à travers les échanges sont ponctuels, transitoires, n'ont d'autre finalité que les intérêts égoïstes de chacun et en dernière analyse ne reposent que sur la valeur d'échange. Les seuls points communs susceptibles de poser une connexion entre ces multiples transactions sont qu'elles ont lieu sur la planète terre et sont assujetties aux règles du capital, bref, qu'elles se produisent à l'intérieur du même cadre géographique et normatif.

En agissant selon les seules lois du capital, les individus n'établissent entre eux d'autres liens que ceux postulés par leurs projets égoïstes respectifs. L'échange ne se produit que si chacun y trouve son avantage propre et une fois l'opération terminée, chacun reprend la démarche que lui tracent ses projets individuels.

La structure économique est le lieu d'un rapport de force entre les investisseurs et les consommateurs. Les premiers constituent une force organisée qui comprend des techniciens experts et des stratèges avertis, tandis que les seconds ne font face à cette puissance que pris isolément, un à un, sans disposer des moyens et des connaissances requis pour cerner la véritable portée des enjeux de la transaction qu'ils effectuent.

À l'intérieur de cette structure, pour rétablir un certain équilibre entre les forces en présence, il serait nécessaire que les consommateurs, plutôt que d'agir séparément, se regroupent en associations afin de se donner les moyens voulus pour offrir une résistance efficace aux vendeurs dont la stratégie s'appuie sur une organisation articulée autour d'une publicité envahissante, sinon indécente, et sur le secret jalousement gardé de la grandeur des avantages qu'ils retirent de chaque transaction. De même que les salariés, au cours de l'histoire, n'ont pu accéder à un certain bien-être qu'en se regroupant à l'intérieur d'un syndicat, ainsi les consommateurs, dans l'état actuel du monde, ne pourront constituer une véritable force que par la voie de la concertation au sein d'une même organisation. L'entente sur le prix des marchandises ne peut être juste que si elle est établie par des négociateurs dont les poids respectifs s'équilibrent.

Dans la présente conjoncture, la tactique des investisseurs (vendeurs) se résume à ceci. Pour réaliser les plus hauts profits possibles, un seul et même investisseur tente de conclure des marchés avec le plus grand nombre de clients possible, ce qui est susceptible de se chiffrer dans les millions ou les milliards. Ils fixent eux-mêmes le prix de leurs marchandises. Ce prix, ils ne le négocient pas avec l'ensemble de leurs clients présents ou éventuels mais avec chacun d'eux pris séparément. Dès lors, face à un vendeur appuyé sur une solide organisation qui comprend des stratèges avertis et des experts en comptabilité et en marketing, se retrouve un client isolé, quasi dépourvu de tout pouvoir de négociation parce qu'il ne dispose ni des connaissances ni des habiletés qui lui permettraient de saisir correctement le véritable enjeu de la transaction en cours. Aussi, dans la majorité des cas, l'échange se conclut-il au prix déjà fixé par le vendeur. En somme, pour remédier à cet état de fait, il faudrait que les prix soient déterminés au terme d'une entente entre le vendeur et les représentants autorisés d'une association qui regrouperait les clients présents ou éventuels, tout comme les salaires et les conditions de travail sont aujourd'hui fixés à travers une convention collective entre le patron et ses employés.

La structure de l'économie capitaliste contrevient à la justice élémentaire en tant qu'elle tolère des opérations qui ont pour effet direct de nuire à l'exercice de certaines libertés fondamentales, comme le droit à la subsistance et à l'appropriation par le travail. Ces derniers droits sont lésés par le fait que la structure reconnaît la rentabilité comme règle prioritaire et sans appel et donc autorise des congédiements massifs ainsi qu'une accumulation illimitée des richesses entre les mains de quelques-uns au détriment d'une grande partie de la population. Ces anomalies découlent directement du droit de propriété privée tel qu'il est intégré à l'économie capitaliste.

La loi de l'offre et de la demande, telle qu'elle s'applique comme élément de la structure capitaliste, bien qu'à longue échéance elle exerce un impact négatif sur les droits fondamentaux existants ou présumés, n'a pas la même rigidité que le droit de propriété privée. En effet, comme propriétaire des emplois, le capitaliste est autorisé à congédier au gré de son vouloir. La loi de l'offre et de la demande, pour autant que son application réside dans un rapport de force, autorise une ouverture : rien n'interdit aux consommateurs de former un front uni et d'augmenter leur pouvoir de négociation. Par cette dernière mesure, il serait possible de parvenir à un accord acceptable sur les prix. En fait, pourvu que l'on puisse établir un certain équilibre entre les forces négociatrices, la loi de l'offre et de la demande est susceptible d'être conforme à la justice des échanges.

Toutefois, tel qu'on l'a démontré, cette structure, vu la faiblesse de sa règle ultime et englobante, soit le droit de propriété privée des libéraux, tolère des accrocs notables à la justice élémentaire, soit celle qui interdit de nuire, à brève ou longue échéance, à l'actualisation des choix fondamentaux de tous les citoyens. Elle nécessite donc des correctifs. Bref, il faut reconsidérer le droit de propriété privée et l'assujettir à l'intérêt commun, défini comme un milieu externe favorable à l'actualisation des choix fondamentaux de tous les membres de la société.

À qui incombe cette responsabilité si ce n'est à la volonté politique ou collective représentée par l'État, dont la mission consiste précisément dans l'instauration d'un intérêt commun ? En tout ce qui concerne ce dernier, l'État s'avère l'instance ultime et décisionnelle. Dans la mesure où le droit de propriété privée n'est pas une fin en soi mais un moyen, il reçoit sa légitimité de la fin à laquelle il est ordonné. Certes, je peux utiliser mes biens propres pour réaliser les fins de mon choix, à la condition que ces dernières soient légitimes. Tout projet individuel qui va à l'encontre de l'intérêt commun est irrecevable. Je suis autorisé à disposer de ce qui m'appartient en propre pour m'enrichir, pourvu que cette accumulation de richesses ne dépasse pas le seuil quantitatif tracé par l'intérêt commun.

Il s'ensuit que l'État détient, en vertu de sa mission (protéger l'intérêt commun), l'autorisation d'assigner des normes aux activités du capital, qui, lui, n'a d'autre justification que le droit de propriété privée tel que falsifié par les néo-libéraux. La position de ces derniers est à la fois paradoxale et irrecevable ; ils justifient la fin par le moyen : au nom du droit de propriété privée, ils tolèrent qu'un individu s'enrichisse indéfiniment sans prendre en considération l'impact de cette accumulation sur les droits fondamentaux des autres, sauf sur leur égal droit de propriété privée.

Sur ce sujet, la position de Rawls mérite un examen. D'une part, il reconnaît que la justice relève plus de la structure de l'organisation sociale que de la conscience des individus et que par conséquent les principes de la justice doivent être intégrés à la structure sous forme de lois et de droits, mais, d'autre part, en ce qui concerne la sphère économique, il propose de l'assujettir à un principe spécifique dont voici la teneur :

> En second lieu, les inégalités sociales et économiques doivent être organisées de façon à ce que à la fois, a) l'on puisse raisonnablement s'attendre à ce qu'elles soient à l'avantage de chacun et b) qu'elles soient attachées à des positions et à des fonctions ouvertes à tous[1].

Lorsqu'il développe le contenu de ce principe, il explicite ce qu'il entend par « à l'avantage de chacun » : il signifie par là que les classes les plus défavorisées doivent aussi en retirer quelque bénéfice. Ce principe, dit de « différence », soulève plusieurs difficultés. Tout d'abord, il réduit l'impact négatif des pratiques économiques sur l'ensemble de la société à celui qu'il exerce sur les groupes les plus défavorisés. Pourtant, les pratiques économiques contemporaines, par certains de leurs effets, vont aussi à l'encontre des intérêts légitimes des classes moyennes. La redistribution des richesses opérée par la loi de l'offre et de la demande affecte une portion substantielle des citoyens d'un pays.

En second lieu, que faut-il entendre par avantage ? Puisqu'il s'agit de la sphère économique, les avantages auxquels il y a lieu de se référer consistent en retombées économiques. Ainsi, l'expansion des entreprises économiques, tout en augmentant les profits des investisseurs, est susceptible de générer de nouveaux emplois et de contribuer à l'accroissement du pouvoir d'achat en circulation. Pour que ces retombées satisfassent au principe de différence, il suffit que des emplois soient créés, peu importe qu'ils soient précaires ou non,

---

1. John Rawls. *Théorie de la justice*, p. 91.

ou que le pouvoir d'achat des plus défavorisés augmente quelque peu, même si cet ajout ne leur permet pas de franchir le seuil de la pauvreté.

Si la structure économique en place se plie à cette condition minimale, elle est dite juste en vertu du principe de différence. Que vaut ce dernier énoncé ? Du point de vue de l'éthique, toute structure sociale, économique ou politique est dite juste dans la mesure où elle constitue un milieu externe qui soit propice à l'exercice des droits fondamentaux. Ces retombées économiques minimales ne viennent qu'atténuer, sans les colmater, ces accrocs aux droits fondamentaux qui résultent du chômage persistant et de l'inégalité sans cesse croissante entre les riches et les pauvres. Pour rendre juste la structure économique, il ne suffit pas d'imposer à la rentabilité une clause restrictive minimale qui, d'une part, ne tienne compte que d'une portion restreinte de la population, les défavorisés, et, d'autre part, se contente d'une amélioration, si infime soit-elle, du sort de ces derniers ; il faut assujettir la rentabilité aux droits fondamentaux.

La structure même de l'économie capitaliste a pour ainsi dire comme propriété de tendre à la maximisation des profits sans prendre en considération les désordres sociaux susceptibles de s'ensuivre. Face à ses opposants, pour se justifier, elle invoque son origine quasi spontanée. Cependant, il ne faut jamais oublier que les activités économiques, à l'instar de toutes celles qui se traduisent par des rapports sociaux, sont assujetties à l'exercice des droits fondamentaux, et à ce titre tombent sous la responsabilité politique. En outre, tout comme le droit de propriété privée auquel elles se réfèrent, elles ne sont que des moyens de soi ordonnés à la réalisation des choix de base. Mais pour répondre à cette finalité, il ne suffit pas de leur appliquer le principe de différence, il faut ajuster leur contenu en les soumettant directement aux normes de justice que constituent les droits fondamentaux. Ainsi, à partir de ces derniers, il y a lieu de légiférer sur l'accumulation des profits, sur les conditions de licenciement et sur les procédures constitutives de la loi de l'offre et de la demande. En clair, les principes de justice, reconnus par Rawls comme premiers, pour les distinguer du principe de différence, doivent être intégrés directement à la structure économique par des législations appropriées. Par voie de conséquence, le principe de différence devient superflu.

En résumé, le droit de propriété privée des libéraux, tel qu'il est intégré dans la structure économique, en ce sens qu'il ne reconnaît pas les droits à la subsistance, à l'appropriation par le travail et à la propriété commune comme autant de limites à son exercice, autorise des activités qui violent la justice élémentaire ; par exemple, des congédiements sans raison suffisante, un contrôle excessif des forces productives qui rend ces dernières quasi inaccessibles à la majorité de la population. La justice élémentaire interdit toute activité qui contrevient à l'exercice des libertés de base.

En ce qui concerne la loi de l'offre et de la demande, si le consensus sur lequel elle repose n'est pas issu d'un rapport où les forces échangistes en présence s'équilibrent, elle aussi va à l'encontre de la justice élémentaire. Telle qu'elle est appliquée à l'heure actuelle dans la majorité des cas, à longue échéance, elle a pour effet d'opérer une redistribution des richesses qui, en dernière analyse, empêche une partie de la population d'accéder aux ressources nécessaires à la réalisation des choix fondamentaux.

Il s'ensuit que la structure économique capitaliste ne peut répondre aux impératifs de la justice élémentaire que si on lui apporte des modifications considérables par la voie de la législation. Dans la conjoncture présente, il serait irréaliste de vouloir substituer un autre mode de production au système capitaliste centré sur le profit, comme le démontre l'échec des expériences socialistes au cours du siècle qui s'achève. Néanmoins, il incombe à la responsabilité de l'État de pallier les effets négatifs découlant de la structure économique par des mesures appropriées, comme un impôt progressif sur les profits et la mise sur pied d'un organisme destiné au renforcement du pouvoir de négociation des consommateurs.

Le mode d'opération propre à l'État, fondé sur la solidarité et la justice distributive, se prête à ces aménagements. Dès lors, à l'heure actuelle, la structure économique ne peut satisfaire aux exigences de la justice élémentaire que si certains de ses effets sont compensés par des mesures qui relèvent de la justice distributive.

L'écart entre les choix fondamentaux et les droits reconnus

Les droits reconnus sont ceux que garantit la structure économico-sociale d'un pays. La mission que les citoyens confient à leurs États est d'instituer un milieu externe, de mettre sur pied une organisation économique et sociale qui ait pour effet de protéger et de promouvoir les intérêts fondamentaux de tout un chacun. Le rôle dévolu à l'État est double : ouvrir un espace où chacun puisse actualiser ses libertés de base et rendre accessibles à tous les ressources nécessaires à l'exercice de leur liberté. La jouissance pleine et entière d'un droit repose sur cette double garantie, d'où l'interrogation suivante : les organisations économique et sociale propres aux pays développés répondent-elles aux critères mentionnés en ce qui concerne chacune des libertés de base et les droits qu'elles postulent ?

1) Le droit à la vie. Dans les pays auxquels on se réfère, les interdictions de tuer, de blesser, de torturer, de voler sont incorporées dans un système policier et judiciaire qui leur confère l'efficacité requise pour que tous les individus puissent coexister à l'abri des assauts malveillants de leurs concitoyens. Toutefois, dans ces mêmes pays, dont le développement est attribuable à l'essor de leur industrie, la législation tolère, sans y remédier d'une manière efficace, des pratiques industrielles qui ont pour effet de polluer l'air, l'eau et la terre, mettant ainsi en danger l'intégrité corporelle des individus. La timidité des efforts déployés par les États pour redresser la situation s'explique surtout par les fortes contraintes qu'exercent les propriétaires des industries, dont les arguments se résument à ceci : les mesures d'assainissement seraient si dispendieuses qu'elles porteraient un grave préjudice à la rentabilité.

Cependant, pour garantir à tous le droit à la vie, l'État ne peut se contenter d'appuyer ses interdictions sur sa force, il doit aussi aménager le tissu économico-social de telle sorte que, d'une manière ou d'une autre, chacun puisse disposer des ressources indispensables à la sauvegarde de sa vie. Dans maints pays industrialisés, les programmes dits sociaux, comme l'assurance-maladie universelle et obligatoire et les prestations statutaires versées aux indigents, s'avèrent des mesures qui ajustent plus adéquatement le milieu externe à la volonté de vivre. De telles décisions étatiques sont autant d'éléments constitutifs du droit de vivre. Ces mesures sont rendues nécessaires pour compenser les inégalités que sécrète la structure économique, en soi indifférente au droit à la vie.

Grâce à ces interventions étatiques, qui viennent pallier les effets négatifs et récurrents issus de la sphère économique, la structure globale de la société constitue un milieu externe où la vie biologique de chacun est susceptible de se conserver et de s'épanouir. Dans l'ensemble des pays développés, du moins, le droit à la vie semble effectivement reconnu.

2) Le droit à l'appropriation par le travail. Ce droit, postulé par le lien naturel de dépendance entre l'être humain et la terre qu'il habite, n'est aucunement reconnu aujourd'hui ; il n'est point de pays qui ait implanté un milieu externe où l'accès aux biens terrestres soit à la portée de chaque citoyen. Les raisons de cette méconnaissance sont multiples. Elles prennent leur source à la fois dans les pratiques économiques courantes et l'idéologie néo-libérale qui les corrobore.

À l'heure actuelle, la privatisation des ressources matérielles, soit des forces productives, est si étendue qu'elle ne satisfait même pas au « proviso » de Locke, c'est-à-dire qu'il n'en reste pas suffisamment pour les autres. En outre, la propriété privée de ces richesses se condense entre les mains de quelques privilégiés, de telle sorte que la majorité des gens, pour travailler et gagner leur vie, n'ont d'autre choix que d'obtenir un emploi qui en fait appartient au détenteur des forces productives.

Quelles sont les conséquences de cet état de fait ? Les investisseurs accordent leurs emplois au prorata de leur rentabilité. Il s'ensuit que les salariés conservent, obtiennent ou perdent leur emploi selon les aléas du marché. Dès lors, tous les individus qui se rangent sous la catégorie « salariés » ne jouissent d'aucune garantie en ce qui concerne l'exercice d'un travail rémunérateur. Cette garantie, qui conférerait à la liberté d'appropriation par le travail le statut de droit, ne peut aucunement être assurée à l'intérieur d'une économie gérée par le capital.

Cette situation est d'autant plus grave que les États, qui ont le pouvoir et l'autorisation de créer des emplois, sous les pressions manifestes du capital, comme la nécessité de combler le déficit global, et de l'idéologie néo-libérale, qui vise à réduire leur rôle à celui de gendarme, loin de créer de nouveaux emplois, en suppriment de plus en plus. Au cours des dernières années, maints pays occidentaux et nord-américains ont effectué des coupures substantielles dans les ressources humaines préposées aux services publics.

L'assurance-chômage obligatoire, qui verse aux travailleurs des sommes compensatoires en cas de perte d'emploi, peut-elle être considérée comme un palliatif suffisant pour que, tout considéré, la liberté d'appropriation par le travail accède dans une certaine mesure au statut de droit, à l'instar de l'assurance-maladie obligatoire, qui s'avère l'un des éléments clés du droit à la vie ?

L'assurance-maladie couvre tous les citoyens sans exception, alors qu'il est loin d'en être ainsi pour l'assurance-chômage ; cette dernière ne protège pas tous les citoyens en âge de travailler. Tout d'abord, elle n'avantage en aucune façon ceux qui n'ont jamais occupé d'emploi et qui sont en quête de travail. En second lieu, les travailleurs congédiés, à l'expiration de la période où ils bénéficient des prestations de l'assurance, n'ont aucune garantie de trouver un nouvel emploi.

À ces faiblesses inhérentes à l'organisation économico-sociale des pays développés s'en ajoute une autre, de beaucoup plus importante : l'absence de volonté politique ferme d'accorder à la liberté d'appropriation par le travail le statut de droit. Sur ce point, les États non seulement n'assument pas leur responsabilité dans ce domaine de leur juridiction, mais encore, il n'apparaît même pas à leur conscience que la liberté d'appropriation par le travail soit une donnée fondamentale et naturelle qui postule un droit.

À titre d'illustration de ce dernier énoncé, voici un fait. En 1998, au Canada, au cours d'une période marquée par des compressions budgétaires en vue d'atteindre le déficit zéro en matière de dettes publiques, le gouvernement a constaté que la caisse d'assurance-chômage enregistrait un surplus de 20 milliards (en devises canadiennes). Les sommes d'argent qui alimentent cette caisse proviennent de deux sources : les contributions respectives des salariés et des employeurs. Sémantique mise à part, en réalité, la part des employeurs déguise une portion du salaire des employés. C'est pourquoi il faut reconnaître que ces ressources financières appartiennent en totalité et d'une manière exclusive, à titre de propriété commune, à l'ensemble des salariés qui ont contribué à leur institution. Pourtant, si étonnant que cela puisse paraître, malgré le fait que les salariés aient constitué la partie de la population la plus affectée par les compressions budgétaires et que ces ressources n'aient d'autre destination que de protéger les salariés contre les soubresauts du capital, la première réaction du gouvernement ne fut pas de penser à utiliser ces sommes pour améliorer le sort des travailleurs en créant de nouveaux emplois ou en distillant des prestations plus généreuses aux travailleurs dans le besoin, mais de les consacrer à la réduction du déficit global du pays. Heureusement, sous la pression des protestations qui ont fusé de toutes parts, les gouvernements n'ont pas donné suite (du moins pas encore) à leur vision fausse et superficielle de l'étendue de leur juridiction.

Ce fait ponctuel est néanmoins révélateur. Dès la connaissance de ce surplus, le réflexe premier et quasi spontané des gouvernants canadiens fut de l'utiliser pour éponger la dette publique, sans se rendre compte que ces sommes d'argent appartenaient aux salariés et non à l'ensemble de la population. Certes, les gouvernants ont reçu le mandat de gérer cette caisse, mais uniquement dans l'intérêt exclusif des salariés qui ont participé à sa mise sur pied par leurs contributions Cette bourde recèle un état d'esprit inquiétant chez les gouvernants canadiens, à savoir que leurs préoccupations prioritaires ne portent pas sur le droit fondamental présumé des humains à l'appropriation par le travail, auquel se rattache l'assurance-chômage, mais sur le droit de propriété privée, tel que faussement appréhendé par les néo-libéraux, qui enjoint à chacun de payer ses dettes.

Il est évident que les États développés ont le souci de conjurer le chômage, mais ils n'assument cette responsabilité qu'indirectement, soit en encourageant, par diverses mesures, les investisseurs privés à créer des emplois. Pourtant, cette responsabilité leur revient prioritairement, en vertu de leur véritable mandat, qui consiste à établir un milieu externe qui permette à chacun de réaliser ses choix fondamentaux.

Le droit présumé à l'appropriation par le travail non seulement ne jouit pas d'une reconnaissance effective, mais la nécessité de l'implanter ne figure pas encore dans les projets collectifs. Le plein emploi est considéré comme une utopie.

3) Le droit à la liberté personnelle. Pour que la liberté personnelle accède au statut de droit, il est nécessaire que l'État instaure un milieu externe qui, d'une part, protège les projets légitimes de chacun contre la malveillance d'autrui et qui, d'autre part, dans la mesure de ses moyens, mette à la disposition de chacun les outils de base jugés indispensables à tout un chacun, quel que soit le projet poursuivi, comme l'accès aux connaissances requises. Contrer la liberté personnelle veut dire l'espace ouvert aux décisions individuelles légitimes. Au cours de l'histoire, cet espace a subi, entre autres, des contractions notoires, comme l'esclavage et le servage. La vie de l'esclave était entièrement contrôlée par les décisions d'autrui, soit celles des maîtres guerriers. Il n'en est pas ainsi aujourd'hui, mais il ne s'ensuit pas que toute forme de domination soit abolie, ce qui est d'ailleurs pratiquement impossible dans une société où une hiérarchie s'impose. Aujourd'hui, il est reconnu qu'aucun individu ne peut substituer sa volonté à celle d'autrui en ce qui concerne le mode de vie, soit exercer le métier de son choix, fonder une famille avec tel conjoint, déterminer ses priorités. Les obstacles à cette forme de liberté sont plutôt enracinés dans la structure économico-sociale qui sécrète la pauvreté et le chômage. Comme Molotov rétorquait à Roosevelt : où est la liberté du chômeur américain ?

Puisque chacun ne peut choisir son mode de vie que s'il dispose des ressources nécessaires à sa réalisation, il y a lieu d'inférer que le milieu externe, pour nombre d'individus, ne répond pas à cette condition incontournable. La pauvreté et le chômage restreignent au plus haut point les possibilités d'actualisation de la liberté personnelle. Lorsque les individus ne disposent que de l'argent nécessaire pour assurer leur vie biologique, ils sont par le fait même privés des ressources financières que requiert le développement de leur potentiel de base qui leur permettrait d'élargir le champ ouvert à leur liberté de choix en ce qui concerne les divers modes de vie susceptibles d'être à leur portée. C'est pourquoi la structure économique, dans la mesure où elle répartit les biens sans tenir compte des besoins fondamentaux de l'ensemble des citoyens, s'avère un obstacle majeur, pour nombre d'individus, à l'exercice de leur liberté personnelle.

4) Droit et liberté de communication. La communication est une condition *sine qua non* de toute vie sociale. Elle est la voie par laquelle les individus entrent en contact les uns avec les autres et nouent des rapports sociaux. La qualité de ces derniers dépend en grande partie des modalités selon lesquelles la communication s'établit entre les individus ; surtout si l'enjeu visé réside dans un consensus qui ne favorise pas les intérêts légitimes des uns au détriment de ceux des autres. Cette dernière remarque revêt toute sa pertinence dans l'analyse des principaux rapports consensuels qui tissent la vie économique et de ceux qui constituent la vie politique.

Selon le vocabulaire utilisé dans la plupart des chartes portant sur les droits de l'homme, la liberté de communication est décrite comme liberté d'expression et d'opinion. Cette formule, tout en étant correcte, est néanmoins réductrice, car elle ne recouvre qu'une partie de ce qu'implique la liberté de communication. Les expressions verbales, orales ou écrites, gestuelles, ainsi que les images et les portraits, photos, caricatures, dessins, communiquent à autrui nos pensées et nos intentions, et par le fait même, dans la mesure où elles ont un impact sur sa pensée et son vouloir, sont susceptibles de nuire à sa liberté. Il s'ensuit qu'elles tombent sous la justice. La liberté d'expression ou d'opinion n'autorise pas à dire n'importe quoi au sujet de n'importe qui. Aussi, avec raison, la plupart des États ont-ils promulgué des législations qui interdisent formellement, entre autres, la divulgation injustifiée de certaines informations relatives à la vie privée, la propagation de certaines doctrines dont l'impact est clairement négatif en regard de l'intérêt commun, comme le nazisme, et, enfin, la fausse publicité, destinée à tromper les consommateurs quant à la valeur d'une marchandise.

Cependant, il est une forme de communication qui s'avère un élément constitutif de toute vie sociale et dont l'objet, vu son indétermination et son manque de transparence, génère des opinions divergentes : la discussion. Lorsque cette dernière est un préalable nécessaire à une prise de décision dont l'enjeu est un intérêt commun, comme l'organisation économique et sociale ou une législation, il va de soi que son déroulement, pour être significatif, doit remplir certaines conditions. En premier lieu, autant que possible, tous les individus concernés, au moins pour élire des gens qui les représentent vraiment à la table de la discussion, doivent disposer des connaissances que requiert un discernement correct du sujet en litige et un juste aperçu des solutions acceptables. Or, ceci n'est possible que si tous les individus concernés ont accès aux connaissances de base qui leur permettront de comprendre l'enjeu et de se former une opinion justifiable. C'est pourquoi la discussion relative aux affaires publiques, parce qu'elle doit être ouverte à tous, postule l'institution d'un système d'éducation et d'un réseau d'informations qui mettent à la disposition de tout un chacun les moyens de participer efficacement au débat. Dans l'ensemble, la plupart des pays démocratiques remplissent cette condition.

Toutefois, sous une apparence de neutralité, ces services publics, soit les collèges, les universités, et les médias, orientent souvent la discussion dans un sens contraire à l'intérêt commun. Il est indéniable, à l'heure actuelle, que ces organismes, dans le débat qui oppose le capital à l'État, défenseur et promoteur des droits fondamentaux, projettent une image qui favorise nettement les intérêts du capital plutôt que ceux de l'État. Vu leur impact sur l'opinion publique, ces véhicules de la pensée, par leur parti pris, faussent singulièrement le débat en le réduisant à un rapport de force où la compréhension mutuelle des intérêts propres à chacun est mise entre parenthèses.

La position de force que détient l'idéologie néo-libérale à l'heure actuelle, bien qu'elle ne paralyse pas ses adversaires, entrave néanmoins la discussion publique et constitue un obstacle à l'exercice du droit à la liberté de communication. Cependant, malgré la conjoncture, ce droit est implanté et ouvre un espace à tous ceux qui sont décidés à se battre pour leurs convictions.

5) Droit et liberté politique. Dans la plupart des chartes en vigueur, ce droit porte sur l'autorisation et la garantie, dévolues à chacun moyennant certaines conditions, de voter et d'occuper une fonction publique. Par le suffrage universel, tel qu'il est mis en pratique, les citoyens ne participent qu'indirectement, par une sorte de procuration qui laisse à leurs représentants une marge de manœuvre des plus étendues, au processus décisionnel qui conduit à l'organisation de la société. L'intérêt commun perçu à travers le système parlementaire ne peut, en dernière analyse, que recouvrir les intérêts propres aux individus tels qu'ils apparaissent à l'ensemble

des députés. Cette vision risque toujours d'être plus ou moins conforme à la réalité. Aussi cette forme de participation ne constitue-t-elle qu'une infime actualisation du potentiel que renferme la liberté collective.

L'instauration d'un véritable intérêt commun qui engloberait d'une manière plus adéquate les intérêts individuels légitimes de tous les individus concernés suppose un processus décisionnel où les intérêts propres à chacun sont connus de tous et où la volonté collective s'avère l'expression fidèle des volontés particulières.

Sise dans la ligne de développement de la liberté collective, cette procédure ne peut être mise en place que si les individus décident solidairement d'assumer, plus à fond que par le seul suffrage universel, leur responsabilité naturelle vis-à-vis de leur organisation économique et politique. La volonté collective tire sa puissance, son extension, et son efficacité de la force et de la qualité du lien de solidarité que les individus établissent volontairement entre eux. Ce lien est plus ou moins solide selon le degré d'intensité avec lequel les individus, d'un commun effort, s'appliquent à le nouer.

L'activité communicationnelle orientée vers l'intercompréhension, telle que définie par Habermas, fournit un modèle dont les individus devraient s'inspirer pour fondre leurs vouloirs respectifs de manière à former une volonté commune qui ait la puissance voulue pour instituer de véritables intérêts communs. Dans la présente conjoncture, marquée par le conflit entre le capital et les États, ces derniers ne pourront retrouver leur hégémonie que par un renforcement de la volonté politique, c'est-à-dire, d'une part, que si un nombre croissant d'individus, à l'intérieur de chaque État, décident de participer plus activement à la vie politique, et, d'autre part, que si de plus en plus d'États acceptent de se concerter afin d'adopter solidairement des normes destinées à réprimer les abus du capital.

En somme, l'implantation des droits dérivés de la liberté politique, comme de tout droit, d'ailleurs, est rigoureusement dépendante de l'attitude que les individus adoptent vis-à-vis de leur responsabilité collective. La seule voie d'échappement au malaise social actuel reste l'émergence d'une conscience collective qui assume pleinement ses responsabilités en ce qui concerne la mise en place des droits qu'autorisent et postulent les libertés de base. Source de tous les droits, la liberté collective doit se développer et se donner une consistance qui la rende mieux ajustée au rôle qui lui est dévolu et ne pas se confiner à délivrer des mandats.

Toutefois, dans le monde contemporain, la liberté politique ne s'exerce pas toujours en fonction des véritables intérêts collectifs, soit les droits fondamentaux. Il arrive qu'elle cible les intérêts particuliers d'une portion de la population au titre d'intérêt commun. Dans un tel cas récurrent au cours de l'histoire, grâce à la force de son organisation (mouvement solidement structuré, ressources financières abondantes), un groupe restreint de la société parvient à envahir le champ de la politique et à lui imposer ses vues en faisant élire des gens qui, sous le couvert de l'intérêt commun, défendent et promeuvent les intérêts particuliers de leur mandant, et en présentant, par la voie des médias, leur intérêt propre comme s'il était aussi celui de tous. Qu'un grand nombre de députés, dans la plupart des démocraties contemporaines, assument la défense des intérêts du capital est une évidence. D'un autre côté, que les investissements privés soient la source exclusive de la création de nouveaux emplois est un préjugé que claironne l'opinion publique.

Pour que l'État remplisse correctement sa mission, c'est-à-dire répondre aux attentes fondamentales des citoyens, il faut qu'il s'appuie sur une force politique qui regroupe un nombre suffisant de citoyens éclairés, actifs et décidés à faire prévaloir les véritables intérêts communs sur les intérêts particuliers.

Dans la plupart des démocraties contemporaines, l'émergence de la force politique mentionnée se heurte à deux principaux obstacles. Le premier est l'ampleur de l'idéologie néo-libérale, qui est parvenue à inculquer aux gens la croyance que les intérêts particuliers du capital constituent un intérêt commun en ce sens que le bien-être de la population en dépend. Le second réside dans le fait que les forces politiques se manifestent à travers les partis. Ainsi, les Partis libéral canadien et démocrate américain regroupent en leur sein des investisseurs, des salariés, de purs consommateurs, des indigents, soit des individus que leurs véritables intérêts propres opposent les uns aux autres. Pourtant, ces partis défendent et promeuvent d'abord et avant tout les intérêts particuliers des investisseurs, au détriment de ceux des autres membres. Ils évitent l'éclatement en préconisant certaines mesures sociales fondées sur un véritable intérêt commun, comme l'assurance-maladie obligatoire. La mondialisation des marchés, bien qu'elle favorise l'enrichissement des investisseurs au détriment des autres groupes de la société, reçoit l'aval de la plupart des partis politiques existants.

Les investisseurs significatifs ne forment pourtant qu'une infime minorité des membres des partis. D'un point de vue quantitatif, les salariés, les purs consommateurs et les indigents disposent d'une majorité confortable mais silencieuse, du moins en ce sens que leurs voix n'apparaissent que comme des murmures étouffés sous les sons des ténors à la solde des investisseurs. Si cette majorité silencieuse déchirait le voile de l'idéologie qui l'aveugle et prenait conscience que le parti ne respecte pas vraiment ses intérêts fondamentaux, elle deviendrait une force agissante qui infléchirait le regroupement dans un sens plus approprié aux tendances dérivées des libertés de base. Mais la principale pierre d'achoppement à l'éveil de cette force réside dans la tendance des masses à l'inertie qui, tel un boulet, entrave leur volonté d'assumer pleinement leur liberté collective dont l'actualisation va bien au delà du simple suffrage universel.

L'argent et les droits

Ce thème est dicté par l'état de la conjoncture actuelle. En effet, l'institution des droits n'implique pas seulement une reconnaissance officielle par voie législative mais une organisation du milieu externe qui les rend effectifs. Les déclarations universelles des droits de l'homme expriment des idées directrices dont la réalisation est laissée à l'initiative des multiples pays autonomes. Sujettes à interprétation, ces idées directrices, telles que réalisées dans les diverses sociétés, revêtent des modalités concrètes dont certaines ne se retrouvent que dans l'une ou l'autre des multiples organisations étatiques. Ainsi, le droit à l'intégrité corporelle et psychique, au Canada, n'est pas seulement garanti par des interdictions, mais encore par l'assurance-maladie obligatoire, qui rend les soins médicaux accessibles à tous les citoyens, sans exception. Il n'en est pas ainsi aux États-Unis. De même, en ce qui concerne le droit à l'éducation, qui implique l'accessibilité universelle à tous les échelons de l'éducation, au Canada, il ne fut instauré que dans la seconde moitié du xxᵉ siècle, alors qu'en France et dans certains autres pays européens il était déjà implanté depuis longtemps.

D'où proviennent ces différences ? Elles dépendent à la fois de la volonté politique et des ressources dont dispose chaque communauté. Antérieurement à la Deuxième Guerre mondiale, le Canada ne possédait pas les ressources financières requises pour mettre sur pied les programmes sociaux qui rendent efficaces les droits à l'intégrité et à l'éducation. Par contre, aux États-Unis, à l'heure actuelle, les ressources financières sont abondantes et une partie d'entre elles pourraient être utilisées au service de certains intérêts communs non encore reconnus, mais la volonté politique n'y est pas.

Droits fondamentaux et droit de propriété privée

Pour bien cerner l'état des droits fondamentaux dans la conjoncture actuelle, il faut les situer en regard du droit de propriété privée tel qu'il est reconnu dans les sociétés contemporaines. Ce dernier se confine dans une interdiction qui enjoint de ne pas nuire à autrui en ce qui concerne la libre disposition de ce qui lui appartient en propre, mais il ne l'oblige en aucune façon à subvenir aux besoins d'autrui. Par contre, les droits fondamentaux, établis et déterminés par des accords de réciprocité, comportent une double dimension : l'une s'exprime par des interdictions, l'autre noue un lien de solidarité entre les individus qui les engage à s'entraider, de telle sorte que certains biens soient accessibles à tous.

Les droits fondamentaux à la vie, à la liberté personnelle, à la communication, et à l'appropriation par le travail sont dépourvus de toute efficacité s'ils ne sont pas attachés à un milieu externe qui fournisse à tous les moyens de les exercer. Dans l'état actuel des choses, en pratique, ces moyens sont réductibles aux ressources financières. En effet, pour vivre, choisir son mode de vie parmi plusieurs, avoir accès à l'information et à l'éducation, s'approprier les biens nécessaires par le travail, il faut de l'argent. Or, la circulation et la répartition de l'argent, dans le monde contemporain, tombent principalement sous le contrôle du capital et par voie de conséquence sont en grande partie assujetties au seul droit de propriété privée, tel qu'il est en vigueur. Il s'ensuit que ce dernier droit, dans la mesure où il régit la distribution de l'argent, jouit d'un statut prioritaire et d'une position privilégiée en regard des autres droits.

Le droit de propriété privée, s'il est saisi correctement, ne figure que comme un moyen inscrit dans tous les droits fondamentaux, mais tel qu'il est travesti et appliqué dans les pratiques courantes, il revêt le caractère de fin, ce qui lui confère une certaine autonomie vis-à-vis des droits fondamentaux. Ainsi, dans la foulée du capital, la propriété de l'argent peut, en toute quiétude, être recherchée pour elle-même, et ainsi échapper aux contraintes des droits fondamentaux des autres.

L'effectivité des droits fondamentaux est désormais tributaire du droit de propriété privée en vigueur, qui, par une substitution du rôle de fin à celui de moyen, au lieu de servir les droits fondamentaux, les tient plutôt en tutelle. En effet, la plus grande partie de l'argent en circulation est contrôlée par des propriétaires privés qui, par le fait même, sont autorisés à utiliser cet argent en tenant compte de l'égal droit de propriété privée des autres, mais non de l'intérêt commun au sens strict. En outre, l'État, qui, par la voie des impôts, alimente la propriété commune, nécessaire à l'instauration des droits, à la propriété privée de ses ressortissants, devrait, du moins selon les néo-libéraux, bien que les pratiques soient tout autres, obtenir au préalable l'assentiment de chacun des citoyens. Certes, en ce qui concerne la perception des impôts, les nombreux échappatoires auxquels elle donne lieu et les nombreux griefs qu'elle occasionne proviennent d'une même source : la priorité que l'opinion publique accorde au droit de propriété privée sur le droit de l'État issu des accords de réciprocité. La priorité accordée au droit de propriété privée est tout à fait injustifiée et repose sur une méconnaissance de la véritable notion de liberté, qui consiste en un pouvoir d'autodétermination.

CONCLUSION

APPRIVOISER LE CAPITAL

La démarche suivie tout au long de cet essai s'amorce dans l'analyse de certaines données naturelles, observables et transparentes. Il ne s'ensuit pas que chacune de ces données ne puisse donner lieu à des interprétations qui soient susceptibles d'être controversées, mais que, s'il en est ainsi, il soit néanmoins possible, par une argumentation rigoureuse, de parvenir à un jugement vrai. La première de ces données, à la base de tous les développements, réside dans la note spécifique de l'être humain, soit la liberté saisie comme pouvoir d'autodétermination. Appelé à s'actualiser lui-même par ses propres forces, l'être humain est donc responsable de son devenir.

Cette responsabilité naturelle, qui n'engage l'être humain qu'envers lui-même et ceux de son espèce, circonscrit la forme d'obligation propre à l'éthique, ce savoir pratique, relatif à l'agir, qui a pour fonction de déterminer ce en quoi consiste le devenir humain et les normes à suivre pour qu'il se déroule selon le tracé que postule la condition même de l'être libre. Dès lors, il faut discerner avec précision et clarté l'obligation éthique, qui découle d'une responsabilité naturelle, de l'obligation morale qui s'enracine toujours, en dernière analyse, dans une volonté transcendante à laquelle l'être humain serait assujetti. Certes, les normes de l'éthique et celles de la morale se recoupent souvent, mais elles ne s'imposent pas au même titre : les premières tirent leur caractère obligatoire du fait que l'être humain est responsable de son devenir, les secondes, d'un assujettissement, dont l'évidence est loin d'être démontrée, de l'être humain à une volonté transcendante.

En tant que savoir pratique, l'éthique réside dans un savoir doublé d'un vouloir. L'humain, qui assume volontairement sa condition d'être libre, s'engage par le fait même dans un processus décisionnel qui le conduit à l'adoption d'une conduite qui a pour effet de rendre son devenir conforme au tracé de la liberté. L'éthique est appelée à construire, au fil du devenir caractéristique de la vie proprement humaine, de la naissance à la mort, ce processus décisionnel, dont le schème d'opération figure dans la notion de projet.

La tâche qui incombe à l'éthique est double : l'une consiste à esquisser un modèle universel et abstrait de conduite à tenir en toutes circonstances ; l'autre, à dessiner, dans le cadre du modèle universel, qui demeure indéterminé en regard des conjonctures ponctuelles, les déterminations concrètes et particulières que postulent les normes à observer dans les cas caractérisés d'un « ici et maintenant ».

À l'instar de toutes les entreprises humaines, l'éthique réside dans un projet défini qui comprend plusieurs phases : la connaissance de certaines vérités de base relatives à la fin à réaliser et aux moyens à employer pour atteindre l'objectif poursuivi, la détermination des moyens en fonction de la fin recherchée et la mise à exécution des moyens.

La fin que poursuit l'éthique est le devenir humain en ce qu'il représente le développement des libertés de base. C'est le devenir de l'individu, en tant qu'être personnel et social, qui intéresse principalement l'éthique. Elle reconnaît, comme critère unique et exclusif de l'agir, l'impact de ce dernier sur le devenir de l'individu. Si un agir a pour effet d'actualiser et de parfaire l'une ou l'autre des libertés de base d'un individu sans nuire à autrui, il est recevable ; sinon, il est inacceptable. L'éthique considère l'agir principalement sous l'angle de sa causalité.

En ce qui concerne l'éthique sociale, qui constitue le sujet privilégié du présent essai, en tant que projet, elle n'a d'autre finalité ultime que le devenir de l'individu. Toutefois, sa tâche principale réside dans l'aménagement du milieu externe tissé par les rapports sociaux, de telle sorte qu'il soit un support pour l'épanouissement de la personne. Aussi revient-il à l'éthique sociale, dans un premier temps, d'établir les normes auxquelles les rapports sociaux, quelle que soit leur particularité, doivent se conformer pour répondre aux revendications légitimes de tout un chacun. Mais ces normes, vu la fragilité humaine, ne peuvent être efficaces que si elles s'appuient sur la force de l'État. C'est pourquoi, dans un second temps, il incombe à l'éthique d'inscrire dans son projet l'institution d'un État et la détermination des prérogatives que cet organisme doit revêtir pour accomplir la tâche qui lui est assignée. Parmi ces prérogatives, il faut citer au premier plan la marge de manœuvre nécessaire à la mise sur pied d'une organisation sociale qui ait pour effet de conférer aux libertés de base le statut de droit au sens strict. C'est en vertu de cette mission qu'il est significatif d'utiliser l'expression « État de droit ».

Dans la mesure où l'épanouissement de la personne dépend rigoureusement des droits subjectifs octroyés par l'État, il s'ensuit que le devenir de l'individu s'avère étroitement lié au devenir de la société, comme Habermas le souligne avec perspicacité.

L'État et le monde contemporain

L'État actuel, tel qu'il se retrouve dans la plupart des pays fortement industrialisés, en regard du projet éthique dans lequel il s'inscrit, appelle des correctifs et des transformations. Ici, il importe de noter que toute forme de politique reçoit, d'abord et avant tout, son sens et sa pertinence de son ajustement aux normes que préconise l'éthique sociale.

Maints États, malgré le progrès indéniable que constitue la reconnaissance des droits sociaux, sont aujourd'hui minés par une contradiction qui menace leur stabilité et leur fonction première. D'un côté, ils se présentent comme les défenseurs et les promoteurs des droits fondamentaux ; d'un autre côté, ils adoptent des politiques favorables au droit de propriété privée capitaliste et à la loi de l'offre et de la demande, bien que les effets à long terme de ces derniers aient un impact négatif sur l'universalité attachée aux droits fondamentaux.

Cette contradiction se manifeste à travers le conflit, précédemment décrit, entre le capital et les États. Si les forces politiques en présence s'équilibrent, les divers intérêts en jeu jouissent d'un poids égal et donc sont susceptibles de se retrouver sous un véritable intérêt commun. Par contre, si l'une d'elles domine nettement les autres, comme c'est le cas présentement pour le groupe des investisseurs en regard des salariés et des consommateurs, qui n'ont pratiquement aucune pertinence politique, si ce n'est leur suffrage, la faction dominante affaiblit l'autonomie de l'État et parvient à infléchir ce dernier en faveur de ses intérêts propres. Les privilèges accordés aux investissements (exemption de taxes pour une période déterminée, s'ils sont nouveaux ; montants forfaitaires concédés au prorata des emplois créés ; généreuses subventions aux entreprises locales pour les rendre concurrentielles sur le marché mondial) témoignent d'une emprise certaine sur l'État. Ces pratiques discriminatoires ne soulèvent pas de vagues parce qu'elles se dissimulent sous le faux préjugé suivant : à savoir que les investissements sont la source première, à laquelle toutes les autres sont subordonnées, de la production des richesses et de la création d'emplois, reléguant dans l'ombre les ressources naturelles, les services gouvernementaux, et les habiletés acquises par le système d'éducation.

En s'infiltrant dans les partis politiques et en les dominant, le capital, tel le cheval de Troie, à la faveur de la conjoncture créée par la mondialisation des marchés, entraîne les États dans son sillage et les assujettit. Au Canada, les récentes élections fédérale et provinciale, sans aucune exception, étaient axées principalement sur le déficit zéro. Certes, le chômage et la pauvreté embarrassaient les partis politiques, mais ces derniers soutenaient que l'élimination de ces fléaux n'était possible qu'à la suite de l'acquittement de la dette publique. La problématique que suggère la réponse des partis mérite d'être explicitée. Au fond, il s'agit d'un conflit entre le droit de propriété privée tel que reconnu et les droits fondamentaux à la subsistance et à l'appropriation des biens nécessaires par le travail. En privilégiant le paiement de la dette publique, les partis politiques établissaient sans équivoque la priorité du droit de propriété privée sur les droits fondamentaux concernés.

Pour être cernée correctement, cette situation doit être analysée à la lumière des notions de propriété privée et de propriété commune. Selon les pratiques adoptées par les États contemporains, notamment la perception d'un impôt progressif, les individus reconnaissent clairement qu'une partie de leurs revenus doit être versée à l'État sous forme de propriété commune. Cette dernière est par la suite gérée par l'État selon les normes de la justice distributive ordonnée à l'implantation et au maintien des droits fondamentaux. Ce que possède en propre l'individu est susceptible d'être transformé en propriété commune lorsque les droits fondamentaux l'exigent.

Cependant, bien qu'en ce qui a trait aux faits le droit de propriété commune soit reconnu, les individus sont moins sensibilisés à l'exercice de ce droit qu'à celui du droit de propriété privée. Cette attitude est compréhensible mais inacceptable. D'une part, elle est attribuable au fait que les individus assument moins leur liberté collective que leur liberté personnelle ; d'autre part, leur vision de l'intérêt commun est plutôt abstraite et ils ne se rendent pas compte que ce dernier est le garant de leurs intérêts individuels.

Dans une perspective étatique, le problème n'est pas de savoir si, en cas de conflit, le droit de propriété privée jouit d'une priorité sur les droits fondamentaux, mais si l'intérêt commun, dans la conjoncture présente, postule un remboursement immédiat d'une dette contractée envers des individus privilégiés au détriment de certains droits fondamentaux, tels ceux qui se rapportent aux soins de santé.

Les montants versés en paiement de la dette, pour la plupart, seront injectés dans le cycle du capital et par le fait même seront assujettis aux règles de ce dernier, qui ne tiennent aucun compte des droits fondamentaux. Si le paiement de la dette, dans les circonstances, se traduit par une diminution substantielle des services à la communauté et ainsi aggrave le sort des défavorisés, il a pour effet d'enrichir les uns au détriment des pauvres. Dans une telle occurrence, l'intérêt commun est lésé.

La propriété privée capitaliste n'est ni intangible ni souveraine ; en cas de conflit, elle doit s'ajuster aux intérêts légitimes des autres. La justice requiert un équilibre adéquat entre les revendications concurrentes. Lorsque la conjoncture se détériore au point où les États ne peuvent à la fois s'acquitter de leur mission propre et payer leurs dettes, la solution ne consiste pas à payer les dettes à tout prix en sacrifiant les droits d'une partie notable de la population, mais à tenir compte des droits des uns et des autres à la lumière de l'intérêt commun. Aussi faudra-t-il établir un équilibre dans la répartition des dommages entre tous les individus concernés. Dans cet esprit, il est nécessaire que la dette soit l'objet d'une négociation entre les créanciers et l'État. Il est injuste que la partie la plus faible de la population porte seule le poids d'une conjoncture défavorable.

Mais pourquoi les États hésitent-ils à entreprendre de telles négociations avec leurs créanciers ? Plusieurs raisons expliquent cette attitude. Tout d'abord, il existe un préjugé largement reçu, à savoir que le droit de propriété privée l'emporte sur tous les autres. En second lieu, il faut mentionner l'adhésion d'un nombre croissant d'individus à la croyance suivant laquelle la prospérité économique découle d'une façon quasi exclusive des investissements privés ; d'où la nécessité de s'abstenir de toute intervention susceptible de nuire à ces derniers. Les créanciers de l'État se rangent en grande partie sous la catégorie « investisseurs actuels ou potentiels ».

Certes, il n'est pas facile de rectifier ces fausses perceptions, surtout dans le contexte de la mondialisation des marchés ; cependant, le monde contemporain n'est pas façonné uniquement par l'idéologie libérale, il est aussi construit à partir d'une réalité sociale mais dure, l'argent qui, surtout sous la forme de capital, conditionne tout son fonctionnement. Dans l'état actuel des choses, la presque totalité des projets humains, individuels ou collectifs, nécessitent, pour leur réalisation, des sommes d'argent à titre de moyens. Aussi, avant d'entreprendre quoi que ce soit, les humains doivent-ils s'approprier le pouvoir d'achat que requiert la mise sur pied de leur projet. L'institution des droits fondamentaux, en autant qu'elle relève d'un projet collectif, n'échappe pas à cette règle.

Or, la totalité des richesses financières dont dispose une société se répartissent en revenus dont les uns sont intégrés dans les projets collectifs à titre de propriété commune et les autres, dans les projets individuels, à titre de propriété privée, susceptible d'être investie ou utilisée pour l'achat de biens de consommation. Les revenus que perçoit le gouvernement, en principe, dans une saine démocratie, alimentent des initiatives ordonnées en dernière analyse à servir des intérêts communs, tandis que ceux qui sont laissés à la libre disposition des individus sont intégrés dans le cycle du capital sous la forme de l'investissement ou celle de la demande solvable et n'ont d'autre objectif que les intérêts égoïstes de chacun.

Dans la mesure où la quantité d'argent dont dispose une société est limitée et où les secteurs privé et public cherchent l'un et l'autre à en intégrer le plus possible, il s'ensuit un rapport de force dont il importe de déterminer le point d'équilibre. En effet, vu la légitimité des deux secteurs, il faut à tout prix éviter que l'un se développe au détriment de l'autre en s'appropriant une portion exagérée, compte tenu des circonstances, des ressources financières. Puisque les secteurs mentionnés sont tous deux assujettis à l'intérêt commun, bien que selon des modalités différentes, c'est à l'État de veiller à ce que le partage des ressources financières entre les deux sphères soit conforme à la justice.

L'État est donc autorisé à établir un équilibre entre les ressources financières destinées à la réalisation des projets individuels légitimes et celles qui sont ordonnées à la promotion et au maintien des droits fondamentaux. Cette démarche, déjà amorcée par la mise sur pied des programmes sociaux universels, s'effectue par le truchement de l'impôt progressif, qui consiste en une redistribution de l'argent au prorata des moyens et des besoins de chacun. Toutefois, ces mesures, qui d'ailleurs piétinent depuis la dernière décennie, ne sont guère parvenues à enrayer le chômage et l'accroissement de la pauvreté consécutifs à l'accumulation galopante des ressources financières entre les mains de quelques privilégiés. Pour freiner cette dernière, des économistes préconisent des actions gouvernementales qui auraient pour effet de réglementer certaines pratiques capitalistes qui laissent à désirer d'un point de vue éthique.

Alors que la plupart des transactions portant sur des services et des objets d'utilité courante sont assujetties à une taxe dite de vente, le marché boursier est exempté d'un tel fardeau. Selon Dworkin, lorsqu'une mesure déjà en vigueur dans un domaine particulier en vertu d'une décision passée est extensible à un autre domaine qui appartient au même genre, l'intégrité étatique exige que cette règle soit appliquée à tous les cas qui tombent sous le même genre. Dès lors, si les transactions boursières remplissent les conditions élémentaires de l'échange, elles doivent être taxées au même titre que les autres opérations commerciales.

Ici, la marchandise réside dans un investissement. La valeur d'échange de cet investissement se mesure aux profits qu'il est susceptible de générer et donc aux dividendes que l'on espère en retirer. Contrairement aux échanges ordinaires où l'un transige pour satisfaire un besoin et l'autre pour s'enrichir, ici chacun ne vise qu'à s'enrichir. Or, le rendement escompté d'un investissement n'est jamais cerné que d'une manière approximative en ce sens qu'il est lié aux conjonctures économique et politique qui, vu leur complexité, comportent toujours une marge d'indétermination. En outre, puisqu'il s'agit de transactions ponctuelles, exécutées rapidement et dépendantes en grande partie de l'opinion de chacun des échangistes sur la valeur de l'enjeu ici et maintenant, les participants essaient par tous les moyens de percer les intentions des autres afin de former leur jugement en se basant sur ces dernières. Bref, les transactions boursières résident dans une activité purement stratégique d'où sort gagnant celui qui a prévu avec le plus de justesse les décisions ponctuelles des autres. Certes, les participants disposent d'informations objectives qui les renseignent sur l'état de l'enjeu, mais ces dernières ne sont pas déterminantes ; en effet, l'ampleur du gain recherché repose principalement sur la prévision la plus juste possible de la valeur que les échangistes fixeront au moment de l'échange. Ici, la valeur d'échange se livre dans toute sa précarité.

Le marché de la Bourse, soit le lieu où se retrouve une part importante des sommes accumulées à travers le processus capitaliste, bénéficie d'un statut privilégié en regard des autres opérations commerciales. En effet, alors que la presque totalité des échanges portant sur les marchandises et services usuels sont assujettis à de fortes taxes, du moins en Amérique et en Europe, les transactions boursières échappent à un tel prélèvement à la source. Ce traitement exceptionnel est tout à fait injustifié. Selon Dworkin, un État est intègre et fidèle à ses politiques s'il applique ses règles à tous les cas qui tombent sous le même genre. Par exemple, si l'État tient les producteurs d'automobiles comme responsables de tous les dommages attribuables à un défaut de fabrication, il doit adopter un comportement semblable à l'égard des autres entreprises qui produisent des biens et services, articles ménagers, soins de santé, consultations juridiques, etc. En ce qui concerne le cas occurrent, les taxes dites de vente affectent toute la population, mais frappent durement les gens à revenus modestes. Par contre, les transactions boursières, qui sont aussi des ventes, bénéficient d'une exemption de taxes. En outre, parmi ceux qui se livrent à ce jeu, figurent au premier plan ceux qui ont accumulé des fortunes considérables par le truchement de l'offre et de la demande. Aussi ces transactions, en toute justice, doivent-elles être taxées à un double titre : d'abord, parce que ce sont des ventes ; ensuite, parce qu'une telle taxe constitue le moyen le plus approprié et le moins arbitraire de compenser les effets néfastes de l'accumulation.

Puisque les richesses accumulées se concentrent sur le marché de la bourse, ce dernier constitue le lieu privilégié où il faut effectuer un redressement. Étant donné que la valeur des transactions effectuées chaque jour sur les parquets des Bourses se chiffre à des milliards de dollars, une taxe de 4 % ou de 5 % fournirait aux États les moyens financiers de mieux s'acquitter de leur mission incontournable. Toutes proportions gardées, une telle taxe aurait un impact négligeable sur le niveau de vie des individus concernés, qui se rangent presque tous parmi les mieux nantis de la société, tandis que l'actuelle taxe de vente pèse lourdement sur les modestes revenus de la majorité de la population.

Une autre pratique économique de plus en plus généralisée, soit le transfert des capitaux d'un pays à un autre, dans certains cas, soulève un problème éthique. Lorsque des gouvernements, pour des raisons d'intérêt commun, comme la création d'emplois et la perspective d'accroître les revenus de l'État, autorisent des compagnies privées à exploiter les ressources naturelles appartenant à tous les citoyens en intégrant ces dernières dans un procès de production capitaliste, faut-il conclure que ces ressources, désormais gérées comme propriété privée, ne sont en aucune façon hypothéquées par le fait de leur passage du statut de propriété commune à celui de propriété privée ?

Certes, il est évident que ces compagnies doivent se plier aux conditions initiales du contrat, soit créer des emplois et contribuer aux revenus de l'État ; mais une fois ces clauses remplies pendant un certain temps, sont-elles justifiées, pour de simples raisons d'accroissement de la rentabilité, de transporter leurs pénates ailleurs, en laissant leurs ouvriers sans emploi et en privant l'État de certains revenus ? Le droit de propriété privée des libéraux reconnaît la validité de ces pratiques.

La province de Québec, autrefois le lieu principal de la fabrication mondiale du papier, surtout grâce à ses réserves forestières, a vu, au cours du dernier quart de siècle, cette industrie péricliter, avec tous les inconvénients qu'implique un tel déclin. La principale cause de cette détérioration, du moins dans plusieurs villes, réside dans le fait que les propriétaires n'ont pas réinvesti leurs profits dans le renouvellement de la machinerie, de telle sorte que les usines sont devenues obsolètes. D'un point de vue éthique, que faut-il penser de cette conduite ?

Tel qu'on l'a déjà vu, le profit, sous la forme argent, se situe au terme du cycle du capital et devient, en vertu du droit de propriété libéral, la propriété exclusive des investisseurs, car elle a été acquise à travers des échanges valides, comme la cession des ressources naturelles par l'État et l'achat de la force de travail. Toutefois, ces échanges étaient issus d'activités stratégiques d'où l'investisseur sort presque toujours gagnant. Du moment que le consensus était obtenu, si faible fut-il, les investisseurs se considéraient comme les détenteurs incontestés de la chose acquise. Le droit de propriété privée n'exprime qu'un aspect, parmi d'autres, des principes de justice qui sont applicables au cycle du capital.

En tant que partie constituante du milieu social externe, le capital ainsi que ses règles propres sont assujettis à l'intérêt commun. Si le transfert des capitaux et des profits dans un pays étranger, sans autre motif que l'accroissement de la rentabilité, conduit à un congédiement massif et ainsi prive des ouvriers de l'exercice du droit à l'appropriation des biens nécessaires à la subsistance, l'État est tout à fait autorisé à intervenir par des mesures susceptibles de redresser la situation, soit par des interdictions, soit par l'imposition de taxes.

Le capital, dans son cycle, réduit toutes les valeurs d'usage, soit les ressources naturelles et humaines qu'il utilise, à leur valeur d'échange, par la médiation de la loi de l'offre et de la demande. Cette opération a pour effet d'ignorer sinon d'exclure certaines finalités que les humains attachent aux ressources mentionnées en tant que valeurs d'usage. En s'appropriant collectivement les ressources naturelles de leur territoire, les membres d'une société les destinent à un intérêt qui leur est commun : en l'occurrence, la satisfaction des besoins de tout un chacun. Le cycle du capital, bien qu'il la mette en veilleuse, n'efface pas cette destination première des ressources naturelles. En effet, la transaction qui fait passer une ressource naturelle du statut de propriété commune à celui de propriété privée s'effectue au nom de l'intérêt commun. Dès lors, si la gestion privée de cette ressource tourne au détriment de l'intérêt commun, c'est à l'État qu'incombe la responsabilité de pallier cette importante lacune.

Dans la presque totalité des cas, les États accordent aux compagnies privées des droits d'exploitation sur les ressources naturelles à la condition qu'elles créent des emplois. Cette condition représente l'une des exigences incontournables de l'intérêt commun. Dès lors, si après 20 ou 30 ans d'exploitation, pour la simple raison d'améliorer la rentabilité, les compagnies privées décident soit de congédier des milliers d'employés, soit de les congédier tous et d'installer ailleurs leur procès de production, elles vont directement à l'encontre de l'intérêt commun et du droit présumé au travail. L'augmentation des profits autorisée par le droit de propriété privée, d'un point de vue éthique, l'emporte-t-elle sur les intérêts légitimes des travailleurs ? Tel qu'on l'a déjà vu, le droit de propriété privée n'est pas un droit absolu mais instrumental, et donc assujetti aux droits fondamentaux. Aussi en l'occurrence, l'État est-il tenu d'intervenir.

Certes, dans la présente conjoncture, la caisse d'assurance-chômage vient-elle pallier, du moins en partie, les conséquences néfastes générées par les mises à pied, mais ces mesures sont insuffisantes, car elles n'atteignent pas le cœur du problème. Ce dernier réside dans le fait que la législation actuelle accorde aux employeurs le droit de congédier même au mépris des droits au travail et à la subsistance des salariés. La seule façon pour l'État de remédier à cette injustice est d'instituer une législation qui réglemente les congédiements massifs en les assujettissant à un organisme gouvernemental dont les décisions soient exécutoires.

Le rapport entre un employeur et ses salariés, en autant qu'il met en jeu les droits fondamentaux des travailleurs, déborde le cadre étroit du capital et tombe sous la responsabilité de la société tout entière. Aussi cette dernière est-elle justifiée d'intervenir par des injonctions, des amendes et des prélèvements compensatoires sur le transfert des investissements. Le procès de production capitaliste, à chacune des phases de son développement, demeure assujetti aux normes de l'éthique sociale, à l'instar de tout projet privé. Bref, les règles qui président au cycle du capital, soit le droit libéral de propriété privée et la loi de l'offre et de la demande, ne sont acceptables que si leurs effets subissent un traitement qui les ajuste aux normes de l'éthique sociale.

Apprivoiser le capital, outre les mesures ponctuelles mentionnées, signifie aussi conférer aux droits fondamentaux, présumés ou reconnus, le rôle de base et incontournable qui leur revient au sein de l'organisation de la société prise dans sa globalité. À l'aube du xxie siècle, l'état des droits figure dans un tableau qui suscite de nombreux points d'interrogation. D'un côté, la plupart des pays incluent dans leur constitution une charte des droits de l'homme où l'on retrouve, à quelques variantes près, les droits à la vie et à l'intégrité corporelle et psychique, à la liberté personnelle, à la liberté d'expression et d'opinion, à la propriété privée, au suffrage universel et celui d'accéder aux fonctions publiques. Malheureusement, le tableau que présentent les chartes comporte deux omissions considérables qui affectent à la fois sa cohérence et sa signification. Tout d'abord, aucune ne fait mention du droit (présumé) à l'appropriation des biens terrestres par le travail. Pourtant, ce droit est préalable à tous les autres, car il porte sur l'activité première et incontournable par laquelle les individus se donnent les moyens de sauver leur vie et d'exercer leur liberté personnelle. Avant de jouir de la propriété privée des biens matériels externes, il faut au préalable les acquérir.

En second lieu, le droit à la liberté collective ou politique est réduit à sa plus simple expression, soit le droit de voter et d'occuper une fonction publique. Cette vision restrictive ne met l'accent que sur le droit de l'individu à participer aux activités politiques, elle garde le silence sur l'essentiel de la liberté politique, qui se traduit par un vouloir et un pouvoir collectifs dont l'objet propre réside dans l'aménagement du milieu social externe. Cependant, en ce qui concerne les faits, par opposition au contenu explicite des chartes, les collectivités se sont, à bon escient, octroyé une multitude de droits jugés nécessaires en regard de la mission dont elles assumaient la responsabilité : notamment, le droit de propriété commune et celui d'instituer des biens communs.

D'un autre côté, le droit de propriété privée, à peine mentionné dans les chartes, (la charte canadienne l'ignore), du point de vue des pratiques économiques, tel qu'il est défini et assumé par le capital, jouit d'une priorité effective sur les autres droits. Tout le secteur privé, soit celui de la production et des services qui s'inscrivent dans le courant des échanges, n'obéit qu'aux exigences de ce droit, tel qu'il est défini par les libéraux. Il s'ensuit que l'ensemble des activités économiques, intégrées dans le courant de la mondialisation des marchés, se déroulent dans un milieu où les droits fondamentaux sont relégués au second plan. Les missions commerciales qui s'établissent entre les divers pays se préoccupent très peu de l'état des droits de l'homme chez leurs partenaires éventuels.

Dans la mesure où le développement de la liberté de chacun va de pair avec une reconnaissance de plus en plus étendue et de plus en plus effective des droits fondamentaux, à la lumière du tableau précédemment esquissé, il y a lieu de s'interroger sur l'état de la liberté dans les pays traversés par le capitalisme. Qui dit liberté dit pouvoir de façonner son devenir, selon ses choix, en mettant sur pied des projets légitimes. En pratique, le degré de liberté dont chacun jouit dépend en grande partie de l'organisation du milieu externe économique et politique. Tout au long de l'histoire, les diverses sociétés étatiques qui se sont succédé, y compris les contemporaines, présentent un point commun : elles se traduisent toutes par une forme de domination. Dominer signifie substituer, par une contrainte d'intensité variable, sa volonté à celle des autres.

La domination est dite politique lorsque les individus qui gèrent la société exercent ce pouvoir en fonction de leurs intérêts propres ou de ceux d'un groupe privilégié, sans tenir compte de l'intérêt commun. Les monarchies et les dictatures de toutes sortes, bien qu'à des degrés divers, en concentrant, entre les mains de quelques individus, le pouvoir décisionnel relatif à l'organisation de la société, ont toujours été synonymes d'une forme de domination qui assujettissait les intérêts des uns à ceux des autres. Aujourd'hui, nous savons que seule une vraie démocratie, fondée sur la solidarité, établie par des accords de réciprocité, est susceptible de supprimer toute forme inacceptable de domination politique. En effet, les véritables intérêts communs ne peuvent être cernés et voulus que par une volonté collective qui soit issue des vouloirs individuels de tous les individus concernés. Sur le plan politique, bien que les démocraties actuelles soient des plus imparfaites, il n'en reste pas moins que les recherches en cours, surtout les écrits de Jürgen Habermas, fournissent des connaissances qui peuvent orienter l'agir collectif vers des mesures susceptibles d'améliorer les régimes démocratiques en place. À l'époque présente, en maints pays, si la liberté politique n'atteint pas encore le développement souhaité, ce n'est pas attribuable à des facteurs négatifs externes, mais à une conscience collective plus ou moins éveillée qui n'assume pas vraiment sa responsabilité vis-à-vis de l'organisation de la société.

Par contre, le lieu où la domination s'exerce encore d'une manière implacable, en se dissimulant sous une structure où les rapports entre les individus ne s'établissent pas à l'enseigne de la solidarité mais consistent en des rapports de force externes les unes aux autres, est le secteur privé, qui embrasse la presque totalité des activités économiques. Qui dit rapports de force, en l'occurrence, dit activités stratégiques, où les détenteurs d'une portion notable des ressources matérielles et financières disposent de la force voulue pour imposer leur volonté à l'ensemble des moins bien nantis. En effet, à l'intérieur de toute forme d'économie, l'enjeu principal réside dans l'appropriation des richesses matérielles dont dépend rigoureusement l'exercice de la liberté selon ses multiples dimensions. Or, dans un système capitaliste, cette liberté d'appropriation est conditionnée par le droit de propriété privée des richesses dont on est déjà le détenteur. Aujourd'hui le problème est réduit à sa plus simple expression : si un individu n'a pas d'argent, il ne peut s'approprier les biens nécessaires à sa subsistance. Dès lors, pour vivre, il n'a d'autre choix que de travailler pour gagner de l'argent. Cependant, pour la grande majorité des individus, travailler veut dire occuper un emploi, c'est-à-dire dépenser son énergie au service d'un autre moyennant un salaire.

En outre, les emplois appartiennent aux entrepreneurs, qui sont libres de les accorder à qui ils veulent. Il s'ensuit que la liberté d'appropriation, étroitement liée à la volonté de vivre et à la liberté personnelle, pour la majorité des gens, soit l'ensemble des salariés, dépend rigoureusement de la volonté d'autrui, qui, dans un système capitaliste, n'a d'autre règle que le droit instrumental de propriété privée. Si personne ne veut vous engager, vous êtes sans travail, dépourvus d'argent, incapables de développer vos libertés de base et donc de maîtriser votre devenir en tant qu'êtres humains.

L'autonomie grandissante de la sphère économique aggrave cette situation factuelle, en regard de la sphère politique, le lieu privilégié des droits fondamentaux. Au fur et à mesure que le capital, à la faveur de la mondialisation des marchés, étend sa domination sur l'ensemble des territoires de la planète, il tient non seulement en échec les droits fondamentaux existants dans la mesure où ils ne cadrent pas avec ses règles propres, mais, par sa structure même, il s'oppose radicalement à l'implantation du droit à la liberté d'appropriation par le travail. En effet, par l'instauration d'un tel droit, une rentabilité croissante ne constituerait plus la seule raison d'être de la création et du maintien des emplois ; la nécessité pour les individus de travailler pour gagner leur vie devrait aussi être prise en considération. Dans cette perspective, un simple fléchissement de la rentabilité ne justifierait pas le congédiement d'un certain nombre d'employés. D'ailleurs, maintes conventions collectives contiennent des clauses qui garantissent la sécurité des emplois.

Un tel droit, à l'instar de tous les droits, ne peut reposer que sur un engagement de la société tout entière. Sa mise en vigueur postule nécessairement l'intervention de l'État à l'intérieur de la sphère économique. L'État, par voie législative, devrait imposer aux conventions collectives entre employeurs et employés un cadre obligatoire qui forcerait les entrepreneurs à tenir compte du droit au travail des salariés. Ce cadre, ajusté aux diverses conjonctures, devrait : 1) poser les conditions qui rendent les congédiements justifiables de telle sorte que l'employeur ne soit pas le seul décideur en cas de crise ; 2) aménager les phases de transition lorsqu'un salarié est contraint de passer d'un emploi à un autre, en lui fournissant les moyens de se recycler, par exemple ; 3) créer de nouveaux emplois, s'il le faut, pour remédier à une situation économique en voie de détérioration. Ces mesures palliatives ne sont pas nouvelles ;

toutefois, présentement, elles sont appliquées dans certains cas ponctuels seulement et ne produisent pas les effets désirés.

Le capital en soi est allergique à l'implantation d'un droit au travail, car, en ce qui concerne les rapports entre les investisseurs et les salariés, il ne reconnaît d'autre règle que le droit de propriété privée et la loi de l'offre et de la demande. L'insertion d'une nouvelle norme, fondée sur la solidarité, aurait pour effet de le contraindre à rendre compatible sa finalité intrinsèque, soit la rentabilité, avec la sécurité du revenu indispensable au bien-être des travailleurs. En d'autres mots, le travail salarié serait assujetti à deux finalités entre lesquelles un juste équilibre devrait être établi : le profit des investisseurs et un revenu assuré pour les travailleurs. À ce jour, à l'intérieur du cycle du capital, la finalité intrinsèque et naturelle attachée au travail, soit l'appropriation par le travailleur des biens requis pour mener une vie décente, est subordonnée à une finalité extrinsèque, la maximisation des profits de l'employeur.

L'implantation d'un droit à la liberté d'appropriation par le travail constitue la seule démarche susceptible d'enrayer l'impact négatif, pour la majorité des gens, des effets inhérents au cycle du capital, soit le chômage et la concentration inacceptable des richesses entre les mains de quelques privilégiés. Le principal obstacle à cette prise de décision collective réside dans le fait que les peuples n'assument pas suffisamment leur liberté politique. La quantité des richesses disponibles dans les pays industrialisés rend possible un tel projet. À titre d'exemple, les revenus de la caisse d'assurance-chômage au Canada présentent un surplus de 20 milliards en dollars canadiens. Ces milliards auraient pu être utilisés pour la mise sur pied de projets susceptibles de poser les bases d'une organisation axée sur la reconnaissance effective d'un droit à l'appropriation. Pourtant, le gouvernement se sert de cette somme qui, en toute justice, appartient aux travailleurs exclusivement, comme d'un coussin pour éponger la dette publique.

La forme de domination, inscrite dans le capital, est distincte des formes de domination politique qui l'ont précédée, comme l'esclavage et le servage, mais elle n'en constitue pas moins une entrave considérable à l'exercice des libertés fondamentales pour une portion notable non seulement des citoyens appartenant aux pays en voie de développement mais encore de ceux qui sont membres des sociétés dites industrialisées.

En ce qui a trait à l'évolution des sociétés, il y a lieu de distinguer deux tendances principales et conflictuelles qui ne poursuivent d'autre objectif que d'imposer au monde leur vision respective de la société. Les pratiques capitalistes et la théorie néolibérale qui les corroborent représentent l'un de ces courants. Ce dernier se range dans le sillage de la croyance suivant laquelle l'évolution de l'humanité se conforme aux mêmes lois que celles qui président à l'évolution de la nature prise dans sa globalité. Selon les hypothèses les plus répandues au sujet de l'évolution naturelle, les espèces de vivants qui survivent sont celles qui parviennent à dominer leur environnement lorsqu'il s'avère une menace pour leur vie. Cette domination s'effectue de deux manières : d'abord, par un ajustement aux conditions matérielles, climatiques et géologiques, puis par l'application exclusive de la loi du plus fort dans leurs rapports avec les autres espèces animales.

L'avènement des sociétés capitalistes, à quelques différences près, s'est produit selon le schème de domination décrit dans le paragraphe précédent. Avec la désintégration du Moyen Âge, la surabondance de la main-d'œuvre inoccupée, démunie et entassée dans les villes fournissait les conditions de base propices à l'émergence de la grande industrie. Les détenteurs des ressources financières et des forces productives se rendirent bientôt compte des avantages qu'ils pouvaient retirer de cette situation. Grâce à leurs richesses matérielles, nombre d'entrepreneurs privés décidèrent d'intégrer cette force de travail dans leur projet individuel d'enrichissement. Vis-à-vis de cette main-d'œuvre inemployée, impatiente de travailler pour survivre, ils occupaient une position de force, car, d'une part, ils étaient les seuls capables d'offrir des emplois et, d'autre part, travailler pour un autre s'avérait la seule façon de gagner leur vie pour les sans-emploi. Une telle conjoncture plaçait la force de travail dans un état de dépendance quasi absolue vis-à-vis des propriétaires des forces productives. Malgré certains aménagements, à l'aube de l'an 2000, l'état de dépendance des travailleurs n'a guère changé. L'économie capitaliste est née et se perpétue sous le signe de la domination de ceux qui disposent de richesses considérables sur ceux qui n'ont d'autre ressource que leur force de travail.

Hayek a raison d'affirmer que le système capitaliste est un ordre spontané, quasi naturel. Le comportement des individus, à l'intérieur d'une société capitaliste, présente des affinités indéniables avec celui des animaux les plus évolués. Ces derniers sont d'abord et principalement mus par un instinct déterminé qui les lance à la recherche des moyens de subsistance requis pour leur survie en tant qu'individus. Les investisseurs et les salariés ne sont tous deux mus que par leur intérêt égoïste : pour les premiers, leur enrichissement personnel, et pour les seconds, l'appropriation d'une somme d'argent nécessaire à leur subsistance. Ici les intérêts égoïstes des uns entrent en contradiction avec ceux des autres, car chacun cherche à en obtenir le plus possible. Comment le conflit se résoud-il si ce n'est à l'avantage du plus fort, comme chez les animaux ?

Fondé exclusivement sur les intérêts égoïstes et la loi du plus fort, le capitalisme constitue certes une forme évoluée de rapports entre les individus, avantageuse par certains aspects, tel l'essor sans précédent de la production et du bien-être qui s'ensuit pour nombre d'humains, mais reposant en dernière analyse et d'une manière quasi exclusive sur la dimension individuelle de la liberté sans tenir compte de sa dimension sociale ; ce qui explique ses ratés. En outre, le capital présente une forme d'évolution de la société qui se range, à peu de différences près, sous le modèle qui enveloppe l'évolution des espèces purement animales. Pourtant, l'être humain porte en lui, comme donnée de sa nature, le pouvoir de se soustraire à ce modèle et de déterminer lui-même le sens de l'évolution de l'espèce à laquelle il appartient. Il possède le pouvoir de ne pas laisser son espèce évoluer au gré d'un jeu dont l'issue tourne inévitablement à l'avantage du plus fort. Par l'actualisation de leur liberté politique, c'est-à-dire en nouant des accords de réciprocité, les humains sont capables de substituer la loi de la solidarité à celle du plus fort, les droits, à la contrainte et à la violence.

Cette forme de l'évolution des sociétés, marquée par l'implantation progressive des droits fondamentaux, est déjà amorcée et se poursuit selon un tracé qui va à l'encontre de celui qui caractérise la vie purement animale. En conférant aux humains la liberté politique, la nature introduisait en son sein une forme de vie caractérisée par l'autonomie, au sens strict du terme. Pris collectivement, en agissant de concert, les humains ont le pouvoir d'orienter et de contrôler, selon des normes dont ils sont eux-mêmes les auteurs, le devenir de leur société et de leur espèce, soit du milieu externe dont dépend étroitement la liberté individuelle

L'évolution propre aux êtres humains, pour autant qu'ils se distinguent des simples animaux, repose sur l'aménagement de la solidarité naturelle qui les unit. Les humains sont des êtres sociaux, leur devenir individuel est rigoureusement lié au devenir de leur société. En façonnant la structure de leur société selon les exigences d'une vraie démocratie, ils introduisent un processus décisionnel collectif qui leur permet de répondre aux attentes fondamentales de tous les citoyens par l'établissement de normes qui assurent la prédominance de l'intérêt commun sur le foisonnement d'intérêts égoïstes, qui tendent à se développer au détriment des intérêts légitimes des autres.

L'extension et l'intensification du processus démocratique, à l'heure actuelle, se présentent comme seuls moyens d'intégrer les humains dans un mouvement évolutif qui soit conforme à leur note spécifique : le pouvoir de s'autodéterminer individuellement et collectivement. La communauté libérale, dont les normes formelles autorisent la domination des forts sur les faibles, préconise des rapports sociaux où chacun poursuit ses intérêts égoïstes sans vraiment reconnaître ceux des autres. Une société fondée sur ces seuls principes ne fait que reconduire, sous une forme particulière, ajustée à certaines caractéristiques propres à l'être humain, le schème global de l'évolution des espèces purement animales.

En vertu des multiples dimensions de sa liberté, l'être humain a non seulement le pouvoir mais encore la responsabilité de veiller à ce que son évolution se déroule selon des normes dont il est lui-même l'auteur, mais non selon une version modifiée de la loi du plus fort. Pour réaliser les objectifs que lui assigne sa propre liberté, il doit s'engager dans la voie de la solidarité dont le tracé prend son point de départ dans des décisions collectives et se déroule sous la motion des efforts concertés des citoyens.

Il ne faut pas oublier que la liberté, même si elle est une donnée de la nature, consiste néanmoins en un pouvoir qui rend l'être humain capable de se soustraire au processus dit naturel où l'égoïsme et la force façonnent les rapports entre les individus. La véritable évolution de l'être humain prend son essor dans la dimension politique de la liberté, qui incline les individus à nouer entre eux des rapports de solidarité axés sur un intérêt commun, à la différence des rapports où ils ne sont mus que par leurs intérêts égoïstes, tels les échanges.

Les êtres humains ne peuvent pas ne pas nourrir des projets strictement individuels ; l'intérêt égoïste s'avère toujours le mobile premier de leur agir. Néanmoins, la recherche de leur bien-être personnel s'effectue dans et par la société dans laquelle leur vie se déroule, de telle sorte que le succès de leurs projets individuels dépend rigoureusement de l'état de leur organisation sociale. Les carences du milieu social externe se répercutent nécessairement sur le devenir de l'individu. Or, l'organisation politique qui répond le mieux au devenir légitime de l'individu est sans contredit la démocratie. Aussi la véritable évolution de l'espèce humaine repose-t-elle sur le développement progressif de cette forme d'association qui s'enracine dans le potentiel rattaché à la liberté politique ou collective.

En effet, dans la conjoncture actuelle, c'est d'abord et avant tout par le renforcement des régimes démocratiques qu'il est possible d'apprivoiser le capital, de remédier à ses avatars et d'enrayer le processus d'évolution quasi naturel dont il est le support. Ce coup de barre, destiné à orienter l'évolution de l'espèce humaine dans le sens tracé par le devenir propre à l'être libre en tant que tel, suppose chez les êtres humains une prise de conscience collective et une acceptation volontaire commune de la responsabilité qui leur échoit en ce qui concerne les modalités de leur association. Le défi est de taille. Les humains détiennent le pouvoir d'exercer un contrôle sur leur destinée, mais encore faut-il qu'ils l'assument.

La voie tracée par l'éthique sociale n'est pas synonyme de facilité, elle invite les gens à dépenser autant d'énergie pour façonner leur vie sociale que pour réaliser leurs projets personnels. Dans la mesure où les individus sont plus enclins à rechercher leur intérêt égoïste que les intérêts communs, ils doivent surmonter cette impulsion première pour assumer leur responsabilité collective, qui consiste à s'obliger les uns vis-à-vis des autres à mettre sur pied un projet politique jugé nécessaire.

Le critère ultime de l'éthique est la responsabilité, dérivée du pouvoir d'autodétermination et dont l'objet n'est autre que le développement des libertés de base qui tracent le contour du devenir des êtres humains. Le premier devoir éthique est d'assumer cette responsabilité sous peine de compromettre le devenir qui dépend d'elle. L'omission de mettre sur pied un projet nécessaire et viable constitue une infraction aux règles de l'éthique. Quant aux projets en cours, ils font preuve d'éthique en autant qu'ils sont assujettis aux droits fondamentaux et que leur succès ou leur échec relève de la responsabilité des agents.

En ce qui a trait aux responsabilités communes relatives à l'institution des droits, si elles ne sont pas assumées, elles donnent lieu à des abstentions condamnables d'un point de vue éthique, telle la non-reconnaissance du droit à l'appropriation par le travail. Certes, vu l'inégalité des potentiels dévolus à chacun des participants et les aléas de la conjoncture, une responsabilité commune n'est pas également partagée entre tous les participants, mais elle incombe à tous bien qu'à des degrés divers.

Le chômage et l'inégalité croissante des revenus des particuliers ne sont pas attribuables au système capitaliste seulement mais encore à l'inertie des masses qui ne se donnent pas la peine d'actualiser leur liberté collective et donc d'atténuer ces maux, sinon de les conjurer. Apprivoiser le capital et l'assujettir aux droits fondamentaux s'avère une tâche que seule peut remplir, étant donné la mobilité du capital, une république vraiment démocratique et regroupant plusieurs pays, du moins pour l'adoption de certaines normes qui seraient inefficaces si elles n'étaient pas reconnues par tous les États membres de la fédération.

Le présent essai ne vise pas à élaborer une théorie globale qui conduirait à une reconstruction radicale des sociétés comme la vision marxiste, mais à proposer des lignes de conduite qui, tout en maintenant l'économie en place, lui apporteraient néanmoins des correctifs qui l'assujettiraient aux droits fondamentaux. D'ailleurs, tout au long de leur histoire, les sociétés ont surtout évolué au gré des solutions imaginées pour régler les problèmes conjoncturels dans un contexte spatio-temporel ramené à un « ici et maintenant ».

Glossaire

Cette rubrique rassemble un certain nombre de mots et d'expressions qui revêtent une signification particulière et privilégiée à l'intérieur de cet ouvrage et dont la saisie est indispensable à la compréhension du fil directeur de cet essai.

Accords de réciprocité. – Les accords de réciprocité consistent en une entente par laquelle les individus concernés s'engagent les uns vis-à-vis des autres à l'adoption d'un comportement social déterminé. La conclusion d'un accord de réciprocité repose sur un savoir et un vouloir communs à chacun des participants. Dans le cadre de l'éthique sociale, la réussite d'un tel projet suppose chez chacun des participants la connaissance de certaines vérités de base relatives d'abord au but visé, soit la préservation ou la promotion de certains choix fondamentaux, et ensuite à la matière qu'il faut ajuster, en l'occurrence, l'agir. En outre, elle requiert un juste discernement du litige à solutionner et des ressources disponibles pour y parvenir ainsi que la ferme volonté d'adhérer à la décision collective jugée recevable par tous.

Activité communicationnelle. – « Activité communicationnelle orientée vers l'intercompréhension ». Cette expression désigne l'ensemble des opérations qui, selon Habermas, constituent la procédure décisionnelle la plus adéquate à la détermination des normes concrètes de la justice. Bien que sa mise en pratique soit complexe et difficile, ce schème d'opération, développé par Habermas, fournit néanmoins les grandes lignes de toute procédure décisionnelle qui vise à produire un consensus authentique. Ce processus s'oppose à l'activité stratégique.

Activité stratégique. – Procédure décisionnelle jugée imparfaite dans la mesure où elle ne s'achève pas dans un véritable consensus puisqu'elle autorise l'emploi de certaines tactiques comme la ruse, la dissimulation et la crainte. Vu les difficultés inhérentes à l'état de la conjoncture actuelle, l'activité stratégique est malheureusement à l'origine d'une foule de décisions collectives portant sur les droits.

L'agir. – Toutes les activités humaines, dans la mesure où elles sont issues d'un vouloir, se définissent comme un agir. Aussi le savoir et le faire, malgré leur spécificité, en autant qu'ils s'exercent sous l'empire de la volonté, doivent être considérés comme des formes particulières de l'agir.

L'argent ou la monnaie. – Équivalent universel, c'est-à-dire chose échangeable contre toute marchandise, pouvoir d'achat concentré donnant accès à tous les biens et services, contenu essentiel de la richesse, l'argent est devenu le médiateur incontournable entre les humains et la satisfaction de leurs besoins. À ce titre, il s'avère le noyau de toutes les activités économiques. Dans une société fondée sur les échanges, comme la nôtre, il revêt une importance aussi grande que la santé.

Aristote. – Aristote est le précurseur de l'éthique contemporaine. Certes, son éthique n'est pas clairement dégagée de certains éléments que l'on reconnaît aujourd'hui comme spécifiques de la morale, comme la priorité de l'intention sur les effets en ce qui concerne les actes volontaires, mais sa notion de prudence constitue encore le noyau de la procédure éthique conduisant à la détermination des principes de la justice. En effet, parmi les sujets soumis à la délibération, la prévisibilité des effets susceptibles de découler d'un acte volontaire joue un rôle de premier plan dans le choix de la meilleure solution possible en regard de la conjoncture.

Attentes fondamentales. – Les attentes fondamentales portent à la fois sur la société et l'État. Elles prennent leurs racines dans les choix fondamentaux et postulent une organisation sociale et un gouvernement qui soient appropriés aux vouloirs universels et légitimes communs à tous les citoyens d'un pays. Rechercher l'instauration d'un milieu social qui facilite à tous l'accès aux biens et services nécessaires à la vie d'un être libre s'avère une attente fondamentale.

Biens communs. – Dans le cadre du présent ouvrage, l'expression « bien commun » revêt une signification nettement définie, soit un ensemble de ressources humaines et matérielles rassemblées par la collectivité et mises à la disposition de tous au prorata des besoins de chacun. Les multiples institutions de l'État, comme l'armée, le ministère de la Justice, les assurances sociales répondent à la notion de bien commun.

Le capital. – Le capital désigne un ensemble d'opérations économiques qui s'articulent les unes aux autres de manière à former un cycle. Ce processus s'amorce par l'achat de forces productives, se poursuit par la production de valeurs d'usage grâce à la mise en activité des forces précédemment acquises, et enfin s'achève dans la vente des marchandises produites à un prix supérieur aux coûts de production. En somme, c'est un procès par lequel une somme d'argent s'accroît quantitativement, passe par exemple de 100 à 120 dollars.

Choix fondamentaux. – Un choix fondamental est un acte volontaire par lequel un individu assume d'actualiser l'une ou l'autre des libertés de base qui configurent le devenir de l'être humain. L'être humain se conçoit d'abord comme un potentiel à qui incombe la responsabilité de s'actualiser. Les diverses dimensions de ce potentiel qui se retrouve en tout être humain se définissent selon l'expression « libertés de base », soit les libertés personnelle, politique, d'appropriation par le travail, de communication.

Le construit. – Le construit se définit par rapport au donné naturel. Ce dernier comprend, outre les caractères physiologiques de l'être humain, la liberté comme potentiel à développer. Le construit désigne tous les développements (connaissances, habiletés, vertus, organisation sociale, droit) que l'être humain acquiert par ses activités volontaires. L'être humain est un potentiel qui s'actualise par lui-même ; il est une liberté qui se construit.

Le droit. – Le droit, au sens strict et prévalant à l'heure actuelle, se définit comme un pouvoir subjectif de contrainte, qui vise à protéger ou à promouvoir un choix fondamental, que les individus se confèrent mutuellement et que l'État protège de sa force.

Droit formel. – Ce droit se rattache à la justice élémentaire qui enjoint à chacun de ne pas nuire à la liberté d'autrui. Il consiste en un ensemble d'interdictions qui ont pour effet d'ériger un enclos protégé à l'intérieur duquel les individus peuvent, sans empêchement, poursuivre leurs intérêts égoïstes en ajustant leurs projets à ceux des autres. Exemple : le droit de propriété privée.

Droit matériel. – Ce droit relève surtout de la justice distributive fondée sur la solidarité établie par des engagements mutuels. Il autorise chacun des participants à exiger d'autrui qu'il respecte les termes de l'accord, entre autres, à contribuer par des actions positives à la mise sur pied d'un bien commun. Le paiement des impôts ressortit à un tel accord.

Droits sociaux. – Ces derniers sont accordés aux individus vus comme des membres de la société, des participants aux institutions qui sont des composantes de la société ; ils résident dans des créances vis-à-vis des représentants de la volonté commune, comme le droit à l'éducation et aux soins de santé. Ils dérivent de lois qui obligent le gouvernement à pourvoir les individus de biens et services qui sont indispensables à leur devenir personnel.

Droits de l'État. – Ces droits sont reconnus aux gouvernements qui représentent la volonté commune et qui sont par le fait même investis du pouvoir de légiférer et d'exécuter à l'intérieur du mandat qui leur est confié, comme instituer des biens communs et percevoir des impôts. Ce sont des créances des États vis-à-vis de leurs ressortissants.

Les droits collectifs. – Ces derniers n'ont d'autre sujet que les collectivités en tant que telles, les peuples. Ainsi, l'expression largement répandue « droit à la souveraineté » signifie tout simplement que certains peuples sont reconnus par les autres peuples comme étant autorisés à disposer d'eux-mêmes en tout ce qui concerne leur organisation sociale interne sur le territoire qui leur est dévolu (p. 106). Le droit de propriété commune est un droit collectif en ce sens qu'il n'a d'autre sujet que la collectivité prise comme un tout.

Droit naturel. – L'interprétation la plus vraisemblable de cette expression se trouve dans l'énoncé suivant de Dworkin : « L'expression droit naturel n'exige rien de plus que l'hypothèse suivant laquelle le meilleur programme politique, selon la signification qui fait de lui un modèle, est celui qui assume la protection de certains choix individuels comme fondamentaux, et à proprement parler non subordonnés à quelque but ou devoir, ou à quelque combinaison de ces derniers. »

Droit de propriété privée. – Selon les néo-libéraux et les pratiques courantes, ce droit se définit comme la liberté de disposer à son gré et d'une manière exclusive de ce qui nous appartient en propre, sans autre limite que l'égal droit de propriété privée des autres.

Droit de propriété commune. – Droit de gérer, dévolu à la collectivité, les biens qui appartiennent en propre à la communauté, sans autre limite que les droits individuels fondamentaux.

Droit instrumental. – Si on resitue les droits de propriété, privée ou commune, dans le contexte d'où ils n'auraient jamais dû être isolés, ils se révèlent pour ce qu'ils sont, soit comme un élément commun à tous les droits fondamentaux et subordonné à la finalité inscrite dans ces derniers. À ce titre, ils constituent des droits instrumentaux.

Dworkin, Ronald. – Les travaux de cet auteur, entre autres *Taking Rights Seriously* et *Law's Empire*, figurent parmi les principaux ouvrages autour desquels la pensée éthique contemporaine s'articule. À l'instar de son collègue allemand, Jürgen Habermas, ses recherches portent sur la procédure décisionnelle la plus appropriée aux fins visées par la législation et la jurisprudence. Ses énoncés sur l'interprétation créatrice sont reconnus comme une contribution considérable au développement de l'éthique contemporaine.

Efficacité. – Ce terme désigne la finalité propre au faire, qui consiste en la transformation d'une matière extérieure. Ce qui est recherché à travers une telle transformation est l'ajustement d'une matière à la satisfaction des besoins. Le rapport entre l'objet transformé et la satisfaction des besoins est jugé efficace s'il répond aux attentes des individus concernés. Ainsi, tel avion sera qualifié d'efficace s'il répond aux attentes de ses inventeurs et des clients auxquels il est destiné.

Emploi. – Il ne faut pas confondre travail et emploi. Au sens large, le travail réside dans une dépense d'énergie humaine qui s'achève dans la production de quelque chose : des connaissances, des habiletés, des vertus, des œuvres d'art, des valeurs d'usage, etc.

Occuper un emploi signifie exercer un travail au service d'un autre moyennant une rétribution monétaire. Au sens strict, les salariés sont des travailleurs au service d'un employeur. Les emplois appartiennent à l'employeur, les salariés ne font que les occuper.

État. – Force régulatrice qui tire sa légitimité de sa fidélité aux choix fondamentaux. Il comporte une double dimension : l'une régulatrice, dont il s'acquitte par voie législative ; l'autre contraignante, qu'il exerce par l'emploi de la force. En soi, l'État est un bien commun qui se compose d'un ensemble de ressources humaines et matérielles (des députés rassemblés en un parlement, une police ainsi que des moyens matériels, des lieux de réunion, des armes, etc.), dont la mise sur pied repose sur la volonté commune, l'expression des accords de réciprocité.

Éthique. – L'éthique caractérise la démarche entreprise par l'être humain en vue de se réaliser ; elle désigne la voie à suivre pour que les projets de vie, individuels ou collectifs, soient une réussite. Dans cet essai, le point de vue éthique est non seulement distingué du point de vue moral, mais encore, il est privilégié en regard de ce dernier. La démarche éthique prend son point de départ exclusif dans une donnée naturelle, soit la responsabilité qui incombe à l'être humain en vertu de sa liberté de configurer lui-même son devenir ; elle prend à la lettre l'autonomie de la volonté en ce qui a trait à la vie humaine saisie essentiellement comme un projet. La matière sur laquelle l'éthique construit ses normes s'avère les tendances naturelles qui définissent la condition humaine. Elle vise à encadrer l'agir de telle sorte qu'il se structure en conformité avec ces tendances.

Habermas, Jürgen. – Habermas est l'un des penseurs qui ont donné à l'éthique l'essor qu'elle connaît aujourd'hui. Héritier de l'École de Francfort, ses travaux sur la reconstruction du matérialisme historique l'ont conduit graduellement à poursuivre ses recherches dans le champ de l'éthique. Aujourd'hui, ses essais sur le thème « activité communicationnelle orientée vers l'intercompréhension » fournissent le fil directeur des procédures décisionnelles à mettre en place pour l'instauration d'une véritable démocratie.

Hayek, F. A. – Titulaire d'un prix Nobel en économie, Hayek a par la suite poursuivi des recherches dans le domaine de la philosophie politique. Il tente de démontrer que l'ordre social global, avec ses règles fondamentales, s'est progressivement instauré en l'absence de toute intelligence planificatrice, de la même manière qu'a surgi, au cours des derniers siècles, une sphère économique autonome avec ses propres lois. Son approche a pour effet de conférer au système capitaliste un caractère inéluctable qui le met à l'abri de toute intervention étatique.

Hegel. – Il est l'auteur d'une théorie philosophique qui enracine l'évolution du monde dans la logique inhérente à l'idée. Les transformations historiques des États trouveraient leur genèse dans le déploiement de l'idée de liberté. Dans ses *Principes de la philosophie du droit*, il expose une théorie éthique où la reconnaissance des divers droits et de l'éthique à laquelle ils se rattachent se développent selon les multiples aspects inclus dans la notion même de liberté. Les droits sont autant de réalisations de l'idée de liberté.

Hobbes. – Célèbre grâce à son *Léviathan*, Hobbes est le premier auteur qui ait conçu l'État comme un organisme qui tire sa force d'un accord par lequel les individus s'engagent les uns vis-à-vis des autres à renoncer à l'usage de la force pour régler leurs différends et dans la même foulée à conférer cette prérogative au gouvernement. Cependant, contrairement à Dworkin, Hobbes n'étend pas la portée des accords de réciprocité à l'ensemble de la législation ; une fois en place, le monarque est autorisé à gouverner sans faire appel à la volonté commune, pourvu qu'il tienne compte de l'intérêt commun.

Idée. – L'idée se distingue du simple concept qui n'a d'autre fonction que de définir les choses, de répondre à l'interrogation « qu'est-ce que c'est ? ». L'idée est un moment d'un projet ; elle est un élément inscrit dans le devenir d'un objet. Elle n'est pas une simple connaissance, elle est une connaissance intégrée dans un devenir à titre de fil directeur ; elle se situe entre le vouloir qui la suscite et l'exécution qu'elle éclaire.

Intérêt. – Une chose est un intérêt en autant qu'elle possède des propriétés qui sont susceptibles de produire un effet bénéfique chez un sujet conscient, comme satisfaire un besoin, combler une aspiration, procurer une jouissance.

Intérêt commun. – Dans le présent essai, l'intérêt commun désigne une réalité dont la source et la mesure résident dans les attentes légitimes, c'est-à-dire conformes aux choix fondamentaux, d'une collectivité : la paix et la sécurité, qui produisent des effets dont les retombées sont bénéfiques pour tous sans exception. La paix est un bien nécessaire que tous les humains convoitent à bon escient.

Intérêt particulier. – Ce dernier se définit comme une réalité dont la source et la mesure résident dans les attentes particulières, non universelles, d'un individu ou d'un groupe restreint d'individus, et dont les retombées ne profitent qu'à cette portion réduite de la population : le libre marché est avantageux pour certains, néfaste pour d'autres.

Justice. – Lorsque Kant énonce le principe du droit, il cerne en même temps la notion de justice : « Agis extérieurement de telle sorte que le libre usage de ton arbitre puisse coexister avec la liberté de tout un chacun suivant une loi universelle. » Cet impératif contient toutes les données qui définissent la justice élémentaire : il enjoint à chacun de veiller à ce que les effets externes de son agir ne nuisent pas à la liberté externe d'autrui.

Justice distributive. – Cette dernière a pour objet les biens communs. Elle assigne à chacun ses obligations en ce qui concerne l'institution d'un bien commun, soit « à chacun selon ses moyens », et ses créances en ce qui regarde la répartition de ce même bien commun, soit « à chacun selon ses besoins ». Elle consiste en une forme d'aménagement de la solidarité sur laquelle se fondent les biens communs.

Justice des échanges. – L'échange repose sur un consentement mutuel. Il est plus ou moins juste, selon la qualité de ce consentement. Si l'assentiment de l'un des échangistes est caractérisé par une contrainte susceptible de le rendre involontaire, en ce sens que si la contrainte était levée, l'échange n'aurait pas lieu, la transaction est injuste. Il fut un temps où certains croyaient en la possibilité d'établir une stricte égalité entre les marchandises échangées et ainsi fondaient la justice de l'opération sur un critère objectif qui autorisait la saisie de l'équivalence entre les marchandises. Mais cette croyance, vu l'impossibilité de cerner un dénominateur commun, s'est dissipée avec le temps. La notion aristotélicienne de justice commutative n'est plus reconnue, car elle s'appuie sur cette croyance.

Kant. – Grâce à son ouvrage intitulé *Métaphysique des mœurs*. *Doctrine du droit*, cet auteur est à l'origine de la conception moderne du droit. En effet, il reconnaît explicitement que les accords de réciprocité et la force de l'État s'avèrent des éléments constitutifs de tout droit.

Keynes, John Maynard. – Dans son principal ouvrage, *Théorie de l'emploi, de l'intérêt et de la monnaie*, cet auteur esquisse les grandes lignes de la politique que les gouvernements devraient adopter pour maintenir l'économie en santé. Ainsi, en période de récession il suggère de diminuer les impôts, de baisser les taux d'intérêt et d'augmenter les dépenses gouvernementales, mesures ayant pour objet d'injecter plus d'argent en circulation afin d'accroître la demande solvable. En cas d'inflation, il suggère la mise en place de mesures inverses. Cette théorie fut une source d'inspiration pour l'État-providence. Les néo-libéraux rejettent carrément le point de vue de Keynes, car pour eux l'État doit s'abstenir de toute intervention dans la sphère économique sous peine de perturber la production et le marché.

Légitimité. – La signification de ce terme doit être distinguée de celle qui est accolée aux mots « légalité » et « validité ». Ces trois termes ont trait aux lois. Le terme légalité désigne une mesure en ce sens qu'elle s'inscrit dans une loi votée et promulguée. La validité réfère à la loi pour autant qu'elle est jugée acceptable sans contrainte par tous les individus concernés à la suite d'un débat ouvert. La légitimité signifie la conformité de la loi aux exigences des choix fondamentaux, en somme, sa justice. Est légitime ce qui, en tant que conforme aux choix fondamentaux, est susceptible d'être inscrit dans une loi. L'assurance-santé obligatoire est une mesure légale en ce sens qu'elle figure dans une loi votée et promulguée ; la loi qui la protège est dite valide pour autant que, tout considéré, elle soit acceptable sans contrainte par tous les individus concernés ; elle est légitime pour autant qu'elle soit conforme à la volonté universelle de vivre en santé. Appliqué à l'autorité politique, le terme légitime conserve son sens originel ; il signifie une autorité qui tire ses lettres de créance de la liberté collective exprimée dans la volonté commune.

Liberté. – La liberté s'avère la réalité fondamentale à laquelle s'articule le présent essai. Elle comporte trois dimensions : 1) absence de contrainte illégitime ; 2) pouvoir de disposer à son gré de ses biens propres ; 3) pouvoir de s'autodéterminer, c'est-à-dire de conférer à sa vie un sens choisi à la suite d'une délibération. Cette dernière dimension englobe les deux autres : en effet, qui dit pouvoir d'autodétermination dit pouvoir de se déterminer en disposant de ses propres forces, ce qui suppose, il va de soi, un milieu protégé. Les néo-libéraux ne retiennent que les deux premières dimensions et ignorent la troisième, qui est pourtant la note spécifique de l'être humain.

Loi positive. – Les lois, en tant que normes appelées à régler l'agir social des humains, bien qu'elles s'appuient sur des données naturelles, n'en sont pas moins des constructions issues de la volonté commune qui se forme à travers des accords de réciprocité. D'un point de vue éthique, il n'existe pas de loi naturelle.

Marx. – Les écrits de Marx où se trouve une pâle esquisse, tout au plus une ébauche, d'un nouveau projet de société ne sont plus pertinents dans la conjoncture actuelle. Cependant, les ouvrages où il analyse jusque dans les moindres détails le fonctionnement du système capitaliste fournissent encore aujourd'hui un appareil conceptuel d'une portée inégalée et sans lequel il est quasi impossible de saisir le sens et la portée de l'économie contemporaine. Ainsi, la notion de valeur d'échange, telle que décrite par Marx avec précision et clarté, constitue le noyau à la fois réel et explicatif de toute l'économie de marché générée par le capitalisme. Certes, il faut purifier cette notion de certains éléments comme la loi de la valeur-travail et lui substituer la loi de l'offre et de la demande, mais cette correction, comme l'exposé le démontre, ne fait que rendre plus évidentes certaines particularités de la valeur d'échange, entre autres, qu'elle soit déterminée par le consensus des échangistes.

Milieu externe. – Vu la dimension sociale de l'être humain, les choix fondamentaux ne peuvent se réaliser que dans et par la société, c'est-à-dire le lieu où se rencontrent les activités volontaires à travers leurs effets externes. Or, ce milieu, pour remplir sa mission, doit être constitué de telle sorte que, d'une part, la liberté de chacun soit protégée contre la malveillance d'autrui, et, d'autre part, qu'il mette à la disposition de tous des ressources communes dont personne ne peut se passer. Ce milieu externe, tel qu'il est postulé, comporte deux caractéristiques : des comportements sociaux régis par des règles déterminées et des institutions, et des biens communs qui rassemblent des ressources humaines et matérielles.

Nationalisation. – La nationalisation consiste en la transformation, consécutive à une décision de l'État, d'une propriété privée en propriété commune, tandis que la privatisation réside dans une opération inverse, elle aussi à la suite d'une décision de l'État.

Néo-libéralisme. – La ligne de démarcation entre le libéralisme et le néo-libéralisme est plutôt ténue. La différence entre Hayek, Nozick, Friedman, d'une part, et Locke, Smith, Keynes, d'autre part, réside surtout en ce que les positions des premiers sont moins nuancées et plus radicales que celles du second groupe. À l'heure actuelle, le néo-libéralisme s'articule autour des énoncés suivants : réduction de tous les droits à celui de propriété privée ; un milieu social formé quasi exclusivement par les rapports d'échange que régit la loi de l'offre et de la demande ; restriction de la mission de l'État à celle d'un service de protection. Comme corollaire de ces affirmations, il accorde peu d'importance aux droits de l'homme inscrits dans la constitution des États, rejette la pertinence des droits dits sociaux, considère et traite les rapports politiques fondés sur la solidarité comme des anomalies et enfin classe l'État-providence comme une erreur historique.

Nozick, Robert. – Cet auteur contemporain est sans contredit le plus connu et le plus radical défenseur du mouvement néo-libéral. Son principal ouvrage, *Anarchy, State, and Utopia*, paru en 1974, fut accueilli avec enthousiasme aux États-Unis. Dans cet essai, à partir d'un scénario imaginaire, il essaie de démontrer la possibilité théorique de l'existence d'une société fondée sur les seuls échanges et protégée par un État réduit à sa plus simple expression. Déjà, à cette époque, il se faisait l'écho d'une tendance qui n'a cessé de s'accroître depuis, à savoir : substituer à l'État-providence un État gendarme. Inutile d'ajouter que la mondialisation des marchés véhicule cette tendance avec succès.

Obligation éthique. – En quoi cette obligation se distingue-t-elle de l'obligation morale et de l'obligation juridique ? L'obligation éthique, telle qu'on l'a établie au cours de cet essai, s'enracine dans la responsabilité qui incombe aux humains, en tant qu'êtres libres, de déterminer eux-mêmes leur devenir. Le succès ou l'échec de leur vie ne dépend que d'eux-mêmes. S'ils n'assument pas cette responsabilité, la sanction est immanente : leur vie est un échec.

Quant à l'obligation morale, elle suppose l'assujettissement d'une volonté à une volonté autre que la sienne. Ici, l'altérité est de rigueur. Au cours de l'histoire, cette volonté autre a revêtu plusieurs visages : Dieu ; volonté transcendantale, distincte par abstraction de la volonté individuelle de chacun, comme chez Kant ; la nature, à laquelle, par anthropomorphisme, on prête une volonté. L'obligation éthique ne résulte pas de l'engagement d'une volonté envers une autre, elle est simplement issue d'une donnée naturelle et n'est sujette qu'à une sanction immanente. Quant à l'obligation juridique, elle n'a d'autre fondement que la force de l'État.

Préférences subjectives. – Ce terme désigne le facteur individuel et contingent, par opposition aux besoins premiers et nécessaires, à l'origine de la demande. Il s'étend dans toutes les directions : des diverses modalités de satisfaire les besoins premiers à l'utilisation des objets les plus sophistiqués et à la jouissance des services culturels de toute sorte : spectacles artistiques et sportifs, voyages, etc. Son poids sur l'offre est aussi lourd que celui des besoins premiers. Aussi les préférences subjectives se distinguent-elles des attentes fondamentales issues des besoins premiers.

Privatisation. – Voir **nationalisation**.

Projet. – La fonction propre à la liberté est de faire devenir des choses, de produire des déterminations. Le terme projet ne désigne rien d'autre que le devenir issu du pouvoir décisionnel des humains. Le projet n'est pas un simple possible, mais un devenir actuel, un processus déjà amorcé sous la motion du vouloir et du pouvoir d'un agent libre. Ainsi, le projet ne désigne pas n'importe quel devenir ; il exclut celui qui provient du hasard ou d'une nécessité de la nature. En résumé, un projet s'avère un être en devenir sous la motion de la volonté. Le projet désigne le schème d'opération dans lequel s'inscrivent, à un titre ou à un autre, tous les actes volontaires. La vie de l'être libre n'est autre qu'un projet.

Propriété. – Selon une première approche, cette dernière se définit comme ce qui, de l'ordre de l'être ou de l'avoir, appartient en propre à un agent.

Propriété privée. – Ce terme désigne ce qui appartient en propre à un agent en tant qu'individu, soit son corps, ses facultés, ses biens matériels.

Propriété commune. – Cette expression désigne ce qui appartient en propre à une collectivité en tant que telle : le territoire d'un peuple, ses ressources naturelles, ses institutions.

Le droit de propriété privée signifie le droit, pour un individu, de disposer à son gré et d'une manière exclusive de ce qui lui appartient en propre, sans autre limite que les droits fondamentaux des autres. Les néo-libéraux restreignent la portée de cette notion en ne reconnaissant d'autre limite que l'égal droit de propriété privée des autres, sans tenir compte des autres droits fondamentaux.

Le droit de propriété commune signifie le droit pour une collectivité ou un peuple de disposer à son gré et d'une manière exclusive de ce qui lui appartient en propre dans le respect des droits fondamentaux des individus. On ne peut invoquer la raison d'État pour effectuer des expériences qui mettent en danger la vie ou la santé des individus.

Il importe de noter que la notion de droit, en l'occurrence, ajoute à la liberté de disposer de ses biens propres la garantie qu'apporte la force de l'État.

Rationalité. – Ce terme désigne l'attribut d'un projet, l'ajustement d'une procédure à une fin visée. Dès lors, un projet est rationnel dans la mesure où la démarche en laquelle il consiste est appropriée au but poursuivi. Puisque la diversité des fins postule des procédures diverses, il s'ensuit qu'il y a des formes spécifiques de rationalité. La rationalité de la démarche à suivre pour atteindre la vérité n'est pas la même que celle qui doit être déployée pour établir la justice.

Rawls, John. – L'ouvrage principal de cet auteur, *Theory of Justice*, a certes marqué l'évolution de la pensée éthique au cours du dernier demi-siècle. Sa perspective, suivant laquelle la justice ne peut s'implanter que si elle est articulée à la structure même de la société, est devenue un lieu commun incontesté ; de même, sa notion de justice, équilibre adéquat entre des revendications concurrentes, est tout à fait appropriée au concept de justice distributive. Cependant, son hypothèse, qui consiste à établir les principes de justice à partir d'une situation imaginaire, est aujourd'hui fortement ébranlée. Dans la même foulée, le contenu du principe de différence qu'il propose s'avère insuffisant dans la mesure où la justice est liée aux droits fondamentaux.

Réalité sociale. – Une réalité est dite sociale, par opposition aux réalités physiques, pour autant que son existence et ses déterminations soient attribuables à la considération et au traitement que la société lui accordent. Un individu n'est un esclave que s'il est considéré et traité par la société comme une chose ; en soi, il n'est et ne sera jamais une simple chose. Les principales catégories économiques et politiques, autour desquelles les organisations sociales s'articulent, expriment des réalités sociales et non physiques, par exemple, le droit, la valeur d'échange, le capital, la marchandise. Les normes qui déterminent les rapports sociaux tirent leur force et leur vigueur du comportement que les individus adoptent les uns vis-à-vis des autres. Une norme n'existe que si elle est observée.

Redistribution. – Malgré son apparente banalité, ce terme, dans le contexte du présent essai, revêt une signification importante. En effet, le principal reproche que les néo-libéraux formulent à l'égard de la justice distributive est que, par la médiation de l'impôt progressif, elle effectue une redistribution des richesses. Pourtant, ils acceptent, sans aucune récrimination, la loi de l'offre et de la demande, bien que celle-ci, dans une économie capitaliste, soit la cause d'une redistribution du pouvoir d'achat qui tourne à l'avantage des investisseurs.

Rentabilité. – Une entreprise est dite rentable en autant qu'elle rapporte des profits. La rentabilité s'avère le principal moteur de l'économie capitaliste ; à ce titre, elle envahit le champ de la production et des échanges et les assujettit à ses impératifs. À l'intérieur des entreprises, toutes les transactions ponctuelles, comme l'achat de la force de travail et des matières premières ainsi que la vente du produit final subissent la loi de la rentabilité : la première, pour autant qu'elle figure dans les coûts de production qui, à cause de la concurrence, doivent être réduits au minimum ; la seconde, en tant que phase déterminant, en dernière analyse, la quantité de profits. Dès lors, tous ceux qui, à un titre ou à un autre, investisseurs, travailleurs, fournisseurs, clients, sont intégrés à une entreprise capitaliste sont engagés dans un processus global finalisé par la rentabilité.

Responsabilité. – Qui dit liberté dit responsabilité. L'être doué du pouvoir d'autodétermination est par le fait même responsable de son devenir. L'être humain peut assumer ou non cette responsabilité.

S'il ne l'assume pas, sa vie est un échec. L'éthique s'avère la démarche à suivre pour que la vie de chacun soit un succès. Assumer cette responsabilité signifie s'engager dans le projet constitutif de l'éthique, construire, à partir de certaines données, le chemin qui conduit à la véritable réalisation de soi.

Salariat. – Le salariat consiste en une pratique économique par laquelle un individu s'engage à travailler pour un autre moyennant une rétribution monétaire. À travers cette pratique, la force de travail de l'employé est mise à la disposition de l'employeur, qui ainsi peut l'utiliser au même titre que n'importe quelle autre force productive. En fait, le salariat réduit la force de travail au statut de marchandise. Il s'ensuit un rapport de domination où l'employeur substitue sa volonté à celle de l'employé et devient propriétaire des biens produits par ce dernier. Lorsque le régime du salariat s'avère une composante incontournable d'une économie, il introduit entre une majorité d'humains et l'appropriation des biens nécessaires à la vie une médiation qui rend ces derniers dépendants, pour vivre, d'une minorité de gens qui peuvent octroyer des emplois au gré de leurs intérêts égoïstes.

Secteur privé. – L'État est appelé à réguler les deux secteurs où se regroupent les activités qui mettent les individus en rapport les uns avec les autres. Le secteur privé désigne l'espace où se réalisent les projets individuels, privés, en ce sens qu'ils sont issus de la liberté personnelle. Dans la mesure où les projets individuels des uns se réalisent par la médiation des projets individuels des autres, les conflits sont inévitables. Pour éviter que ces affrontements tournent à l'avantage des intérêts des uns et au détriment de ceux des autres, il est nécessaire qu'ils soient assujettis aux normes de la justice élémentaire et de celle des échanges. Aussi l'espace privé doit-il être protégé par un ensemble d'interdictions qui constituent la matière du droit formel. Selon l'état actuel des choses, ce dernier est réductible au droit de propriété privée.

Secteur public. – Ce dernier désigne le lieu où se réalisent les projets collectifs issus de la liberté politique ou de la volonté collective. Il comprend l'ensemble des rapports sociaux fondés sur la solidarité et ordonnés aux biens communs, soit les institutions destinées à la protection et à la promotion des droits fondamentaux, comme les systèmes judiciaire et d'éducation. Il est régi par la justice distributive selon les principes « à chacun selon ses moyens » et « à chacun selon ses besoins ». Le versement des impôts constitue l'une des principales formes de participation des citoyens à la chose publique.

Société. – Ce terme se prête à plusieurs interprétations. Selon une première approche, il désigne l'ensemble des rapports sociaux, quelle que soit leur diversité, noués par les citoyens d'un même pays. Depuis Hegel et Marx, l'expression « société civile » réduit la signification du terme « société » à la désignation de l'ensemble des rapports économiques régis par le droit de propriété privée ; en somme, à celle du secteur privé. À la limite, il faut percevoir la société comme l'ensemble des rapports sociaux, de l'État mandaté par les citoyens pour réguler leurs comportements sociaux. La société est aussi présentée comme le milieu externe configuré par les divers accords de réciprocité conclus par les citoyens.

Valeur d'échange. – Cette expression désigne la proportion suivant laquelle des valeurs d'usage d'espèce différente sont échangeables entre elles. Cette proportion, bien qu'elle s'exprime dans une équation, est déterminée, en dernière analyse, non par un critère objectif mais par le consensus des échangistes. Ainsi, la valeur d'échange réside dans une proportion qui est une réalité sociale en ce sens qu'elle reçoit son existence et ses déterminations de la considération et du traitement que les échangistes lui accordent. Aujourd'hui la valeur d'échange s'exprime dans le prix que les échangistes confèrent à une marchandise à travers la loi de l'offre et de la demande.

Validité. – Une loi est dite valide lorsqu'elle est acceptable sans contrainte par tous les participants à l'intérieur d'un véritable processus démocratique. La validité se distingue à la fois de la justice et de la légalité. Elle se différencie de la justice qui fait référence aux droits fondamentaux : une loi est juste dans la mesure où elle respecte les libertés de base de tout un chacun ; elle est valide en regard du consensus qui la pose. En ce qui concerne la légalité ; sont estimées légales les normes issues du processus parlementaire en vigueur dans la plupart des démocraties modernes, c'est-à-dire lorsqu'elles sont débattues, puis votées et promulguées. Vu les vices susceptibles de se glisser dans le processus parlementaire, les lois adoptées ne sont pas nécessairement valides.

Vérités de base. – Les vérités de base sont des énoncés exprimant des données universelles et immuables propres à la condition humaine et dont la connaissance s'impose à tous ceux qui participent à la construction d'une société. Ainsi, aujourd'hui, c'est un lieu commun d'affirmer que l'être humain se distingue de l'animal par son pouvoir d'autodétermination et que ce dernier ne peut se développer que dans et par la société.

Bibliographie

ARISTOTE. *Éthique de Nicomaque*, traduction de Jean Voilquin, Paris, Librairie Garnier, 1992.

BIRH, Alain et Roland PFEFFERKON. *Déchiffrer les inégalités*, Paris, éditions Syros, 1995.

DWORKIN, Ronald. *Taking rights seriously*, Cambridge, Harvard University Press, 1978.

DWORKIN, Ronald. *Law's Empire*, Cambridge, Harvard University Press, 1986.

HABERMAS, Jürgen. *Droit et démocratie*, traduction de Rainer Rochlitz et Christian Bouchindhomme, Paris, Gallimard, 1997.

HABERMAS, Jürgen. *De l'éthique de la discussion*, traduction de Mark Hunyadi, Paris, Les Éditions du Cerf, 1992.

HABERMAS, Jürgen. *Morale et communication*, traduction de Christian Bouchindhomme, Les Éditions du Cerf, 1986.

HABERMAS, Jürgen. *L'intégration républicaine*, traduction française de Rainer Rochlitz, Paris, éditions Fayard, 1998.

HAYEK, F. A. *Droit, législation, et liberté*, Paris, Presses Universitaires de France, volume 1, 1980.

HEGEL, G.W.F. *Principes de la philosophie du droit*, traduction de Robert Derathé, Paris, éditions Vrin, 1975.

HIPPOLYTE, Jean. *Genèse et structure de la Phénoménologie de l'Esprit*, Aubier, éditions Montaigne, 1946.

HOBBES, Thomas. *Léviathan*, Paris, éditions Sirez, 1971.

KANT, Emmanuel. *Métaphysique des mœurs. Doctrine du droit*, traduction de A. Philolenko, Paris, éditions Vrin, 1979.

LAMBERT, Roger. *La justice vécue et les théories éthiques contemporaines*, Sainte-Foy, Les Presses de l'Université Laval, 1994.

MALSON, Lucien. *Les enfants sauvages*, Paris, éditions 10/18, 1984.

MARX, Karl. *Le Capital*, Livre 1, Paris, éditions Champs Flammarion, 1985.

NOZICK, Robert. *Anarchy, State, and Utopia*, New York, Basic Books, 1974.

RAWLS, John. *Théorie de la justice*, traduction de C. Audard, Paris, éditions du Seuil, 1987.

Table des matières

AGMV Marquis

MEMBRE DE SCABRINI MEDIA

Québec, Canada
2002